LA EVALUACIÓN DE LA EFICACIA DE LA OEA EN CRISIS DEMOCRÁTICAS EN EL CONTINENTE. LAS POSICIONES ARGENTINAS

To Dr. Andrew Hurrell

It's been a real
pleasure to meet you!

Regards.

14/09/04
Bs. As.

ISEN

Instituto del Servicio Exterior de la Nación

LA EVALUACIÓN DE LA EFICACIA DE LA OEA EN CRISIS DEMOCRÁTICAS EN EL CONTINENTE. LAS POSICIONES ARGENTINAS

Mauricio Alice

Nuevohacer

Grupo Editor Latinoamericano

Colección ESTUDIOS INTERNACIONALES

1ª edición

I.S.B.N.: 950-694-682-5

© 2002 de la primera edición *by* Grupo Editor
Latinoamericano S.R.L., Hipólito Yrigoyen 1994 - 2º "3"
(1089) Buenos Aires, Argentina.
Tel./Fax: 4952-9638

Colaboraron en la preparación de este libro:

Diseño de tapa: Pablo Barragán. Composición y armado: J.L.S.G.
Impresión y encuadernación: Edigraf. Películas de tapa: Tango Grá-
fica. Se utilizó para el interior papel Obra Boreal de 80 g y para
la tapa cartulina de 250 g., provistos por Papelera Alsina S.A.

A mis Padres,
quienes con su ejemplo de vida guiaron mi camino.

"Sería muy fácil reducir a dos personajes únicos todo
el drama de ese pedazo de América: los dos personajes
serían el Dictador y el Pueblo. A veces habla el Pueblo,
a veces el Dictador, en unos sitios habla el Pueblo, en
otros el Dictador."

Germán Arciniegas
(*Entre la Libertad y el Miedo*)

"La democracia no es una forma de gobierno sino la
esencia misma de todos los gobiernos republicanos ins-
tituidos por todos para bien de la comunidad y de la
asociación."

Esteban Echeverría

"La gran faz de la democracia moderna, es la democracia internacional; el advenimiento del mundo al gobierno del mundo; la soberanía del *pueblo-mundo*, como
garantía de la soberanía nacional."

Juan Bautista Alberdi
(*El Crimen de la Guerra*)

"Los pueblos de las Américas tienen derecho a la democracia y los gobiernos la obligación de promoverla y
defenderla."

Carta Democrática Interamericana

PRÓLOGO

El libro de Mauricio Alice "Evaluación de la Eficacia de la OEA en Crisis Democráticas en el Continente. Las Posiciones Argentinas" es una oportuna y valiosa contribución al estudio de nuestras democracias y del papel de la Organización en la protección y fortalecimiento de las mismas. El autor sustenta la tesis que la OEA ha adquirido una creciente relevancia por su papel en la promoción y defensa de la democracia y los derechos humanos en el continente. Como prueba de esto hace un recorrido por ciertas actuaciones de la Organización en diversos momentos de peligro para las democracias de la región. En su análisis el autor señala que a pesar de los logros de los últimos años la OEA está aún sujeta a ciertas estructuras y procedimientos que limitan su capacidad de acción, pero enfatiza que el balance es positivo y que está en manos de los Estados Miembros tomar las medidas que corresponden para hacerla cada día más relevante.

Como bien lo señala el autor, la democracia es el tema de mayor relevancia para la región y la piedra angular de las políticas que nuestros gobiernos han adoptado para fortalecer los sistemas políticos del hemisferio y crear condiciones que permitan un desarrollo económico sostenido y equitativo. Tiene razón también al afirmar que el camino no ha sido fácil y que es necesario evaluar el funcionamiento de la OEA particularmente frente a las crisis que se han presentado.

Muchas cosas han cambiado durante los últimos diez años. La región está muy lejos de las épocas en las que democracia significaba solo elecciones transparentes y estados absolutamente soberanos a los que nadie podía cuestionar. Hoy democracia significa también libertad de expresión, separación efectiva de poderes públicos, protección de los derechos humanos, y transparencia y responsabilidad en la función pública. La gente exige además que el sistema político genere Estados capaces de prestar servicios básicos como los de salud, educación, justicia, y supervisión y control, y que contribuya a crear condiciones para que la economía pueda crecer con equidad. En la medida en que nuestras democracias no han podido entregar estos resultados ha ido disminuyendo el entusiasmo por las reformas pasadas y futuras.

En el plano internacional la globalización, el tamaño, y la complejidad de los problemas han hecho que los países tomen conciencia de la necesidad de actuar colectivamente en ciertos temas. En nuestro hemisferio, gracias al proceso de Cumbres de las Américas, tenemos ahora una agenda común para el fortalecimiento de la democracia y la búsqueda de la prosperidad. Esta agenda no es una lista de buenas intenciones sino el compromiso político de treinta y cuatro naciones de actuar colectivamente en la solución de sus problemas. Naturalmente el sistema interamericano ha ido evolucionando para hacer más efectiva esa acción colectiva, y éstos cambios han dado nuevos mecanismos y nuevas responsabilidades a la OEA.

La adopción de la Resolución 1080 en la Asamblea General de la Organización, en 1991, fue un momento definitivo de esta transformación. Los Estados Miembros decidieron que había llegado el momento de ejercer una vigilancia institucional sobre la integridad de las democracias y de tomar acciones colectivas cuando estas estuvieran amenazadas. Mauricio Alice estudia en detalle las circunstancias en las que la OEA utilizó este mecanismo y hace reflexiones que deben ser tenidas en cuenta para futuros momentos de crisis y la evolución del sistema.

Con base en las experiencias acumuladas en el uso de la Resolución mencionada y conscientes del papel cada vez más importante que la dimensión internacional había adquirido en la defensa y el fortalecimiento de la democracia en la región, los Estados Miembros adoptaron el 11 de septiembre de 2001 la Carta Democrática Interamericana.

La Carta establece que una democracia representativa consiste en más que elecciones libres y transparentes. Democracia representativa significa respeto por los derechos humanos y las libertades públicas, separación e independencia de poderes, transparencia responsabilidad, honestidad, participación ciudadana, una sociedad civil fortalecida, un sistema pluralista de partidos políticos, acceso a la información, libertad de prensa y de expresión, un equilibrio de poderes, eliminación de todas las formas de discriminación, y la supremacía de la constitución y el estado de derecho

La Carta representa un avance significativo sobre la Resolución 1080. Mientras la Resolución permitía la acción del sistema interamericano solo cuando había una "interrupción" o "ruptura" del orden constitucional, la Carta permite que el sistema actúe al ocurrir una "alteración del orden constitucional". De acciones aisladas en respuestas a una crisis se ha pasado a un sistema con mecanismos que permiten correctivos graduales. En este contexto, y como uno de dichos mecanismos, la Carta reconoce el gran valor de las misiones de observación electoral de la OEA, las cuales se han convertido, a fuerza de profesionalismo, en una garantía de probidad, imparcialidad, y confiabilidad en los procesos electorales.

La Carta emana de la proposición que la comunidad americana de naciones actuará colectivamente para proteger las instituciones democráticas de la región de quienes intenten violar el orden constitucional. La Carta, más que un instrumento para afrontar crisis e imponer sanciones, es un complejo mecanismo de protección y fortalecimiento de ñuestras democracias.

Razón tiene el autor de este libro cuando dice que la Carta es uno de los instrumentos políticos más importantes del sistema interamericano. Los Estados Miembros tienen ahora el enorme desafío de desarrollarla, de utilizarla con decisión y sabiduría para ayudar a las democracias en peligro y para que la OEA pueda seguir jugando un rol constructivo en la creación de ese hemisferio que todos anhelamos.

César Gaviria
Secretario General
Organización de los Estados Americanos

INTRODUCCIÓN

El nacimiento de la Organización de los Estados Americanos (OEA) sirve de enlace a dos periodos históricos bien determinados en la historia de las relaciones hemisféricas: el Panamericanismo y el Interamericanismo. El primero se inicia en 1890 —fecha de celebración de la Primera Conferencia Internacional Americana—, extendiéndose hasta 1954, y se caracteriza por la realización de las Conferencias Internacionales Americanas, también conocidas como las Conferencias Panamericanas. El Interamericanismo, en tanto, da comienzo con el establecimiento de la OEA, en 1948.

El esquema de relacionamiento que se desarrolló en el continente, si bien en los hechos formaba parte de un mismo proceso, desde el punto de vista teórico parecía distinguirse en el ámbito conceptual y sentimental. Uldaricio Figueroa Plá explica que "el término Panamericanismo tiene una acepción de unidad, de un todo. Después de años de intervención militar norteamericana en el continente, de desconocimiento de principios tan caros a la América Latina como el de la no-intervención (entendida originalmente como la no-intervención de Estados Unidos en los asuntos latinoamericanos), se hacía necesario precisar y caracterizar el Estado de la relación hemisférica. El término Interamericanismo refleja de hecho la situación existente. Constata solamente un hecho geográfico: una relación 'entre las Américas', pero sin ponderar ni adjetivar esa relación".[1]

[1] Uldaricio Figueroa Plá, *Organismos Internacionales* (Santiago: Editorial Jurídica de Chile, 1991), p. 466.

Como bien lo testimonia el artículo primero de la Carta de Bogota, "los Estados americanos consagran... la organización internacional que han desarrollado para lograr un orden de paz y de justicia, fomentar su solidaridad, robustecer su colaboración y defender su soberanía, su integridad territorial y su independencia...". La creación de este foro de encuentro, diálogo y concertación no fue el resultado de un proceso espontáneo, sino el producto de una necesidad y una evolución que fue madurando a la luz de constantes vaivenes y mutaciones en los procesos políticos que vivió el continente. El Secretario General de la OEA durante la crisis cubana, José A. Mora, sintetizaba el objetivo de las diversas reuniones llevadas a cabo en el seno de la OEA, en "objetivos comunes y supremos"; o sea, "buscar por distintos caminos el bienestar humano y la defensa y fortalecimiento de la estructura democrática del Nuevo Mundo".[2]

Sobre la base de esa evolución, la OEA no hizo más que reflejar el devenir histórico de los pueblos de América, convirtiéndose en un instrumento de ejecución en favor de los intereses dominantes en la región. La lógica de la guerra fría determinó que su orientación estuviera marcada por los designios del hermano mayor del norte. El fin de esa era dio lugar a un replanteo no sólo de las relaciones americanas sino también a un nuevo enfoque para la labor y utilidad de la Organización. Ya no eran los intereses de uno de sus Estados miembros los que marcaban el ritmo que debía seguir la Organización en su conjunto.

Paulatinamente, la OEA dejaba de ser un instrumento al servicio de uno para convertirse en una herramienta de todos, con mayor juego de algunos que de otros en determinadas áreas o temáticas específicas. Así, la cooperación integral fue adquiriendo forma para dar respuestas a los problemas y carencias de los Estados con menor índice de desarrollo económico de la región, particularmente del Caribe. Algo similar puede decirse en materia de prevención y reducción de desastres naturales en los que la vulnerabilidad de aquella subregión los torna beneficiarios de la asistencia y de todo programa en la materia que promueva la OEA. En otras áreas, como la corrupción o la lucha contra el narcotráfico, si bien la participación es mayoritaria, poco podría hacerse sin el compromiso y la participación de los países con mayor peso político y financiero de la región.

La democracia es el tema de mayor relevancia en la agenda actual de la Organización, y con ella se encuentran comprometidos casi la totalidad de los

---

[2] Octava Reunión de Consulta, Sesión solemne inaugural, OEA/Ser. F/II.8-Doc. 12, 22 de enero de 1962.

Estados Miembros de la OEA. Durante mucho tiempo, la asimetría de intereses, realidades y problemas de los países del hemisferio ha tornado elusiva la posibilidad de alcanzar un consenso generalizado cada vez que se ha querido profundizar en los mecanismos y procedimientos de promoción y defensa de la democracia. El gran desafío se presentó durante la negociación de la denominada "Carta Democrática Interamericana" —de la que nos ocuparemos más adelante— y cuya aprobación, durante el XXVIII período extraordinario de sesiones de la Asamblea General de la OEA (Lima, 11 de septiembre de 2001), resultó en uno de los instrumentos políticos más importantes del sistema interamericano.

Como en el pasado, la OEA no permanece ajena a los vaivenes estructurales del escenario internacional. Luego de haber sido marcada a fuego por el período de la guerra fría, la Organización adquirió una dinámica distinta en la pos-guerra fría, y hoy busca participar de las tendencias que proyecta el sistema de la globalización. Salvo contadas excepciones, los debates y negociaciones en el seno de la OEA repiten aquellos de otros foros o negociaciones multilaterales extra-regionales. Los temas básicos: derechos humanos, corrupción, seguridad, para citar sólo algunos ejemplos.

La duplicación no siempre ha tenido efectos negativos, como el derroche innecesario de recursos o la prolongación indefinida de los temas y las negociaciones en el tiempo. A veces, ha servido para adoptar, a nivel regional, instrumentos o regulaciones sobre un determinado tema que luego sirven de base a otros similares acordados o negociados a escala global, como la Convención Interamericana contra la Corrupción o la Convención Interamericana contra el Terrorismo, que constituyen importantes antecedentes para las negociaciones en curso en el seno de Naciones Unidas, con miras a la posible adopción de un tratado internacional en cada una de esas materias.

La "democratización de la tecnología y de la información", usando las expresiones de Thomas Friedman en *The Lexus and the Olive Tree* (1999), han facilitado que la OEA se inserte en este proceso de la globalización abriendo las puertas de la Organización a las inquietudes e incentivos de la sociedad civil, las ONGs., y demás componentes de lo que se han dado en llamar "relaciones transgubernamentales"[3] o transnacionales, que marcan la aparición de nuevos actores en la arena internacional, con peso específico propio y poder de

---

[3] Ver Jessica T. Mathews, "*Power Shift*", en "Foreign Affairs" (January/Febrary 1997); y Anne-Marie Slaughter, "*The Real New World Order*", en Foreign Affairs (September/October 1997).

presión, y que opacan hoy la vigencia tradicional del Estado-Nación y, con él, del sistema Westfaliano.

La globalización nos impone hoy en día, en diversas áreas, coordinación internacional y acción colectiva. La expansión de los mercados lleva a una profundización en la interdependencia de las economías y a una creciente demanda de coordinación en una variada gama de áreas y normas regulatorias. Globalización también significa que los problemas que afectan al Estado-Nación ya han adquirido un carácter global, para los cuales la acción unilateral ha probado ser insuficiente e ineficaz. Por ello, los esfuerzos para enfrentar esos problemas y desafíos se centran en la creación o reforzamiento de variadas formas de organismos e instituciones internacionales. Es así como, hoy en día, asistimos a una revaloración de su papel y a un juzgamiento de su eficacia y potencial.

Como dijimos, la creciente intensidad y extensión de interacciones globales llevan consigo una variedad de desafíos a la gobernabilidad. Cary Coglianese distingue tres tipos de problemas que acompañan a la globalización y que reclaman una acción internacional: "problemas de coordinación, problemas comunes, y problemas que tienen que ver con valores supremos, tales como los derechos humanos".[4] Una abundante literatura[5] afirma que la creciente interconexión global está transformando la naturaleza y el papel del Estado en el sistema global, alterando estructuralmente el sistema de *Westfalia*. En esencia, esta literatura presenta al Estado moderno como atrapado dentro de una creciente red de interdependencia global, altamente penetrada por factores y fuerzas transnacionales, y generalmente incapacitado para cumplir sus funciones esenciales sin tener que recurrir a la cooperación internacional. En ese marco, el esquema de "interdependencia compleja" tiene considerables implicancias para la soberanía, independencia o autonomía, así como para la responsabilidad del Estado-Nación. Recordemos que, según la concepción esbozada por Robert Keohane y Joseph Nye, lo que influye sobre los actores, o sobre la estructura, es lo que denominan "regímenes internacionales", a los que aquellos definen como "factores intermedios entre la estructura de poder de un sistema inter-

---

[4] Gary Coglianese, "*Globalization and the Design of International Institutions*", en Joseph S. Nye, Jr. y John D, Donahue: *Governance in a Globalizing World*" (Washington,DC: Brookings Institution, 2000), p. 298..

[5] Ver, entre otros, Morse (1976), Rosenau (1988, 1990), Brown (1988), Gottlieb (1993), Ohmae (1995), Huntington (1996), Barber (1996), Friedman (1999), Rodrik (1999), O'Meara (2000), Nye (2000).

nacional y la negociación política y económica que se produce dentro del mismo".[6]

Robert Keohane propone dos teorías o enfoques para entender el sentido de las instituciones internacionales: el enfoque racionalista y el enfoque reflexivo.[7] El primero intenta explicar las circunstancias que pueden fomentar o no la cooperación internacional, mientras que el segundo se concentra en los procesos sociales que moldean las identidades y preferencias de los actores del sistema. Algunos autores han representado el primer enfoque a través del neorrealismo, según el cual las instituciones internacionales sirven a los Estados más fuertes del sistema, reflejando las relaciones de poder que existen entre los Estados. El enfoque reflexivo, en tanto, ha sido explicado a través del constructivismo, el cual define el sentido y esencia de las instituciones internacionales en términos de las identidades e intereses de los Estados que integran el sistema. Mientras la primera teoría explica la orientación de la OEA durante el período de la guerra fría, la última nos provee un campo fértil para analizar el sentido que ha adquirido la organización en la post-guerra fría. Este último enfoque nos hace ver cómo la OEA ha ido adquiriendo un efectivo sentido intergubernamental dirigido a la cooperación. En este período dominado por la globalización, la OEA ha demostrado ser también permeable a la influencia de nuevos actores y redes transnacionales que están adquiriendo un peso significativo en la arena internacional. Como lo explican Robert Keohane y Joseph Nye: "El sistema mundial del siglo XXI no es simplemente un sistema de estados unitarios interactuando uno con el otro a través de la diplomacia, el derecho internacional público y las organizaciones internacionales." Es también un sistema, explican, en el que existen otros dos elementos esenciales: "*redes* entre los agentes y *normas* que son ampliamente aceptadas entre esos agentes."[8]

La globalización ha sido caracterizada como una fuerza homogeneizante, que erosiona las diferencias políticas y la capacidad del Estado-Nación de actuar de manera independiente en la articulación y ejecución de sus políticas e intereses en el ámbito doméstico y en el internacional. Uno de los aspectos en el que esta erosión del Estado-Nación se ha puesto de manifiesto es en el vin-

---

[6] Ver Robert O. Keohane y Joseph S. Nye, *Poder e Interdependencia* (Buenos Aires: GEL, 1988).

[7] Ver Robert O. Keohane, Instituciones Internacionales y Poder Estatal (Buenos Aires: GEL, 1993).

[8] Robert O. Keohane y Joseph S. Nye, Introducción a la obra de Joseph S. Nye, Jr. y John D, Donahue: *Governance in a Globalizing World* (Washington, DC: Brookings Institution, 2000), 19.

culado con la vigencia de la democracia y la protección de los derechos humanos; lo que ha provocado una internacionalización del proceso de toma de
decisiones. A medida que transcurra el tiempo, esto podría incidir en el establecimiento de un sistema compuesto por regímenes e instituciones internacionales que, actuando de consuno con redes y agentes transnacionales, favorezcan
y aseguren la vigencia efectiva de la democracia en nuestros países.

El objetivo del presente trabajo tiene que ver con el análisis de la historia
de la OEA a través del prisma de su actuación en defensa de la democracia en
el hemisferio, y de su proyección en los umbrales de la globalización. A la hora
de hacer un balance de lo actuado por la OEA en más de cincuenta años trans-
curridos desde su creación, siempre se hace un paralelo con el desarrollo que
tuvo la democracia en los diversos países del hemisferio, particularmente en
aquellos Estados miembros de la Organización. Sin embargo, la democracia
como tal precedió a su establecimiento y fue su máxima consecuencia y aspi-
ración. Desde su consagración en la Carta de Bogotá como uno de sus propósitos esenciales, la democracia en las Américas ha sido objeto de interés constante de todo el Sistema Interamericano, quizás por su percepción como la
máxima expresión a la que puede aspirar la organización política de un Estado,
y como la *conditio sine qua non* de una paz y seguridad duraderas y estables.

Sin embargo, la democracia representativa y sus instituciones sufrieron
diversos golpes y amenazas en el concierto latinoamericano de naciones. Lamentablemente, la OEA asistió en muchos casos impávida al avasallamiento
de la representación popular y al despedazamiento del ejercicio legal del poder
por un gobierno legítimamente establecido. La madurez y el anhelo de alejar
para siempre el fantasma de los golpes militares llevaron a los diversos países
de la región, a medida que se iban reincorporando al sistema democrático, a
buscar alternativas que pudieran consolidar y proteger la democracia representativa. Ello se hizo a través de una acción concertada y laboriosa que comenzó
a alzarse en defensa de aquellos que pretendían un retorno al oscurantismo de
tiempos que el hemisferio quería ver desterrados para siempre de su memo-
ria colectiva.

El objeto del presente estudio es evaluar la eficacia de la OEA frente a
las crisis de naturaleza democrática que enfrentó la región, entendiendo por
tales aquellas situaciones en las que se produjo una "interrupción abrupta o
irregular del proceso político institucional democrático o del legítimo ejercicio
del poder por un gobierno democráticamente electo" en alguno de los Estados

miembros de la Organización. Esto implica apelar a los casos en los cuales resultó aplicable el mecanismo consagrado en la quinta sesión plenaria de la Asamblea General de la OEA, celebrada el 5 de junio de 1991, conocida como la resolución AG/RES. 1080 (XXI-0/91). Las tres ocasiones en las que fue necesario apelar a tal mecanismo, constituirán la base de evaluación de la eficacia que exhibió la Organización de los Estados Americanos. En este análisis, sin duda, no puede soslayarse la crisis que puso en vilo no sólo al hemisferio sino al mundo entero, cuando en 1962 las dos grandes potencias, Estados Unidos de América y la Unión de Republicas Socialistas Soviéticas, estuvieron al borde de una confrontación nuclear.

Abril de 2002 se convirtió en un momento determinante para probar la vigencia y eficacia de la Carta Democrática Interamericana (CDI), un nuevo instrumento —de naturaleza más bien política— que fue aprobado por los Ministros de Relaciones Exteriores del hemisferio el fatídico 11 de septiembre de 2001, en Lima (Perú), cuando el terrorismo golpeó con extrema violencia el suelo estadounidense, acabando con la vida de miles de personas de diversas nacionalidades, mayoritariamente estadounidenses. Ese instrumento fue la Carta Democrática Interamericana (CDI), que podría decirse sustituyó en los hechos a la resolución 1080. La CDI tuvo su prueba de fuego con la crisis ocurrida entre el 11 y el 14 de abril de 2002 en Venezuela, al producirse un golpe cívico-militar que derrocó de manera temporaria a su presidente constitucionalmente elegido. Este episodio y su repercusión serán tenidos en cuenta en el presente trabajo.

También serán materia de consideración aquellas situaciones que, en el pasado reciente, atestiguaron amenazas a la democracia y sus instituciones en algunos países de la región, sin llegar a erigir o instalar nuevos gobiernos. Un análisis pormenorizado de estas situaciones escaparía al objetivo del presente estudio por no haber generado una respuesta que volviera las cosas al estado anterior, es decir, por no reestablecer la vigencia de las instituciones democráticas luego de su supresión por un golpe autoritario de naturaleza contundente. Así, intentos de golpes de Estado y amenazas a la democracia representativa al estilo de las ocurridas en Venezuela, Paraguay, Ecuador, y de nuevo Paraguay, obtuvieron una respuesta de la OEA que, en los hechos, confirmó o reafirmó la vigencia de las instituciones amenazadas. Una reacción distinta por parte de la Organización hubiese ingresado en el terreno que repele el "principio de no-intervención". Precisamente, ese es el equilibrio que los autores y las naciones americanas aspiraban a seguir como su divisa más preciada cuando consagraron, como uno de sus propósitos fundamentales, "promover y consolidar la democracia representativa dentro del respeto al principio de no-intervención".[9]

En la primera sección, nos situaremos brevemente en la proyección de la OEA desde su establecimiento en 1948 hacia el resto de la comunidad hemisférica de naciones, y el desarrollo de la democracia en la región. Seguidamente, en la segunda sección, nos ubicaremos en los instrumentos que sirvieron y sirven a la defensa, promoción y fortalecimiento de la democracia en el Sistema Interamericano, previos y posteriores a la creación de la OEA. En la siguiente sección analizaremos los casos en los cuales la democracia fue avasallada y doblegada en el continente y veremos cómo la OEA reaccionó, los efectos provocados por su intervención, y la efectividad conseguida por su accionar, apelando al mecanismo de defensa de la democracia específicamente creado para ese fin. Asimismo, repasaremos aquellas situaciones que pusieron en peligro la democracia en épocas recientes y cuál fue la reacción de la OEA en ese sentido. En ese marco, el lector observará una narración más detallada sobre la cuestión de Haití, que le permitirá seguir pormenorizadamente el desenlace de los sucesos en aquel país, al tiempo que permitirá evaluar qué tan eficaz es el desempeño del organismo interamericano en lo que aparece como la gran cuestión pendiente y una de las que más ha puesto a prueba la solvencia de la OEA en la defensa y fortalecimiento de la democracia. Tanto unas como otras situaciones, tendrán referencias específicas a la posición sostenida por la República Argentina en el marco de la OEA, aunque —en estas últimas— dicha posición no se verá reflejada del mismo modo, dada la escasez de material de archivo existente respecto de las situaciones anteriores. Finalmente, junto a las consideraciones finales, seguiremos los últimos pasos que ha dado la OEA en materia de promoción y fortalecimiento de la democracia, junto con algunas consideraciones relativas al futuro inmediato.

Antes de ingresar de lleno en la presente obra, quiero expresar mi sincero agradecimiento por su decisiva colaboración para hacer posible la publicación de este libro al Instituto del Servicio Exterior de la Nación (ISEN), en particular al Dr. Roberto Russell, Director Académico de esa prestigiosa institución. Quiero, asimismo, extender mi agradecimiento a los diversos funcionarios de la Secretaría General así como de la Biblioteca Colón de la Organización de

[9] Art. 2, b) Carta de la Organización de los Estados Americanos.

los Estados Americanos, quienes me asistieron de manera continua en los trabajos de investigación que llevaron a esta publicación. Al mismo tiempo, quiero agradecer las sugerencias y las muestras de apoyo que he recibido de distintos colegas del Servicio Exterior de la Nación, del que me honra ser parte. Por último, quiero tributar un agradecimiento y homenaje especial a aquellos miembros de mi familia que me acompañaron y apoyaron para la realización de esta obra.

SECCIÓN I

LA DEMOCRACIA EN AMÉRICA

Henry Kissinger dijo que "la democracia en América Latina es una abstracción". Señalaba así la gran diversidad, en todos los órdenes, de las realidades nacionales de la región. Fue esa variedad la que conspiró singularmente contra el sueño bolivariano de unidad continental. La Unión Panamericana, creada en 1910, fue vista como el soporte del expansionismo económico de los Estados Unidos. La Organización de los Estados Americanos, establecida en 1948 durante la Novena Conferencia Internacional Americana, se vio por mucho tiempo sometida a las voluntades y deseos norteamericanos, específicamente durante los años de la *guerra fría*. Por aquel entonces, Fidel Castro calificó esta organización como el "Ministerio de las Colonias de los Estados Unidos", cuando la mayoría de sus miembros votaron por la suspensión de Cuba en el organismo, en 1962. Para Kissinger, el Tratado de Río, de 1947, y la Carta de Bogotá, de 1948, proveyeron a Estados Unidos de un componente de seguridad que fue institucionalizado en la Organización de los Estados Americanos.[10]

Por aquellos tiempos, la concertación regional era muy débil, a pesar de la existencia de un significativo número de organizaciones: ALALC, ALADI, CECLA, CEPAL, COPPAL, MCCA, Pacto Andino, SELA.[11] Por otro lado, la actuación de los Estados miembros a través de la diplomacia unilateral podía a veces diferenciarse de la senda marcada por la política exterior de Estados

---

[10] Henry Kissinger, *Diplomacy* (Simon & Schuster: New York, 1994), p. 831.

[11] Asociación Latinoamericana de Libre Comercio (1960), Asociación Latinoamericana de Integración (que reemplazó a la anterior en 1980), Comisión Económica de Coordinación Latinoamericana,

Unidos respecto del continente, como lo hizo reiteradamente México para poner de manifiesto su autonomía en el caso de Cuba.

Los estadios del crecimiento en el hemisferio reflejaban los embates del siglo. En la primera etapa del Panamericanismo, los esfuerzos de las naciones americanas en organizarse eran vacilantes, pues los Estados Unidos estaban absorbidos por la guerra y la inestabilidad creciente en Europa. Los países latinoamericanos, conscientes del enorme poder de su vecino del norte, estaban enfrascados en construir un marco asociativo de naturaleza jurídica que involucrara a todos. Fue con el advenimiento de la "política del Buen Vecino" (Good Neighbor's Policy) y la aceptación de estos principios por los Estados Unidos en los albores de la Segunda Guerra Mundial, que los Estados se concentraron en la institucionalización del sistema, culminando con la creación de la OEA, en 1948, con su Carta y dos tratados fundamentales: el Pacto de Bogotá, para el arreglo pacífico de disputas, y el tratado de Río, sobre seguridad colectiva. Asimismo, se crearon normas de carácter económico, social y cultural con el propósito de subrayar la cooperación de los Estados miembros en esas áreas.

Serían miembros de la Organización "todos los Estados Americanos que ratifiquen la presente Carta". En la década del sesenta se inicia el proceso de descolonización en el Caribe y se suscita el problema del ingreso de estos nuevos Estados no latinoamericanos a la OEA. Algunos de estos potenciales Estados, cabe destacar, tenían problemas limítrofes con otros Miembros, lo cual fue materia de consideración en las tres Conferencias Interamericanas Extraordinarias de Washington (1964), Río de Janeiro (1965) y Buenos Aires (1967). A raíz de esta situación, se otorgó un derecho de veto al Estado miembro de la OEA que tuviera reclamación territorial con algún nuevo Estado que quisiera ingresar, lo cual quedó consagrado en el artículo 8 de la Carta, a través de su reforma por el Protocolo de Buenos Aires, de 1967, que entró en vigencia en 1970. Esta reforma a la Carta, en realidad, apuntaba a tres casos específicos: Guyana, que estaba en conflicto con Venezuela; Belice, en conflicto con Guatemala; y el tercer caso, sin duda, lo constituía el diferendo que mantenía Argentina con el Reino Unido por la soberanía sobre las Islas Malvinas. Sin

Comisión Económica de la ONU para América Latina, Conferencia Permanente de los Partidos Políticos de América Latina, Mercado Común Centroamericano (1960), Pacto Andino (1969), Sistema Económico Latinoamericano (1975). No se incluyen las asociaciones interregionales especializadas, pues ellas extenderían innecesariamente la lista.

embargo, la siguiente reforma de la Carta, mediante el Protocolo de Cartagena de Indias (1985) suprimió dicho artículo 8 a partir de diciembre de 1990 y con él desapareció el citado derecho de veto.

La comunidad de Estados miembros de la Organización se agranda cuando, el 1º de enero de 1990, se produce formalmente el ingreso de Canadá como nuevo Estado Miembro de la OEA, lo cual representó un paso importante, luego de la incorporación de 14 países de la comunidad de Estados del Caribe anglófono, hacia la universalización —en sentido hemisférico, claro está— de la entidad regional.

La OEA desde su creación abrevó de las diferencias entre Estados Unidos y Latinoamérica respecto de la naturaleza del mundo de la posguerra. Ronald Scheman dice que "fueron las naciones latinoamericanas las que insistieron en la creación de la OEA, contrariamente al deseo de los Estados Unidos, con miras a preservar su autonomía y ocuparse ellas mismas de los asuntos hemisféricos... Dirigida por hombres como Alberto Lleras Camargo, de Colombia, y Galo Plaza, de Ecuador, América Latina, no los Estados Unidos, insistió en la incorporación de provisiones dentro de la Carta de la ONU que pudiera permitir el mantenimiento de la maquinaria interamericana, tal como había sido concebida en la reciente conferencia de Chapultepec... El resultado fue la incorporación de los artículos 52-54 de la Carta de la ONU, los cuales permiten acuerdos regionales para la seguridad y la autodefensa".[12]

A principios del siglo XX, Estados Unidos expresó un significativo interés en el comercio en la región, cuyo impulso pregonaba. Precisamente, comprometido con la idea de construir una unión aduanera a escala hemisférica, Estados Unidos promovió la creación de una Oficina dedicada a la Unión Panamericana, la que quedó bajo la conducción del Secretario de Estado de aquel país. Además del comercio, Estados Unidos ya se mostraba como un promotor de la democracia, particularmente en América Central y el Caribe, lo que llevó a cabo de variadas formas, incluso despachando tropas al país cuyas instituciones democráticas estaban amenazadas. Así, la promoción de la democracia ya aparecía como uno de los baluartes de su política exterior, adquiriendo una manifestación explícita en la denominada "Doctrina Wilson", propuesta por el Presidente Woodrow Wilson en 1913, la que sostenía que aquel país no reconocía a ningún gobierno inconstitucional en América Latina, y a la que nos

---

[12] Ronald Scheman, *The Inter-American Dilemma* (Baker & Taylor: New York, 1988), p. 3

referiremos más adelante. Esta doctrina no alcanzó la proyección esperada por su propio autor, entre otras razones, porque era vista como una política de Estados Unidos para con sus vecinos

Frente a la clara hegemonía norteamericana en la región, se pone énfasis en el *principio de no-intervención*, adoptado en la Carta como norma suprema de la convivencia hemisférica, el que tenía un destinatario específico: Estados Unidos. Junto a la no-intervención, pasan a constituirse en pilares de la vida interamericana, el respeto a la personalidad, soberanía e independencia de los Estados y la fiel observancia de las obligaciones emanadas de los tratados (*pacta sunt servanda*). Asimismo, dentro de la Organización se había elaborado un sistema de paz y seguridad colectiva que proporcionaba al continente mecanismos para hacer frente a eventuales ataques armados y agresiones.

A fines de los años cincuenta, se observa una fuerte tendencia en favor de una democratización del continente. Las nuevas democracias, surgidas entre los cuarenta y principios de los cincuenta, luchan por su supervivencia frente a elementos y presiones endógenas y exógenas. Se realiza la Quinta Reunión de Consulta de Ministros de Relaciones Exteriores, en Santiago, y sus resultados son la muestra elocuente del sentir democrático en la historia del Sistema Interamericano. Por aquel entonces, la democracia representativa era un tema de conflicto ideológico en el hemisferio. En los debates de la OEA sobre la democracia representativa siempre se aludía a otro modelo, el de la llamada "democracia participativa", discusión que fue retomada recientemente en el seno de la OEA, aunque sólo para enterrar tal distinción.

Sin embargo, aquella ola democrática no duraría mucho, pues fue desplazada por la denominada "segunda contraola", que Samuel Huntington ubica entre 1958 y 1975, y en la cual los gobiernos civiles fueron reemplazados por lo que él llama "autoritarismo burocrático"[13]. Durante esa época, el autoritarismo tomó el poder en Perú (1962 y 1968), sucediéndose golpes militares en Brasil y Bolivia (1964), Argentina (1966), Ecuador (1972), Chile y Uruguay (1973).

Por estos años, la hegemonía estadounidense se mantiene latente para alejar el fantasma del comunismo de la región, actuando enérgicamente para erradicar sus manifestaciones y combatirlo hasta las últimas consecuencias. Baste recordar las numerosas reuniones efectuadas en el marco del Sistema Interame-

[13] Samuel P. Huntington, *The Third Wave* (The University of Oklahoma Press: Norman, 1991), p. 19.

ricano debido a la situación cubana, que llevó a decidir la suspensión del gobierno de Fidel Castro de la OEA y culminó, en 1964, con la ruptura colectiva, excepto México, de las relaciones diplomáticas del hemisferio con Cuba. Otro claro ejemplo de la hegemonía del país del norte y de la inacción virtual que generaba su accionar en el hemisferio, se puso de manifiesto en las intervenciones de Estados Unidos en República Dominicana (1965), Grenada (1983) y Panamá (1989), claras violaciones al principio de no-intervención, frente a las cuales los restantes Estados miembros de la OEA se limitaron a una condena y/o crítica retórica, individual o colectiva.

Como una nueva ofensiva frente al comunismo, Estados Unidos lanza la denominada *Alianza para el Progreso*, en 1961, "un vasto esfuerzo cooperativo, de una magnitud y una nobleza de propósito sin paralelo, para satisfacer las necesidades básicas de los pueblos americanos de techo, trabajo y tierra, salud y escuela". Se trataba de un plan a diez años con una inversión cercana a los diez mil millones de dólares. La Alianza se formalizó en la Declaración y la Carta de Punta del Este, producto de una reunión convocada en ese balneario y a la que asistieron los Jefes de Estado, del 5 al 17 de agosto de 1961. Sin embargo, las expectativas iniciales fueron superadas por la realidad, pues la iniciativa no pasó de ser una mera ilusión, acumulando otra frustración a la historia de las relaciones entre el norte y el sur del continente.

El aislamiento de Estados Unidos respecto de América Latina y de la OEA, en los años setenta, fue testigo de inocultables sentimientos anti-norteamericanos. En efecto, esta corriente pugnó por llenar el vacío dejado por Estados Unidos en la OEA al desentenderse de los asuntos hemisféricos. Es la América Latina de Perón, de Allende, de Torrijos, de Torres, de Velasco Alvarado, de Echeverría. Todos quieren modificar la OEA para hacerla "latinoamericana". Se inicia un proceso de discusiones para considerar reformas que nunca llegaron a plasmarse. Se estableció, incluso, una "Comisión Especial de Estudio del Sistema Interamericano" (CEESI, 1973-1975) que no tuvo destino. Fruto de ese proceso fue la reforma del TIAR, que no ha obtenido hasta la fecha el número de ratificaciones necesarias para entrar en vigor. Otro elemento importante es que se dejó en libertad a cada Estado miembro para conducir sus relaciones con Cuba y se creó el SELA (Sistema Económico Latinoamericano) en 1975, con sede en Caracas, con el objeto de tener un Organismo con Cuba como miembro de pleno derecho y sin Estados Unidos. Así se llevó a la práctica la idea de la "latinoamericanización de la OEA".

La democracia ya había comenzado a ser hostigada en el continente. Al pintar el historicismo democrático de América, Natalio Botana, repasando los constantes embates contra la democracia y sus instituciones, dice: "Lo que impresiona de estos conflictos en torno a la legitimidad republicana es su larga duración. La pugna entre la sinceridad electoral y el engaño unido a la manipulación de las instituciones cubrió prácticamente todo nuestro primer siglo de vida independiente. No le fue mejor al siglo XX: en cada una de las así llamadas *olas de democratización*, los embates autoritarios coexistieron con la decadencia de los partidos políticos y con la reaparición de una praxis política que se juzgaba superada".[14]

Paralelo al considerable debilitamiento de la OEA, a mediados de la década del setenta se produce la llamada *tercera ola* democrática. Esta nueva escalada de la democracia, explica Samuel Huntington, empezó a desplegarse en 1974 -al caer la larga dictadura que había inaugurado Salazar y que continuara Caetano en Portugal, y al regresar la democracia a Grecia, y morir Franco en España- y se extendió por América Latina (Alfonsín en Argentina, 1983; Sanguinetti en el Uruguay y Sarney en Brasil, en 1985; Aylwin en Chile y Chamorro en Nicaragua, en 1990). La *tercera ola*, dice Huntington, adquiere un "carácter irresistiblemente global, moviéndose de un triunfo al siguiente", llegando así hasta nuestros días.[15]

Durante el periodo de la *guerra fría*, la mayoría de las naciones de América Latina eran regidas por gobiernos autoritarios, predominantemente militares, comprometidos con las políticas de control estatal de sus economías, lo que llevó a la acumulación de una deuda externa que hipotecó el destino de generaciones por venir y que bautizó los años ochenta como "la década pérdida del desarrollo en la región". La segunda parte de esa década presenció cómo Latinoamérica comenzaba a abrazar lenta pero decididamente la democracia y la economía de mercado, al tiempo que en Centroamérica empezaba el fin de la guerra civil.

El escenario político regional también cambió drásticamente en ese período. Desapareció el autoritarismo y la dictadura en la mayor parte de América Latina y se abrió paso la democracia en casi todas las naciones del continente. Se superaron muchos de los conflictos internos, se derrumbaron las barreras comerciales y se aceleró la integración económica. Atrás quedaron décadas de

---

[14] Natalio Botana, *Entre el Fraude y la Incompetencia*, La Nación line/Opinión, 28 mayo 2000.
[15] Samuel P. Huntington, op. cit..

aislacionismo, de confrontación y de desconfianza. Surgió una realidad política indiscutible de mayor equilibrio en las relaciones hemisféricas.

Concluida la *guerra fría*, la Organización de los Estados Americanos comenzó a vivir una etapa de replanteamiento de su estructura, funciones y metas, a través de un debate y una discusión que no se ha agotado sino que más bien continúa hasta el día de hoy. Fue la década de los noventa la que marcó el renacimiento de la OEA, en un nuevo marco y con una renovada perspectiva. Si bien, en su mayoría, fueron factores endógenos los que definieron su nuevo perfil, no puede desconocerse la influencia que tuvieron ciertos cambios estructurales, forjados a la luz de un creciente consenso hemisférico, en la redefinición de la agenda de la Organización y en la adquisición de un peso específico relevante en las relaciones interamericanas. Como lo afirman Guy Gosselin y Jean-Phillippe Thérien: "Hacia mediados de 1980, una vez que las dictaduras habían comenzado a caer en el hemisferio, un nuevo clima de cooperación comenzó a tomar forma en las relaciones interamericanas. El nuevo clima permitió a la OEA refinar sus definiciones de democracia y derechos humanos y adoptar un gran número de nuevas iniciativas relacionadas con estos temas."[16]

En primer término, los cambios en la coyuntura fueron decisivos para reforzar la posición de la OEA en el contexto hemisférico y para permitirle asumir un nuevo papel y una influencia creciente en la redefinición de las políticas exteriores de América Latina y de Estados Unidos para con la región. Tres factores fueron esenciales en ese sentido: Primero, el surgimiento de gobiernos democráticos en América Latina que sucedían a regímenes dictatoriales en la década de los ochenta. El advenimiento de la democracia en nuestros países determinó un reordenamiento estructural en el orden interno, con claras proyecciones en sus políticas exteriores. Las modernas tecnologías aplicadas a las comunicaciones ayudaron a propagar los beneficios de la democracia en el mundo. Strobe Talbott, quien fuera Subsecretario de Estado de los Estados Unidos, señala: "La democracia se ha propagado además porque aquélla puede ayudar a sus países a modernizar sus economías, mejorar sus condiciones sociales, e integrarse con el mundo exterior. Bajo un sistema representativo de gobierno, sus líderes son más susceptibles a asumir responsabilidades frente a

---

[16] Guy Gosselin y Jean-Phillippe Thérien, "*The Organization of American States and Hemispheric Regionalism*", en Gordon Mace y Louis Bélanger, *The Americas in Transition* (Lynne-Rienner Publishers: Boulder y London, 1999), p. 178.

su pueblo (more likely to be accountable to their people)".[17] Una consecuencia evidente de ello fue procurar, mediante la acción colectiva, la adopción de medidas o procedimientos que definieran la promoción y defensa de la democracia como supremos valores hemisféricos, de modo de evitar retrotraernos al oscurantismo autoritario que estaba quedando atrás. Esto se tradujo en la adopción del Protocolo de Cartagena de Indias, de 1985, que reconocía la democracia representativa como "una condición indispensable para la estabilidad, la paz y el desarrollo de la región"; así como en la aprobación del "Compromiso de Santiago con la Democracia y la Renovación del Sistema Interamericano", y de la Resolución 1080.

Segundo factor endógeno fue el fin de la *guerra fría*. Es indudable que la desaparición del clivage ideológico que partió en dos al mundo determinó un relajamiento de las tensiones y un cambio radical en la política de los Estados Unidos en relación con sus vecinos de América Latina y socios en la OEA. La región ya no aparecía como el tablero en el que se sucedían las jugadas magistrales de las dos superpotencias. La desaparición de la *guerra fría* reforzó e incidió en la proyección de la oleada democrática en la región. Con la caída del comunismo ninguna alternativa creíble se oponía al modelo democrático. Como lo dijera en la ocasión el ex Secretario General de las Naciones Unidas, Boutros-Ghali: "Los pueblos de las Naciones alrededor del mundo se han vuelto más insistentes en sus demandas por la democracia". Sin embargo, el fin de la confrontación Este-Oeste no significó un abandono o despreocupación absoluta de Estados Unidos en relación con sus vecinos del sur. Ahora la atención estaba centrada en la promoción de la democracia y del respeto a los derechos humanos. Pero fue también el peso de la deuda externa de los países de América Latina lo que generó una relación más constructiva entre estos y los Estados Unidos, lo cual a su vez influyó para relajar la noción tradicional de la no-intervención. Richard Feinberg explica que "la crisis de la deuda reveló además a los Estados Unidos la importancia de las economías latinoamericanas para su propia prosperidad y para las vulnerabilidades de sus propios banqueros y exportadores en relación con las fluctuaciones en la suerte económica de la región." Y agrega: "En los ochenta, los latinoamericanos comenzaron a pensar en la no-intervención en términos menos absolutos. Como nuevas democracias, descubrieron que la no-intervención absoluta podía dejar

---

[17] Strobe Talbott, "*Democracy and the National Interest*", en "*Foreign Affairs*" (November-December 1996), p. 51.

a sus gobiernos desprovistos de aliados internacionales en el caso de un intento de golpe de Estado. Las naciones latinoamericanas entendieron que la participación colectiva en apoyo de los esfuerzos democráticos en el exterior era deseable, en parte, porque ellas también podrían necesitarla."[18]

El tercer elemento, que sirvió para descomprimir las preocupaciones hemisféricas y renovar la agenda, fue la resolución de las guerras civiles que afectaban a Centroamérica. Es innegable que el factor referido precedentemente fue esencial en la resolución de la crisis centroamericana, dado el papel preponderante que jugaba en ella la lógica Este-Oeste. Los conflictos que asolaron a la subregión —en Nicaragua, El Salvador, Guatemala y Honduras— se intensificaron en los setenta alcanzando su pico a mediados de la década de ·los ochenta, y mostraron una significativa vulnerabilidad a los condicionantes externos. Diversos actores incidieron de manera negativa o positiva, según se los mire, en su desarrollo: Primero, la influencia directa o indirecta de las dos superpotencias; segundo, los protagonistas internos que perseguían, unos consolidar su régimen o sobrevivir y otros derrumbarlo y establecer un gobierno de participación popular; y tercero, la acción bilateral y multilateral, esta última particularmente de la OEA que —por ejemplo, obró como pacificadora en el conflicto bélico entre Honduras y Nicaragua. Con la firma de los Acuerdos de Esquipulas y la conclusión de la guerra fría, se abre para Centroamérica una etapa de distensión, en la que la intervención de las Naciones Unidas y, en menor medida, de la OEA, resultó esencial para el logro de los respectivos acuerdos de paz. Esta distensión, dice Jorge Cáceres Prendes, "permitió el surgimiento paulatino de nuevos lideratos y personalidades civiles que fueron desplazando del eje del poder a los militares, y los contendientes empezaron a reconocerse como portadores de intereses legítimos, que debían reconciliarse en alguna medida para superar el conflicto. En resumen, el proceso influyó en el lento surgimiento de patrones de comportamiento sustitutivos de la cultura autoritaria tradicional."[19] El agotamiento de los recursos por obra de las guerras intestinas y la necesidad imperiosa de renacer de entre las cenizas a la vida democrática imprimieron un nuevo rumbo y erigierón prioridades específicas en la subregión, para las cuales la

---

[18] Richard Feinberg, *Summitry in the Americas* (Washington, DC: Institute for International Economics, 1997) pp. 34-35.

[19] Jorge Cáceres Prendes, "La Organización de Estados Americanos en el Conflicto Centroamericano", en *Sistema Interamericano y Democracia*, p. 162.

acción multilateral, particularmente a través de la ONU y de la OEA, aparecía como el único vehículo posible.

Tomados en su conjunto, estos tres factores redimensionaron la agenda hemisférica e hicieron posible que la OEA adquiriera un nuevo perfil y llevara adelante una serie de novedosas iniciativas que no hacían más que reflejar la nueva lógica que asumían las relaciones interamericanas, los cambios estructurales del sistema internacional y, finalmente, las preocupaciones y prioridades proyectadas por sus Estados miembros en sus políticas exteriores. Es indiscutible que la continuidad o la profundización de las condiciones imperantes en los sesenta, setenta y parte de los ochenta, hubieran determinado otra historia y un desenlace diferente.

Los cambios mencionados generaron como lógica consecuencia una serie de iniciativas que se proyectaron, de modo distinto, en el ámbito hemisférico. Los pilares en torno de los cuales giraron dichas iniciativas fueron: la democracia y los derechos humanos, por un lado, y el comercio, por el otro. De este último no nos ocuparemos por exceder la materia del presente trabajo. No obstante, vale la pena recordar brevemente que su proyección encontró origen en la llamada "Iniciativa para las Américas" del Presidente estadounidense George Bush, lanzada en 1990, y cuyo desarrollo comenzó a programarse a partir de la Primera Cumbre de las Américas, llevada a cabo en Miami en 1994. El proceso de negociaciones tendientes al establecimiento de un Área de Libre Comercio de las Américas (ALCA), se gestó y se desarrolla al margen de la OEA y en un marco específico, habiéndose acordado en la III Cumbre de las Américas —celebrada en Québec (Canadá) en abril de 2001— que la fecha límite para su establecimiento es el año 2005.

En cambio, la democracia y los derechos humanos, aunque de naturaleza convergente, fueron desarrollados y continúan siendo tratados por la OEA en ámbitos separados. Diversas iniciativas fueron promovidas y adoptadas por la Organización en el área de la democracia, a partir de inicios de la década de los noventa, de las cuales nos ocuparemos pormenorizadamente más adelante. Estas iniciativas se tradujeron en diversas resoluciones y acuerdos interamericanos que consagraron a la OEA como un organismo de avanzada en materia de promoción y defensa de la democracia. Esta temática también determinó cambios estructurales en la propia Organización, entre los cuales sobresale la creación en 1991 de la Unidad para la Promoción de la Democracia (UPD), especialmente a instancias de Canadá, que recién se incorporaba a la OEA, como un instrumento al servicio de sus Estados Miembros en el fortalecimiento de las instituciones y en la promoción de los valores y prácticas democráticas.

Todos los factores precedentemente indicados determinaron la reaparición de la OEA como un foro político de significativa importancia en las relaciones interamericanas, como resultado de un complejo proceso determinado por coyunturas y transiciones, tanto regionales cuanto globales, que terminó por erigir a la OEA en el vehículo formal para atravesar dichas coyunturas y transiciones.

Hoy en día, la agenda hemisférica se ha redimensionado en respuesta a las nuevas realidades y desafíos emergentes en la región. La democracia está hoy amenazada, más no por su enemigo tradicional. Los embates contra la democracia y sus instituciones ya no tienen un tinte ideológico, ni militar, sino más bien civilista: el enemigo está adentro, es autoritario y autocrático y, como el "lobo estepario", de Herman Hesse, al acecho del momento propicio para atacar. Hoy la acción colectiva gira no solamente alrededor de los elementos básicos de la democracia, sino también en torno de lo que significan los derechos individuales y las libertades públicas.

Por primera vez surgió una doble convergencia: por un lado, la de los valores económicos retomando el papel de la iniciativa privada y el mercado en la asignación de los recursos productivos, y por otro, la del Estado con sus responsabilidades sociales y su papel como ente de regulación y como participante de una economía cada vez más globalizada e interdependiente. Estamos atravesando una transición del viejo orden a uno distinto, cuyas líneas básicas todavía intentamos diagramar. Muchas de las ataduras que en el pasado inmovilizaron a la OEA han desaparecido. Hay más espacio para un fecundo intercambio de experiencias, para la cooperación solidaria, para la acción colectiva en una agenda temática que se expande de manera creciente. Quién puede dudar que hoy, en el hemisferio, hay más espacio para la acción diplomática, para la cooperación económica, para la prevención de conflictos, para avanzar en la redefinición del nuevo concepto y la nueva agenda de la Organización de Estados Americanos.

SECCIÓN II

LA OEA Y LOS INSTRUMENTOS DE DEFENSA DE LA DEMOCRACIA

Al hablar de una nueva etapa en las relaciones interamericanas, en general, y en la OEA, en particular, surge claramente que la promoción, la defensa y el fortalecimiento de la democracia se han convertido en temas prioritarios de la agenda hemisférica. Ha surgido una doctrina americana de solidaridad con la democracia que actúa contra cualquier amenaza, sin importar su denominación ideológica o su componente ciudadano, que pretenda interrumpir el proceso democrático o deponer un gobierno legítimamente electo en un Estado miembro. Esta maquinaria institucional y hemisférica de respuesta se pone en marcha desencadenando una serie de acciones diplomáticas y de coerción, con miras al restablecimiento de las instituciones afectadas.

Esa doctrina de respaldo a la democracia fue creciendo al amparo de las acciones individuales y colectivas de los gobiernos de América, que encontraron en la OEA, finalmente, un vehículo para canalizar sus aspiraciones. La democracia en América precedió, sin duda, a la Organización, pero encontró abrigo en ella, cuando no protección y defensa frente al enemigo hostil.

Haciendo una mirada retrospectiva, la "Declaración de Principios sobre Solidaridad y Cooperación Interamericanas", de la Conferencia Interamericana de Consolidación de la Paz, celebrada en Buenos Aires en 1936, fue definida como la primera referencia formal sobre la democracia, en el continente. En aquella ocasión, los gobiernos representados en la Conferencia afirmaron que "la identidad de sus formas democráticas de gobierno y los ideales comunes de paz y justicia, han sido exteriorizados en los diferentes Tratados y Convenciones

que han suscripto, hasta llegar a constituir un sistema puramente americano...''
Y declararon: "las Naciones de América, fieles a sus instituciones republicanas, proclaman su absoluta libertad jurídica, el respeto irrestricto a su soberanía y la existencia de una democracia solidaria en América".

Vale la pena señalar también que en esta Conferencia se firmó el Protocolo de No Intervención, principio que se erigió en postulado básico y en la mayor conquista del panamericanismo de entonces, que luego adquiriría sólido desarrollo y proclamación en diversos instrumentos interamericanos. En el "Protocolo de Buenos Aires" se estableció: "Las Partes Contratantes declaran inadmisible la intervención de una de ellas, directa o indirectamente, por cualquier razón, en los asuntos internos o externos de las otras partes". Desde entonces, la defensa de la democracia, para ser legítima y generar el consenso, debe respetar fielmente la no-injerencia en los asuntos internos, definiendo así un matrimonio indisoluble, hoy plasmado en el artículo 2 b) de la Carta, cuando menciona entre sus propósitos: "Promover y consolidar la democracia representativa dentro del respeto al principio de no intervención".

Posteriormente, en la Octava Conferencia Internacional Americana, celebrada en Lima en 1938, en que todos los acuerdos logrados fueron de naturaleza no convencional, se firmó la "Declaración de Lima", que contiene la Declaración de los Principios de la Solidaridad de América y la Declaración de Principios Americanos.

En virtud de la primera, se perfeccionó el procedimiento consultivo y se estableció la Reunión de Ministros de Relaciones Exteriores como un mecanismo de consulta. Operaría en caso de amenaza a la paz o agresión, así como también para mantener y defender principios en los que se basa la solidaridad de las relaciones americanas. La segunda Declaración, en tanto, es una exposición de los principios en los que descansan esas relaciones hemisféricas: no-intervención, solución pacífica de controversias, prohibición del uso de la fuerza, respeto al derecho internacional, respeto a los tratados, cooperación, especialmente en lo económico. Se aprobó la Declaración de Defensa de los Derechos Humanos, primer antecedente sobre esta importante materia.

Asimismo, se adoptó una resolución referida a la "Enseñanza de la Democracia", en cuyo primer considerando establece "que es necesario difundir el conocimiento de los principios democráticos sobre los cuales descansan las instituciones políticas, sociales y económicas de las naciones de América".

La defensa de la democracia fue afirmada enfáticamente tanto en la Declaración XVII de la ya citada Conferencia de Buenos Aires de 1936, cuanto en la Recomendación LXXII de la también mencionada Conferencia de Lima de 1938; así como en la Resolución de La Habana de 1940 y en la Declaración de México de 1945. En todas ellas, la defensa de la democracia estaba íntimamente ligada al principio de no-intervención.

En la Conferencia para el Mantenimiento de la Paz y la Seguridad del Continente, también conocida como la Cuarta Conferencia Extraordinaria, llevada a cabo en Río de Janeiro en 1947, se suscribió el Tratado Interamericano de Asistencia Recíproca (TIAR). Uno de sus párrafos considerativos sostiene que "la comunidad regional americana afirma como verdad manifiesta que la organización jurídica es una condición necesaria para la seguridad y la paz, y que la paz se funda en la justicia y en el orden moral y, por tanto, en el reconocimiento y la protección internacionales de los derechos y libertades de la persona humana, en el bienestar indispensable de los pueblos y en la efectividad de la democracia para la realización internacional de la justicia y de la seguridad".

Si hasta ese momento la democracia no era calificada o adjetivada, ello cambiaría con la Carta de la Organización, adoptada en la Novena Conferencia Internacional Americana, que tuvo lugar en Bogotá en 1948, y que marcó la culminación de un proceso de formación de un sistema político regional. En dicho instrumento jurídico se hace referencia, por primera vez, al concepto de "democracia representativa" —si bien no la define— entre los principios que reafirman los Estados miembros cuando dice que "la solidaridad de los Estados americanos y los altos fines que con ella se persiguen, requieren la organización política de los mismos sobre la base del ejercicio efectivo de la democracia representativa" (articulo 3.d). También se ha ubicado aquí la génesis de lo que se ha dado en llamar "seguridad democrática", ya que se estipula que la continua vigencia de la democracia es un supuesto de la seguridad y la paz entre los Estados. La fórmula democracia = seguridad y paz en el hemisferio tuvo expresión concreta en las acciones y sanciones que los Estados miembros, a través de la OEA o individualmente, pusieron en marcha contra dictaduras como las de Castro, Trujillo, Somoza, Noriega y Cedras. También aparecía como un objetivo siempre presente en las negociaciones de paz en Centroamérica, en la década de los ochenta.

La Carta de la OEA dice en el Preámbulo —que según la Convención de Viena sobre Derecho de los Tratados sirve para su interpretación—: "Seguros de que el sentido genuino de la solidaridad americana y de la buena vecindad no puede ser otro que el de consolidar, dentro del marco de las instituciones democráticas, un régimen de libertad individual y de justicia social, fundado en el respeto de los derechos esenciales del hombre". Más adelante, la Carta de la Organización recepta un principio fundamental de la tradición jurídica americana: el de *no-intervención*, contenido en el artículo 19 en los siguientes términos: "Ningún Estado o grupo de Estados tiene derecho de intervenir, directa o indirectamente, y sea cual fuere el motivo, en los asuntos internos o externos de cualquier otro. El principio anterior excluye no solamente la fuerza armada, sino también cualquier otra forma de injerencia o de tendencia atentatoria de la personalidad del Estado, de los elementos políticos, económicos y culturales que lo constituyen".

Como hemos visto más arriba, la Carta por primera vez adjetiva la expresión democracia adicionándole el término "representativa", aunque sin definir qué significa. La *democracia representativa* es consagrada en la Carta como una condición evidente *per se*, y por tanto representa la constatación de un hecho, situación o estado. Paralelamente, la democracia representativa se erige en propósito, uno de los más importantes, de la Carta. Esta aparece como una disposición, para algunos, clave. Eduardo Vio Grossi, al comentar los alcances de la democracia representativa en la Carta de la OEA, señala que "a la Organización no le corresponde crear la democracia representativa, le corresponde sólo promoverla. También a la Organización le corresponde, en segundo lugar, consolidar la democracia, lo cual implica que ya existe algo que ha sido creado por otro".[20]

Antes de entrar en los Protocolos de Reforma a la Carta de la OEA, cabe destacar que en numerosas ocasiones la Asamblea General y las Reuniones de Consulta de Ministros de Relaciones Exteriores se han referido al tema de la democracia. Uno de esos casos, y sin perjuicio de las consideraciones que se hagan en la sección siguiente, es el de la Quinta Reunión de Consulta de Ministros de Relaciones Exteriores, que creó la Comisión Interamericana de Derechos Humanos en 1959, adoptó también la "Declaración de Santiago", en la cual se enuncian "algunos principios y atributos del sistema democrático". Esta Declaración, que reafirma el ejercicio efectivo de la democracia representativa, expresa lo siguiente:

[20] Eduardo Vio Grossi, "La Democracia Representativa: Obligación Jurídica Interamericana", en *La Democracia en el Sistema Interamericano* (OEA: Washington, DC, 1998) p.27.

"1. El principio del imperio de la ley debe ser asegurado mediante la independencia de los poderes y la fiscalización de la legalidad de los actos del gobierno por órganos jurisdiccionales del Estado.

2. Los gobiernos de las repúblicas americanas deben surgir de elecciones libres.

3. La perpetuación en el poder, o el ejercicio de éste sin plazo determinado y con manifiesto propósito de perpetuación, son incompatibles con el ejercicio efectivo de la democracia.

4. Los gobiernos de los Estados americanos deben mantener un régimen de libertad individual y de justicia social fundado en el respeto de los derechos fundamentales de la persona humana.

5. Los derechos humanos incorporados en la legislación de los Estados americanos deben ser protegidos por medios judiciales eficaces.

6. El uso sistemático de la proscripción política es contrario al orden democrático americano.

7. La libertad de prensa, de la radio y la televisión, y en general la libertad de información y expresión son condiciones esenciales para la existencia de un régimen democrático.

8. Los Estados americanos, con el fin de fortalecer las instituciones democráticas, deben cooperar entre sí en la medida de sus recursos y dentro de los términos de sus leyes para consolidar y desarrollar su estructura económica, y con el fin de conseguir justas y humanas condiciones de vida para sus pueblos".

Es importante destacar que, conforme a esta Declaración, el no-ejercicio efectivo de la democracia puede entenderse como una amenaza a la paz y la seguridad de la región, antecedente esencial para poner en marcha cualquier acción colectiva. Esto tiene incidencia, como veremos más adelante, en la tesis que consagra a la democracia como una obligación exigible, lo que podría suponer como su correlato un derecho de alcance colectivo.

Siguiendo el mismo orden cronológico de identificación de instrumentos interamericanos vinculados con la promoción y defensa de la democracia, cabe hacer ahora referencia al Protocolo de Buenos Aires, suscripto el 27 de febrero de 1967 y que entró en vigencia el 27 de febrero de 1970, el cual reformó la Carta de la OEA para incluir, entre otras disposiciones, el *principio de autodeterminación*, el cual también se proyectó como uno de los pilares del Sistema

Interamericano y como un nexo de significativa trascendencia con el fortalecimiento de la democracia. Así, su artículo 17 reconoce: "Cada Estado tiene el derecho a desenvolver libre y espontáneamente su vida cultural, política y económica. En este libre desenvolvimiento el Estado respetará los derechos de la persona humana y los principios de la moral universal". Asimismo, esta reforma incorporó al Sistema Interamericano dos órganos muy importantes: el Comité Jurídico Interamericano (CJI), que reemplazó al Consejo Interamericano de Jurisconsultos, y la Comisión Interamericana de Derechos Humanos (CIDH). Finalmente, la Secretaría, que hasta entonces se llamaba Unión Panamericana, pasó a llamarse Secretaría General.

La segunda reforma a la Carta fue a través del Protocolo de Cartagena, de 1985, que refuerza de manera significativa la democracia como elemento común de las repúblicas americanas. Así, el tercer párrafo del Preámbulo expresa: "La democracia representativa es condición indispensable para la estabilidad, la paz y el desarrollo de la región". También incorpora la democracia representativa como uno de los propósitos de la Organización en su artículo 2 b), asociándolo con el principio de *no-intervención*. Los verbos empleados: *promover* y *consolidar*, sientan las bases para el desarrollo posterior que llevará a la creación de la Unidad para la Promoción de la Democracia, en el seno de la Secretaría General de la OEA.

Con esta reforma, la Organización inicia un proceso que conduce, por una parte, a autorizar al Secretario General a enviar misiones electorales de observación solicitadas por Estados miembros y, por otra parte, a iniciar la elaboración de mecanismos para que los órganos políticos puedan adoptar decisiones relativas a la preservación de los sistemas democráticos, tal como ellos son estructurados en los regímenes constitucionales vigentes en los Estados miembros.

Una nueva reafirmación del principio de autodeterminación y del de no intervención es plasmada por el citado Protocolo en el literal e) del artículo 3 (principios), en los siguientes términos: "Todo Estado tiene derecho a elegir, sin injerencias externas, su sistema político, económico y social y a organizarse de la forma en que más le convenga, y tiene el deber de no intervenir en los asuntos de otro Estado. Con sujeción a lo arriba dispuesto, los Estados Americanos cooperarán ampliamente entre sí y con independencia de la naturaleza de sus sistemas políticos, económicos y sociales". Ello se vincula con otro agregado que el mencionado Protocolo hace al artículo 1, según el cual "la Organización de los Estados Americanos no tiene más facultades que aquellas que expresamente le confiere la presente Carta, ninguna de cuyas disposiciones la autoriza a intervenir en asuntos de la jurisdicción interna de los Estados miembros". En otras palabras, la OEA no debe ni puede en modo alguno, salvo dentro de los límites y de las atribuciones que le confiere la Carta, inmiscuirse en los asuntos que son de la jurisdicción interna de los Estados miembros de la Organización.

En 1989, la Asamblea General adoptó la resolución AG/RES. 991 (XIX-0/89) en la cual, luego de reiterar la vigencia de los principios de no-intervención y libre determinación de los pueblos, tal como ellos están receptados en la Carta de la Organización (artículos 18 y 3.e) y recordar que uno de los propósitos esenciales de la OEA es el de "promover y consolidar la democracia representativa dentro del respeto al principio de no-intervención", destacó: "la decisión de los países miembros de la Organización de los Estados Americanos de afianzar y fortalecer los sistemas auténticamente democráticos y participativos mediante el pleno respeto de todos los derechos humanos y, en particular, la celebración de procesos electorales honestos y periódicos en donde se exprese libremente y se respete la voluntad popular en la elección de los gobernantes, sin injerencias externas".

Ese fue el origen de las misiones de observación electoral que, comandadas por la Unidad para la Promoción de la Democracia —dependiente de la Secretaría General—, han servido para el fortalecimiento de la democracia en la región y se han erigido en un medio para legitimar aquellos procesos electorales en los que han participado y acreditado su realización con libertad y transparencia. Hoy en día, impulsados por circunstancias básicamente coyunturales, hay países que reclaman un replanteo y una redefinición de las misiones de observación electoral, sobre la base de un alegado exceso en el cumplimiento de su labor. El fortalecimiento y promoción de la democracia, así como la independencia y respeto en el cumplimiento de su labor deben ser la divisa en las eventuales iniciativas que conduzcan a su replanteo.

Precisamente, en 1990, la AGOEA adoptó la resolución AG/RES. 1063 (XX-0/90), en la cual solicita al Secretario General "que establezca una Unidad para la Promoción de la Democracia en la Secretaría General", en el sentido que "ofrezca un programa de apoyo para la promoción de la democracia que pueda responder con prontitud y eficiencia a los Estados miembros que, en pleno ejercicio de su soberanía, soliciten asesoramiento o asistencia para pre-

servar o fortalecer sus instituciones políticas y procedimientos democráticos".
Esta resolución menciona, posteriormente, algunos de los tipos de asistencia o
servicios que podría prestar esa Unidad.

En 1991, la OEA dio un paso trascendental en defensa de la democracia: la adopción de la resolución AG/RES. 1080 (XXI-0/91), que prevé un mecanismo específico en "casos de que se produzcan hechos que ocasionen una
interrupción abrupta o irregular del proceso político institucional democrático o del legítimo ejercicio del poder por un gobierno democráticamente electo
en cualquiera de los Estados miembros de la Organización". Esta resolución
otorga nuevas atribuciones al Secretario General, específicamente, solicitar la
convocatoria inmediata del Consejo Permanente en caso de que se produzcan
los hechos mencionados precedentemente, y, algo que no está escrito en ninguna parte: tendrá la potestad de calificar y decidir por sí mismo, a menos que
medie un pedido expreso de alguna delegación, en caso de convocar al Consejo Permanente.

Asimismo, la resolución 1080 reitera el compromiso de los Estados miembros de actuar colectiva e inmediatamente para defender la democracia cuando
ésta se encuentre amenazada. Otro aspecto que vale la pena destacar es que la
resolución 1080 vino, en cierto modo, a brindar una respuesta a la aparente
contradicción entre la obligación de promover y consolidar la democracia representativa y no intervenir en los asuntos internos de un Estado. Al crear un
mecanismo concreto para que la Organización actúe, la referida resolución hace
una primera calificación de los casos o situaciones que ameritarán la convocatoria inmediata del Consejo Permanente, instancia en la cual —luego de oída
la parte interesada— se decidirá el procedimiento a seguir, esto es, convocar
a una Reunión Ad Hoc de los Ministros de Relaciones Exteriores o a una
Asamblea General Extraordinaria, a los efectos de adoptar las medidas que
procedan; o, simplemente, dejar las cosas como están, pues ir más allá implicaría violar el principio de no-intervención, cuando el gobierno del país
involucrado entiende que no se ha dado el supuesto de la resolución 1080
y porque la situación está controlada. Este último supuesto, no previsto expresamente en la citada resolución, se produjo en casos tales como Paraguay, en 1996, o Ecuador, en 2000. El mecanismo creado por la 1080 era, sin
duda, un paso muy importante, pero aún faltaba consagrar una vía a seguir
para los casos extremos. Ello vendrá un año después con el "Protocolo de
Washington".

Por otra parte, la resolución 1080 se relaciona de manera directa con el llamado "Compromiso de Santiago con la Democracia y la Renovación del Sistema Interamericano" de hecho, fueron adoptados simultáneamente, en el cual los Ministros de Relaciones Exteriores de los Estados miembros de la Organización manifestaron "su determinación de adoptar un conjunto de procedimientos eficaces, oportunos y expeditos para asegurar la promoción y defensa de la democracia representativa, de conformidad con la Carta de la OEA". Como dijera en su oportunidad uno de los miembros del Comité Jurídico Interamericano, el Dr. Eduardo Vio Grossi: el Compromiso de Santiago "no es adoptado **por** la Asamblea General sino **con ocasión de** ella. Es como un documento político al margen, pero que le da el marco a la resolución 1080".[21]

El proceso iniciado continúa cuando, en 1992, la Asamblea General adopta la resolución AG/RES. 1182 (XXII-0/92) en la cual encomienda al Secretario General que solicite una sesión al Consejo Permanente a fin de que decida sobre la convocatoria a un período extraordinario de sesiones de la Asamblea General, para considerar la posible incorporación a la Carta de la Organización de nuevos textos referidos a la posibilidad de suspender a los gobiernos de los Estados miembros cuando se produzcan los hechos previstos en la resolución 1080, y a la necesidad de enfrentar la pobreza crítica en la región, que constituye una de las más graves amenazas a la democracia. Para ello, se llevó a cabo el XVI período extraordinario de sesiones de la Asamblea General de la OEA, reunido en su sede de Washington DC, en diciembre de 1992, y cuyas sesiones estuvieron presididas por el Ministro de Relaciones Exteriores de Argentina, Guido Di Tella.

Resulta sumamente interesante analizar el proceso de negociación y las distintas posiciones expuestas durante dicha Asamblea General, por cuanto reflejan diferentes grados de consenso o de discrepancia en relación con el cómo y cuándo debía proceder una sanción, y cuál debía ser la intensidad del castigo cuando se producía un grave ataque a la democracia en algún Estado Miembro.[22] Destacando la conveniencia de realizar un estudio profundizado en este punto, la reunión no causó sorpresas en cuanto a las posiciones de cada país del hemisferio, pues ellas habían quedado definidas un año antes, en ocasión de la

---

[21] "*La Democracia en el Sistema Interamericano*", (OEA: Washington, DC, 1998), p. 29.

[22] Ver Actas de las Sesiones de la Asamblea General Extraordinaria OEA y documentos con Observaciones de los Estados Miembros.

XXI Asamblea General ordinaria de la OEA, en la que se adoptó el "Compromiso de Santiago" y la resolución 1080.

Al rescatar la posición de algunas delegaciones en la negociación de lo que luego se dio en llamar "Protocolo de Washington", es conveniente recordar, por ejemplo, la sostenida por México, pues ponía el acento en el combate contra la pobreza y en la necesidad de que la OEA le otorgara preeminencia al desarrollo de la región. De este modo, México dejaba a un lado todo intento de incorporar cualquier reforma a la Carta de la OEA que contuviera sanciones para los enemigos de la democracia. Así, su Secretario de Relaciones Exteriores, Fernando Solana Morales, destacaba que se pretendía "introducir una nueva agenda de corte intervencionista, con la intención de defender desde el exterior la democracia representativa... Por su carácter punitivo, excluyente y supranacional, las reformas propuestas a la Carta no harían más que propiciar la división interna, y en el caso de los Estados cuyos derechos soberanos se vieran afectados, conducirían al alejamiento e incluso al menosprecio por las decisiones que adoptara la OEA en ese sentido."[23] Más adelante, concluía que "las reformas que se proponen podrían también llevarnos a que el sistema interamericano instrumente medidas colectivas de carácter coercitivo, lo cual implicaría un cambio de fondo en el mandato original de la Organización... La pretensión de imponer o restituir órdenes democráticos desde afuera resulta vana e inútil. Somos los nacionales de cada país a quienes corresponde ser los actores protagónicos y únicos de estos procesos."[24]

A la intervención del Secretario de Estado de México le siguió la del Ministro de Relaciones Exteriores y Culto de la Argentina, Guido Di Tella, quien se encargó de marcar las diferencias con la posición mexicana. En ese sentido y reflejando el alto protagonismo que tuvo nuestro país en la negociación, luego de resaltar la indiscutible tendencia de nuestros pueblos hacia la democracia, adelantaba que "en este contexto, la OEA no puede permitirse un retroceso a los tiempos de inercia e indiferencia a que la llevaron circunstancias hoy superadas, sino que debe fortalecer su compromiso con los propósitos y principios que la inspiran. Debe, por lo tanto, asumir la responsabilidad de idear mecanismos eficaces para defender y fortalecer las democracias."[25] Luego, explica-

---

[23] XVI período extraordinario de sesiones de la Asamblea General de la OEA, Ser. P/AG7CG/ACTA 2 (XVI-E/92) 14 de diciembre de 1992, p. 6.

[24] Ibid, p. 9.

[25] Ibid, p. 12.

ba: "No se trata de suplantar a los pueblos en la defensa de sus propios regímenes democráticos, sino de colaborar con esos pueblos en el mantenimiento de su propia y esencial soberanía".[26] Esto sin que negara la importancia de reparar en la lucha contra la pobreza y en la necesidad de diseñar la "nueva dimensión para la cooperación interamericana, que subraye el vínculo que existe entre desarrollo integral, democracia y cooperación, como partes de un todo indivisible".[27]

Otras intervenciones, como la del Representante Permanente del Brasil, Bernardo Pericás Neto, destacaban que no podía haber contradicción entre la defensa de la democracia representativa y la soberanía de los Estados: "El molde jurídico dentro del cual la OEA debe moverse refleja un necesario y cuidadoso equilibrio entre la defensa de la democracia y el pleno respeto a la personalidad de los Estados."[28] En tanto, el Ministro de Relaciones Exteriores de Chile, Enrique Silva Cimma, recordaba lo que significó para su país la pérdida de la democracia y sintetizaba su anhelo en las palabras de Ernesto Sábato —quien suscribía el informe sobre violaciones a los derechos humanos en la dictadura militar en Argentina: "Nunca más". Al referirse a la propuesta de la Comisión ad hoc de introducir textos que hagan jurídica y políticamente viable la suspensión de un Estado Miembro, Silva Cimma decía que Chile "apoya en general este planteamiento, si éste se adopta dentro de un determinado marco jurídico y con las salvaguardias necesarias que permitan a la Organización cumplir con uno de sus propósitos esenciales, como el de promover y consolidar la democracia representativa dentro del respeto al principio de no intervención".[29] En síntesis, Chile apoyaba el mecanismo de suspensión si tenía las siguientes características: un mecanismo rodeado de salvaguardias, de aplicación gradual y no automática, con una causalidad bien definida y a utilizarse en última instancia; el mecanismo se debe aplicar al derecho de participación del Estado Miembro, sin afectar sus obligaciones y la decisión ser sancionada por un órgano del más alto nivel; e incorporar el combate a la pobreza crítica en el texto de la reforma a la Carta. En suma, éste fue el contenido del artículo 9 que quedó incorporado a la Carta de la OEA.

[26] Ibid.
[27] Ibid.
[28] XVI período extraordinario de sesiones de la Asamblea General de la OEA, Ser. P/AG7CG/ACTA 3 (XVI-E/92) 14 de diciembre de 1992, p. 19.
[29] XVI período extraordinario de sesiones de la Asamblea General de la OEA, Ser. P/AG7CG/ACTA 2 (XVI-E/92) 14 de diciembre de 1992, p. 19.

Para concluir con las delegaciones de participación más activa en la citada Asamblea extraordinaria, el Canciller de Venezuela, Fernando Ochoa Antich, resumía la naturaleza de la reforma al decir que "el mecanismo adoptado es gradual, con una causalidad específica y definida, de efectos y consecuencias claras y delimitadas. Debe utilizarse sólo en última instancia, una vez agotados todos los procedimientos creados por la Organización para la protección de la democracia y concretamente la resolución AG/RES. 1080".[30]

Las negociaciones concluyeron en la adopción del Protocolo de Washington, el 14 de diciembre de 1992, que incorpora el siguiente artículo 9 en la Carta:

"Un miembro de la Organización cuyo gobierno democráticamente constituido sea derrocado por la fuerza podrá ser suspendido del ejercicio del derecho de participación en las sesiones de la Asamblea General, de la Reunión de Consulta, de los Consejos de la Organización y de las Conferencias Especializadas, así como de las comisiones, grupos de trabajo y demás cuerpos que se hayan creado.

a) La facultad de suspensión solamente será ejercida cuando hayan sido infructuosas las gestiones diplomáticas que la Organización hubiera emprendido con el objeto de propiciar el restablecimiento de la democracia representativa en el Estado miembro afectado.

b) La decisión sobre la suspensión deberá ser adoptada en un período extraordinario de sesiones de la Asamblea General, por el voto afirmativo de los dos tercios de los Estados miembros.

c) La suspensión entrará en vigor inmediatamente después de su aprobación por la Asamblea General.

d) La Organización procurará, no obstante la medida de suspensión, emprender nuevas gestiones diplomáticas tendientes a coadyuvar al restablecimiento de la democracia representativa en el Estado miembro afectado.

e) El miembro que hubiere sido objeto de suspensión deberá continuar observando el cumplimiento de sus obligaciones con la Organización.

f) La Asamblea General podrá levantar la suspensión por decisión adoptada con la aprobación de dos tercios de los Estados miembros.

[30] XVI período extraordinario de sesiones de la Asamblea General de la OEA, Ser. P/AG7CG/ACTA 3 (XVI-E/92) 14 de diciembre de 1992, Anexo, p. 8.

g) Las atribuciones a que se refiere este artículo se ejercerán de conformidad con la presente Carta".

Otros artículos de la Carta fueron modificados introduciendo elementos vinculados con la democracia. Uno de ellos es el combate contra la pobreza crítica, que condujo a que se incluyera, en el artículo 2, como uno de sus propósitos esenciales de la Organización: "Erradicar la pobreza crítica, que constituye un obstáculo al pleno desarrollo democrático de los pueblos del hemisferio" (literal g). El artículo 3 de la Carta, relativo a los principios, incluye un nuevo literal f), que establece que "la eliminación de la pobreza crítica es parte esencial de la promoción y consolidación de la democracia representativa y constituye responsabilidad común y compartida de los Estados Americanos".

En la "Declaración de Nassau", adoptada con motivo del vigésimo segundo período ordinario de sesiones de la AGOEA, los Ministros de Relaciones Exteriores y Jefes de Delegación reafirmaron "su compromiso renovado e indeclinable con el fortalecimiento, la defensa y la promoción de la democracia representativa y de los derechos humanos en el hemisferio, y el imperio de la ley, dentro del marco de los principios de autodeterminación, no-intervención y solidaridad, consagrados en la Carta de la OEA".

Al año siguiente, los Cancilleres y Jefes de Delegación reunidos con ocasión del vigésimo tercer período ordinario de sesiones de la AGOEA, adoptaron la "Declaración de Managua" (1993), la cual abarca un aspecto hasta ahora no atendido en la Organización con respecto a la defensa de la democracia: la actuación preventiva. En efecto, en el citado documento los gobiernos —luego de expresar la necesidad de consolidar estructuras y sistemas democráticos que alienten la libertad y la justicia social, salvaguarden los derechos humanos y favorezcan el progreso, y su convencimiento de que la democracia, la paz y el desarrollo son partes inseparables e indivisibles de una visión renovada e integral de la solidaridad americana— declaran "su convicción de que la misión de la Organización no se agota en la defensa de la democracia en los casos de quebrantamiento de sus valores y principios fundamentales sino que requiere, además, una labor permanente y creativa dirigida a consolidarla, así como de un esfuerzo permanente para **prevenir** y **anticipar** las causas mismas de los problemas que afectan el sistema democrático de gobierno" (resolutivo 3).

El resolutivo 4 de dicha Declaración pone énfasis en que "la consolidación de la democracia requiere iniciativas y programas tanto de **prevención** como de estímulo...". Este es el primer instrumento en el que se hace referencia específica a la prevención de los problemas que afectan el sistema democrático de gobierno. Hoy en día los mecanismos de defensa de la democracia en el marco de la OEA, ya mencionados precedentemente, se ponen en marcha una vez ocurrida la situación que afecta o amenaza la estabilidad democrática en un país miembro. Vale decir, no está previsto ningún mecanismo de actuación preventiva, cuando se den circunstancias que permitan presumir o anticipar las amenazas a la democracia.

La Delegación de Estados Unidos presentó un proyecto de resolución, para ser elevado al vigésimo noveno período ordinario de sesiones de la AGOEA, que tuvo lugar en Guatemala, y que ponía el acento justamente en esta labor de prevención. Sin embargo, el clima no fue propicio para una iniciativa semejante, quizá porque esto podría representar una caja de Pandora, que podría dar lugar no sólo a usos sino también a abusos. Estas reflexiones serán retomadas más adelante, cuando intentemos un ejercicio de anticipación en cuanto a cómo podría desarrollarse el papel de la OEA en la labor de fortalecimiento y defensa de la democracia.

En 1995, los Ministros de Relaciones Exteriores reunidos en Haití, en ocasión del vigésimo quinto período ordinario de sesiones de la Asamblea General, adoptaron la llamada "Declaración de Montrouis: Una Nueva Visión de la OEA", en la que reafirmaron "que el ejercicio pleno de todos los derechos humanos es condición necesaria para una sociedad pluralista y participativa, así como para la vigencia de la democracia representativa...".

También el Comité Jurídico Interamericano incorporó a su agenda de trabajo el tema de la democracia en el Sistema Interamericano con el objeto de analizar el derecho aplicable a las acciones de la Organización frente a hechos que implicaran un quebrantamiento del régimen democrático en alguno de los Estados miembros. Sus labores se tradujeron en la realización de un Seminario realizado en la sede de la OEA, el 21 de febrero de 1997, algunas de cuyas exposiciones han sido tenidas en cuenta para la elaboración del presente trabajo.

Los siguientes encuentros de Ministros de Relaciones Exteriores no produjeron avances significativos en materia de doctrina relacionada con la democracia. En ocasión del vigésimo noveno período ordinario de sesiones (Guatemala, 1999), los altos representantes gubernamentales resolvieron convocar a unas "Jornadas de Análisis y Reflexión sobre la Democracia Participativa", a desarrollarse en la sede de la OEA en el año 2000. Asimismo, el Canciller de Venezuela logró comprometer a sus pares en la aprobación de una resolución que hacía un llamado a adoptar una Declaración relativa a la "democracia participativa". Por cierto, esta última iniciativa no se tradujo en ningún hecho concreto, básicamente porque la única delegación que, en el seno de la OEA, hablaba de *democracia participativa* era la venezolana.

En cuanto a las "Jornadas de Análisis y Reflexión sobre la Democracia Participativa", éstas tuvieron lugar en la sede de la Organización los días 10 y 11 de abril de 2000, y fue designado relator de las mismas el autor de este trabajo. Dado que sería harto extenso reproducir aquí las diversas conclusiones a las que arribaron los calificados panelistas participantes, baste con señalar que se reconoció la necesidad de perfeccionar las formas de participación de la población en las cuestiones de la vida política de las sociedades, asegurando que la participación ciudadana sea continua. Al mismo tiempo, se afirmó que una fuente de pérdida de credibilidad de las formas de representación ha sido la incapacidad de los regímenes democráticos de resolver los graves problemas económicos, sociales y culturales que han afectado a los sectores más vulnerables de la sociedad, y de alcanzar su verdadero desarrollo. Asimismo, se destacó, entre los problemas actuales, los desajustes del propio sistema de partidos políticos, la tentación hegemónica del cesarismo popular, así como las tendencias que conducen a regímenes presidenciales basados en el hiperreeleccionismo; lo que ha conducido a privar de credibilidad también a las instituciones del Estado y a los poderes legislativo y judicial, a quienes se ha considerado como ineficientes y proclives a la defensa de intereses grupales más que de la sociedad en su conjunto.[31]

Una de las principales conclusiones de este seminario es que sirvió para descartar toda posible distinción entre una democracia representativa y otra participativa. Fue a partir de entonces, cuando algunas delegaciones se volvieron partidarias de no adjetivar en absoluto el término democracia, de modo de no dar lugar a malentendidos, ni de hacer referencia alguna a formas de representación directa. Para otras delegaciones, en cambio, la discusión aún continúa.

En el trigésimo período ordinario de sesiones de la Asamblea General, celebrado en Windsor (Canadá), en junio de 2000, se aprobó una resolución en la que los Ministros de Relaciones Exteriores crearon un fondo específico de-

---

[31] Informe de la Relatoría de las Jornadas de Análisis y Reflexión sobre la Democracia Participativa (OEA/Ser.G/CP/CAJP-1638/00 corr.1), 10 y 11 de abril de 2000.

nominado "Fondo Especial para el Fortalecimiento de la Democracia", financiado con contribuciones voluntarias con el fin de apoyar actividades para preservar, fortalecer y consolidar la democracia representativa en el Hemisferio (resolutivo 1). La disposición más importante está contenida en el resolutivo 2, en donde se dispone "Encomendar al Secretario General a que, previa consideración del Consejo Permanente, disponga de los recursos del Fondo Especial con el fin de responder oportunamente, y en el marco del estricto respeto al principio de no intervención consagrado en la Carta de la Organización, a la solicitud de asistencia del Estado miembro afectado por situaciones que, a juicio del Estado involucrado, afecten el desarrollo del proceso democrático o el ejercicio del poder por parte de su gobierno elegido democráticamente".

Este último párrafo resultó el más difícil de armar, dadas las alternativas que podría abrir una redacción determinada, y pese a que en definitiva es el gobierno del propio Estado peticionante —a través de su representante ante la Organización— el que hará la calificación. La redacción final de este párrafo, cabe destacar, fue inspiración de la delegación argentina que, apelando a la terminología del primer párrafo resolutivo de la resolución AG/RES. 1080, propuso la última parte del texto; a la vez que introdujo referencia a la "previa consideración del Consejo Permanente", por ser este el máximo órgano político de la Organización y al que compete conocer primariamente —por convocatoria del Secretario General— aquellas situaciones que amenacen o pongan en peligro la democracia, pese a no existir una disposición específica en ese sentido en el texto de la Carta de la Organización.

Esta resolución representa un avance en la tendencia a hablar de la prevención, aunque no prevé del todo un mecanismo para reaccionar preventivamente, a menos que el propio Estado miembro involucrado —a través de su representante permanente ante la Organización— solicite la intervención de esta última. Conforme a esta resolución, el Estado miembro peticionante y sólo él hace la calificación y pone en marcha el mecanismo, independientemente de la consideración que el asunto merezca en el ámbito del Consejo Permanente de la OEA.

Antes de concluir con esta sección, resulta conveniente considerar qué dice la práctica dentro del Sistema Interamericano en materia de democracia. La acción de los Estados en el Sistema Interamericano se ha expresado a través de las instancias detalladas precedentemente, orientadas básicamente al respeto, promoción, consolidación y defensa de la democracia. Sin duda que toda elaboración jurídica no nace espontáneamente sino que siempre es el fruto de una labor meditada y consultada, que a menudo reposa en prácticas o en construcciones doctrinarias que han servido de inspiración a las políticas que los Estados adoptan frente a los golpes de Estado.

Para ello, la teoría del reconocimiento ha ocupado el centro de la escena, generando un rico desarrollo doctrinario que no tuvo paralelo en otras regiones del mundo. El derecho internacional hace una importante distinción entre el reconocimiento de Estados y el reconocimiento de gobiernos. Así, con frecuencia el Estado ha sido caracterizado como una entidad que tiene una población permanente, un territorio definido, bajo control de un gobierno efectivo y que se relaciona o tiene la capacidad de relacionarse formalmente con otras entidades similares, o, al decir de Maresca, que puede ser objeto de una calificación jurídico-diplomática.[32] Reconocer un Estado significa reconocer que éste posee aquellas características. Reconocer un gobierno, por su parte, significa reconocer el control de un determinado régimen sobre el Estado. Dado que no hay una terminología uniforme, se apela a distintas denominaciones para el reconocimiento: *de jure, de facto, reconocimiento diplomático pleno, reconocimiento formal*, entre otros. Según Brownlie, el típico acto de reconocimiento cumple dos funciones legales. "Primero, la determinación de la calidad de Estado (como una nación independiente), como una cuestión de derecho. Tal determinación individual puede ser empleada como evidencia ante un Tribunal. Segundo, el acto es una condición del establecimiento de relaciones formales, voluntarias y bilaterales, incluyendo relaciones diplomáticas y la conclusión de Tratados."[33] Cabe destacar que, paralelamente, no existe una obligación de reconocer, ni un derecho a ser reconocido, dado que el reconocimiento es un acto voluntario. Tampoco existe un criterio uniforme para ese acto que, en última instancia, depende de los intereses del Estado que lo ejerce. Un ejemplo de ello lo dan las palabras del Secretario de Estado de los Estados Unidos, John Foster Dulles, cuando en 1957, al justificar el no reconocimiento de la República Popular China, dijo: "Ningún gobierno tiene un derecho a ser reconocido. Este es un privilegio que se otorga, y nosotros lo otorgamos cuando pensamos que encajará en nuestros intereses nacionales, y si no, no lo otorgamos".[34]

[32] "La calificación así recibida de otros sujetos se proyecta sobre los órganos del Estado, por medio de los cuales aquellos establecen *inter se* relaciones oficiales, regidas por el derecho diplomático". Adolfo Maresca, *Teoria e Técnica del Diritto Diplomático* (Milano: Dott. A. Giuffre Ed., 1986), p. 201.

[33] Ian Brownlie, *Principles of Public International Law* (Oxford: Oxford University Press, 1990), p. 91.

[34] Conferencia de Prensa del 13 de marzo de 1957, reproducida en Morton Halperin et al, *Self-*

Es interesante señalar que, para algunos, la verdadera prueba de legitimidad para un Estado, nuevo o no, es su admisión en una organización multilateral mediante la ratificación de su instrumento constitutivo. Así, la Carta de la OEA, en su artículo 4, dispone: "Son miembros de la Organización todos los Estados americanos que ratifiquen la presente Carta". La asociación de la práctica del reconocimiento, incluido el mantenimiento de la condición de miembro de una organización multilateral, con la legitimidad democrática es relativamente reciente y este continente estuvo entre los primeros en marcar tal asociación, tanto en instrumentos de carácter regional como subregional, algunos de los cuales contemplan lo que se ha dado en llamar "cláusula democrática", como la Declaración de la III Cumbre de las Américas, la Carta Democrática Interamericana, o el MERCOSUR. Es, precisamente, esa asociación la que da pábulo a que algunos autores sostengan la existencia de un derecho a la democracia o a la gobernabilidad democrática, afirmando la existencia en derecho internacional de un "international legal entitlement".[35] En su Carta, modificada a través del Protocolo de Washington, la OEA fue el primer organismo regional que contempló la suspensión de un Estado miembro cuyo gobierno democráticamente constituido sea derrocado por la fuerza.[36] Fue el siglo XX el que vio desarrollarse una variada doctrina en materia de reconocimiento asociado a la legitimidad democrática.

En ese sentido, un precedente destacado en la materia ha sido la doctrina Tobar[37], que sirvió de inspiración a todo el hemisferio desde su enunciación en 1907, siendo receptada en los Tratados que las repúblicas centroamericanas suscribieron el 20 de diciembre de 1907 y el 7 de febrero de 1923. Básicamente, Tobar sostenía que "las repúblicas americanas por el buen nombre y crédito de todas ellas, deben intervenir, siquiera mediata e indirectamente, en las disensiones internas de las repúblicas del continente; esta intervención pudiera

Determination in the New World Order (Washington, DC: Carnegie Endowment for International Peace, 1992), p. 68.

[35] Ver Thomas M. Franck, "*Legitimacy and the Democratic Entitlement*", en Gregory Fox y Brad Roth, *Democratic Governance and International Law* (New York: Cambridge University Press, 2000). También, Thomas M. Franck, "*The Emerging Right to Democratic Governance*", *American Journal of International Law*, vol. 86 (1992), pp. 46-91.

[36] Artículo 9.

[37] La doctrina que postula el no-reconocimiento de aquellos gobiernos en cuyo establecimiento hubiere intervenido la fuerza o cualquier otro elemento inconstitucional, fue enunciada en una carta que el señor Carlos Tobar, entonces Ministro de Relaciones Exteriores del Ecuador, dirigiera en marzo de 1907 al Cónsul de Bolivia en Bruselas.

ser al menos negándose al reconocimiento de los gobiernos de hecho surgidos de revoluciones contra el régimen constitucional".

En los Tratados centroamericanos, que recibieron dicha doctrina, se estipulaba que "los gobiernos de las partes contratantes no reconocerán a ninguno que surja en cualquiera de las cinco repúblicas por un golpe de Estado o una revolución contra un Gobierno reconocido, mientras la representación del pueblo, libremente electa, no haya reorganizado el país en forma constitucional". El Tratado de 1923 agregaba, como requisitos adicionales para otorgar el reconocimiento una vez "reorganizado el país en forma constitucional", que ninguna "de las personas que resultaren electas Presidente, Vicepresidente o Designado", hubiesen sido jefes del golpe de Estado o estuviesen relacionados con ellos por vínculos de familia, o hubiesen sido del gabinete o tenido un alto mando militar al efectuarse la revolución o al verificarse la elección. La doctrina Tobar y la incorporada en los Tratados centroamericanos son idénticas en tanto ambas procuran asegurar el respeto al orden constitucional mediante el no-reconocimiento de los gobiernos que lo hubiesen violado. Difieren, sin embargo, en cuanto al criterio con que en definitiva enjuician a las revoluciones que han llevado al poder a esos gobiernos: en el concepto de Tobar, el solo hecho de que hubiese tenido lugar una revolución contra la Constitución, debía impedir sin consideración alguna a los acontecimientos posteriores, el reconocimiento del gobierno victorioso. Para la doctrina de los Tratados centroamericanos, en cambio, el no-reconocimiento constituía más bien una medida provisional, que cesaría de aplicarse tan pronto el nuevo gobierno hubiese reorganizado el país en forma constitucional.

Es importante destacar que el Comité Jurídico Interamericano (CJI) menciona ambas doctrinas en su "Proyecto de Convención sobre Reconocimiento de Gobiernos de Facto", recordando también el proyecto de resolución sobre "Defensa y Preservación de la Democracia de América frente a la Eventual Instalación de Regímenes Antidemocráticos en el Continente", presentado por la Delegación de Guatemala en la Conferencia Interamericana de México (1945), el que recomendaba que las repúblicas americanas se abstuvieran de "otorgar su reconocimiento y mantener relaciones con regímenes antidemocráticos que, en el futuro, pudieran establecerse en cualquiera de los países del Continente y, de manera especial, con regímenes que puedan surgir de un golpe de Estado contra gobiernos de estructura democrática legítimamente constituidos". Se recomendaba, asimismo, como norma específica para tales regímenes, "la medida en que la voluntad popular del respectivo país haya contribuido a su establecimiento, según libre apreciación de cada Estado".

Sin embargo, el CJI emitió un dictamen sobre el proyecto de Guatemala, no concordando con éste en cuanto a los medios elegidos. Opinó el Comité que "la facultad que en el proyecto se otorga a cada Estado de apreciar libremente si el nuevo gobierno es democrático, lleva notoriamente a una intervención en los negocios interiores de otro Estado", y que "abrir la vía a cualquiera forma de intervención sería grave error". Finalmente, el dictamen aludía a la "convicción democrática" de los países americanos y al principio de la independencia y no-intervención, expresando que "no existe incompatibilidad entre esos dos principios y que no es necesario sacrificar uno en aras de una probabilidad grande o remota de provecho para el otro".

Otro importante antecedente lo constituye la denominada "Doctrina Wilson", propuesta por el Presidente Woodrow Wilson en 1913, según la cual aquel país no reconocía a ningún gobierno inconstitucional en América Latina. Sobre la base de dicha doctrina, Wilson se negó a reconocer el régimen mexicano del general Victoriano Huerta, quien había derrocado el gobierno constitucional de Francisco Madero. Como resultado de un choque armado ocurrido en Veracruz, en 1914, entre fuerzas de Estados Unidos y México, se desencadenó un conflicto que desembocó en una comisión mediadora integrada por Argentina, Bolivia, Brasil, Chile, Guatemala y Uruguay. Reunidos en una conferencia en Niagara Falls, en 1915, los mediadores recomendaron, como única manera de alcanzar la paz interna de México, "el reconocimiento de cualquier gobierno de hecho con la capacidad material y moral necesaria para garantizar la vida y haciendas de nacionales y extranjeros". En consecuencia, Estados Unidos y los países mediadores reconocieron, el 19 de octubre de 1915, como *gobierno de facto* al establecido por el general Venustiano Carranza; y éste, habiendo sido elegido Presidente el 11 de marzo de 1917, fue reconocido como *gobierno de iure* el 31 de agosto del mismo año.[38]

Esta doctrina no alcanzó la proyección esperada por su propio autor y rara vez aparece citada como un antecedente doctrinario de defensa de la democracia en el ámbito interamericano. Una de las razones reposa en el escaso apoyo

---

[38] Entre otros casos de aplicación, por los Estados Unidos, de su política, se cuentan el no reconocimiento del gobierno de facto establecido en Costa Rica, en 1917, por el general Tinocco; así como el no reconocimiento, entre 1912 y 1916, de los gobiernos de facto que se implantaron en República Dominicana.

generado en el resto del continente y en el hecho de que era vista como una política de Estados Unidos para con sus vecinos, sin proyección hemisférica. Jennifer Burell y Michael Schifter explican que "Wilson buscó ganar apoyo multilateral para su doctrina de *no reconocimiento* al proponer un tratado panamericano que defendiera a los gobiernos republicanos en el hemisferio occidental. Aunque logró despertar el interés de varios gobiernos latinoamericanos, Wilson encontró una fuerte resistencia por parte de un buen número de Estados —encabezados por Chile y Argentina—, los cuales vieron este plan como un intento por crear una justificación para la intervención de Estados Unidos en la región"[39]; por lo que el "Pacto Panamericano" nunca prosperó. Si bien esta política wilsoniana fue abandonada en 1931, cuando Estados Unidos reconoció al gobierno de la Unión Soviética, aquellos requerimientos políticos volvieron a formar parte de la política de Estados Unidos después de la segunda guerra mundial, haciendo depender con frecuencia el reconocimiento del simple hecho de que un gobierno tuviera o no un carácter comunista. Prueba de esta política fue el no-reconocimiento por Estados Unidos de la República Popular China hasta 1979.

Es importante destacar que, en varias ocasiones, el acto de reconocer o de no reconocer ha sido considerado, intrínsecamente, como una intervención manifiesta por parte de un Estado en los asuntos internos de otro. Tal fue, precisamente, el fundamento que inspiró la declaración que formulara en 1930 el Sr. Genaro Estrada, entonces Secretario de Relaciones Exteriores de México. Conforme a la doctrina que ha llevado su nombre, el reconocimiento "es una práctica denigrante, que sobre herir la soberanía de las naciones, coloca a éstas en el caso de que sus asuntos internos puedan ser calificados en cualquier sentido por otros gobiernos, quienes de hecho asumen una actitud de crítica al decidir, favorable o desfavorablemente, sobre la capacidad legal de regímenes extranjeros". Conforme lo ha indicado el propio CJI, esta doctrina propugna solamente la abolición del reconocimiento expreso, reservando en consecuencia el derecho del Estado a "reconocer" o a "no reconocer", mediante el mantenimiento o la suspensión de sus relaciones diplomáticas con el nuevo gobierno.

La *Doctrina Estrada* fue nuevamente sustentada por México en un proyecto de resolución que su Delegación presentó en la Novena Conferencia Ame-

---

[39] Jennifer Burrell y Michael Schifter, "*Estados Unidos, la OEA y la Promoción de la Democracia en las Américas*", en Arlene B. Tickner: *Sistema Interamericano y Democracia* (Colombia: CEI-Ediciones Uniandes-OEA, 2000), p. 30.

ricana, en el que consideraba que "la práctica llamada *Reconocimiento expreso de Gobierno*, en tanto que constituye un juicio público sobre la legalidad del régimen gubernamental de un país, puede significar la intervención que proscribe...". Dicho proyecto establecía, asimismo, en su parte resolutiva: "Queda definitivamente proscripta la práctica del reconocimiento expreso de gobiernos en las relaciones interamericanas".

El Comité Jurídico no llegó a formular el dictamen del caso, debido a que sus miembros no lograron convenir una fórmula que resolviera definitivamente el problema del reconocimiento de gobiernos de facto, existiendo sí acuerdo en que no era posible abolir una institución que constituía una necesidad práctica en las relaciones internacionales".

También existen elaboraciones doctrinarias, americanas o universales, que repelen la intervención, que en este caso también aparece vinculada con la autodeterminación, entre las que cabe destacar las Doctrinas Drago y Calvo. La Doctrina Drago fue enunciada en 1902 por el Dr. Luis María Drago, que era entonces Ministro de Relaciones Exteriores de la República Argentina, y que puede ser sintetizada del siguiente modo: "En América no es admisible el cobro compulsivo de la deuda pública". Vale decir, esta Doctrina prohibía la intervención extranjera mediante el uso de la fuerza para obligar a un Estado a pagar su deuda pública. La Doctrina Calvo (1868), anterior a la Doctrina Drago, establece: "No es admisible el cobro coercitivo de la deuda de los Estados". Es decir, declara ilegal la intervención por la fuerza para proteger o satisfacer demandas privadas de naturaleza pecuniaria. La diferencia entre ambas reside en que la Doctrina Drago habla de la deuda pública, en tanto que la Doctrina Calvo se refiere a cualquier clase de deuda. También cabe citar la Doctrina Porter, que se refiere únicamente a las deudas contractuales de los Estados.[40]

Para concluir con la revisión de los diversos postulados doctrinarios en materia de defensa de la democracia, vinculándola en este caso, con la teoría de la intervención, corresponde señalar la interrelación planteada en años recientes entre derechos humanos y democracia, la cual se ha visto tan pronunciada que, como ya dijimos anteriormente, hoy se habla como un principio emergente del derecho internacional de un derecho —entitlement— o capacidad jurídica para reclamar y exigir el ejercicio de la democracia, que tiene su

---

[40] No se incluye en esta parte la Doctrina Monroe, dado que ha sido mayormente reconocida como un principio político propio de los Estados Unidos de América.

correlato en una obligación de la comunidad internacional de actuar para proteger o promover la democracia.[41] En ese sentido, es oportuno recordar la llamada "Doctrina Larreta", esbozada por el Canciller de Uruguay Eduardo Rodríguez Larreta, la que ya no reposa en el tema del reconocimiento sino que va más allá al postular un remedio específico para los casos en que se vea afectada la democracia en un país determinado. Así, Larreta decía que la intervención colectiva en defensa de la democracia y de los derechos humanos no puede considerarse como un caso de intervención unilateral o de ataque a la soberanía. Se interpretó, con razón, una clara vinculación en su enunciado entre la defensa de la democracia y el principio de seguridad colectiva; incluso, se afirmó que su real preocupación estaba dada por el avance del fascismo. Su presentación tuvo lugar en 1945, reuniendo escaso apoyo para su adopción y para su posterior aceptación como una doctrina o principio de proyección hemisférica.

Curiosamente, 56 años más tarde, también un Canciller de Uruguay, Didier Opertti, vinculó la defensa de la democracia y los derechos humanos con la intervención humanitaria, lo que sugirió una cierta vinculación con la doctrina Larreta y con algunas posiciones contemporáneas. Esta referencia fue formulada en una intervención del Canciller uruguayo ante el Consejo Permanente de la OEA, en mayo de 2001. Opertti pretendía trasladar al ámbito hemisférico el tan discutido asunto de las intervenciones humanitarias, pese a que su espacio de discusión más apropiado resultaba ser el de Naciones Unidas.

En ese marco, la Delegación del Uruguay presentó en el Consejo Permanente de la OEA, a fines de mayo del mismo año, y con el objetivo de que pudiera ser considerado en el XXXI período ordinario de sesiones de la Asamblea General, un proyecto de resolución que perseguía encomendar al Comité Jurídico Interamericano que realizara un estudio "destinado a precisar la naturaleza jurídica, fundamento de legalidad, y alcance de las intervenciones humanitarias, en el ámbito del derecho internacional y a la luz de los propósitos y principios de la Carta y demás instrumentos básicos de la OEA...".[42]

De más está decir que no hay ninguna norma —positiva o consuetudinaria— ni principio del derecho interamericano que respalde la procedencia de

---

[41] "Es una realidad que Haití ya no es un país libre y soberano, sino que está bajo la tutela de la comunidad internacional en nombre de lo que se ha llamado el derecho de injerencia", señala un comunicado difundido en el Vaticano (único Estado que reconoció al gobierno militar haitiano, además de República Dominicana), *Clarín*, 13 octubre 1994.

[42] CP/doc. 3477/01 rev. 2 (29 de mayo de 2001).

semejante figura. Más aún, el artículo 19 de la Carta de la OEA dispone: "Ningún Estado o grupo de Estados tiene derecho de intervenir, directa o indirectamente, y sea cual fuere el motivo, en los asuntos internos o externos de cualquier otro. El principio anterior excluye no solamente la fuerza armada, sino también cualquier otra forma de injerencia o de tendencia atentatoria de la personalidad del Estado, de los elementos políticos, económicos y culturales que lo constituyen". El escaso convencimiento sobre la utilidad de tal resolución, y la inexistencia de siquiera una discusión preliminar en la OEA sobre el alcance de aquélla, determinaron que en la siguiente sesión del Consejo Permanente la delegación proponente decidiera de *motu propio* retirar de consideración el proyecto de resolución de referencia. Sin embargo, es apropiado preguntarse si el tema está muerto o más bien descansando hasta que soplen mejores vientos para su tratamiento.

La práctica de la Organización, como ya veremos en las distintas crisis o instancias en las que se produjo un atentado a la democracia y sus instituciones en algunos de los Estados miembros, ha apelado al mecanismo de la resolución 1080 en los casos más extremos, asumiendo en esas crisis un papel protagónico, y convocando a Reuniones Ad Hoc de Ministros de Relaciones Exteriores; tales los casos de Haití, Perú y Guatemala. En otras, se han convocado Reuniones de Consulta, conforme a los artículos 61 y 62 de la Carta[43], como en los casos de República Dominicana, Panamá o Nicaragua. En otras, simplemente, no se pasó de declaraciones o resoluciones del Consejo Permanente, como en los casos de Perú, Ecuador y Paraguay.

Es importante destacar que el sistema interamericano ha sido un ejemplo, del que abrevaron diversos esquemas de integración regional, en materia de mecanismos de promoción, fortalecimiento y defensa de la democracia. La vigencia y el respeto de la democracia se ha convertido hoy en día en una de las piedras angulares del sistema interamericano, al que se ha vinculado estrechamente con la defensa y protección de los derechos humanos. En el caso de la República Argentina, estos dos temas ocupan un lugar prioritario en su agenda de política exterior y así ha sido puesto de manifiesto, a través de la par-

---

[43] Art. 61: La Reunión de Consulta de Ministros de Relaciones Exteriores deberá celebrarse con el fin de considerar problemas de carácter urgente y de interés común para los Estados americanos, y para servir de Órgano de Consulta.

Art. 62: Cualquier Estado Miembro puede pedir que se convoque la Reunión de Consulta. La solicitud debe dirigirse al Consejo Permanente de la Organización, el cual decidirá por mayoría absoluta de votos si es procedente la Reunión.

ticipación de nuestro país en la resolución o seguimiento de diversas crisis o amenazas de atentados contra la democracia en algunos países del continente, como se verá más adelante.

Es interesante destacar que, en los últimos años, las cuestiones vinculadas con la legitimidad democrática así como el debate en torno a reconocer la democracia como un derecho humano, han pasado a ser un tema de preocupación del derecho internacional. Gregory Fox y Brad Roth, en su libro *Democratic Governance and International Law*, proporcionan cuatro amplias justificaciones de tal preocupación. La primera justificación, sostienen los autores, resulta de afirmar que el "compromiso con los principios de elección, transparencia y pluralismo que marcan la democracia política, es esencial para asegurar una protección institucionalizada de otros derechos humanos". Segundo, la democratización es considerada cada vez más como "un medio para prevenir conflictos armados internos". Tercero, la democratización es vista también como la llave para evitar conflictos entre países, sobre la base del antiguo aforismo según el cual los Estados democráticos no van a la guerra entre sí. Por último, la cuarta justificación la encuentran en un conjunto de normas internacionales que si bien no están relacionadas con la democratización, se apoyan en ellas para su implementación, como son, por ejemplo, los esfuerzos internacionales para la protección del medio ambiente, la lucha contra la corrupción y la promoción de los derechos de los pueblos indígenas.[44]

Desde el punto de vista doctrinario, en diversos ámbitos se viene sosteniendo que la democracia es un derecho humano, que podría ser exigible individual o colectivamente. El punto de partida para semejante conclusión está dado por la afirmación, por una moderna corriente, de que existe un derecho al gobierno democrático en el derecho internacional, posición esta que —de consolidarse— produciría un giro copernicano en las concepciones tradicionales sobre la soberanía del Estado y sobre las reglas básicas del sistema internacional. Quienes afirman la existencia de este último derecho lo hacen emanar del derecho a la participación política, activa y pasiva, contenido en el artículo 21 de la Declaración Universal de los Derechos Humanos, y el artículo 25 del Protocolo Internacional sobre Derechos Civiles y Políticos.

La afirmación de semejante derecho, que sus sostenedores califican como un "derecho emergente", tiene diversas proyecciones al interior y al exterior de

---

[44] Gregory Fox y Brad Roth, *Democratic Governance and International Law* (New York; Cambridge University Press, 2000), pp. 6-8.

los Estados. Así, desde la perspectiva liberal-democrática, tener un derecho individual a la participación política genera un derecho colectivo a separar del poder al gobernante que no cumple con sus deberes y funciones, lo que se desprende de la tesis según la cual la voluntad popular es la base de la autoridad del gobernante. Internacionalmente, esto se traduce en un estándar legal para medir la legitimidad del régimen. Vale decir, que si un régimen es considerado ilegítimo, de acuerdo con la citada teoría democrática, los demás Estados tienen dos opciones: una, mantienen relaciones normales con el régimen no democrático o, dos, se abstienen de mantener tales relaciones.[45]

Como sea, afirmar la existencia de un derecho semejante presupone la existencia de un acuerdo absoluto en torno de lo que debe entenderse por "democracia", algo que aún no ocurre. Dado que el tema excede el ámbito de la presente obra, no avanzaremos más allá, aunque reconocemos la importancia y oportunidad de llevar a cabo un análisis detallado sobre la cuestión. No dudamos que la aludida identificación, democracia-derecho-derechos humanos, seguirá generando no pocas discusiones y estudios en el derecho internacional. Volviendo al sistema interamericano, el reconocimiento de un derecho a la democracia está por ahora fuera de discusión, como lo dejaron probado las negociaciones para la elaboración de la Carta Democrática Interamericana, que pese a hablar de un derecho —más desprovisto de todo sentido o interpretación jurídica— sólo reconoce una obligación en su artículo 1: "Los pueblos de las Américas tienen derecho a la democracia y los gobiernos la obligación de promoverla y defenderla".

En el estudio que ha realizado el Comité Jurídico Interamericano en relación con "La Democracia en el Sistema Interamericano" se llega a una conclusión similar. Así, luego de analizar todos los antecedentes jurídicos interamericanos existentes en lo que respecta a la democracia, el citado órgano de consulta, en su resolución CJI/RES.I-3/95, constató que: "Todo Estado del Sistema Interamericano tiene la obligación de ejercer efectivamente la Democracia Representativa en su sistema y organización política. Esta obligación existe frente a la Organización de los Estados Americanos y, para su cumplimiento, todo Estado del Sistema Interamericano tiene el derecho a escoger los medios y formas que estime adecuados".[46] Como se puede apreciar, el Comité se cuidó de no mencionar en modo alguno la existencia de un derecho a la democracia, como correlato de aquella obligación.

---

[45] Ibid.
[46] CJI/RES.I-3/95, 23 de marzo de 1995.

En ese documento, luego de afirmar que la OEA tiene la competencia de promover y consolidar la Democracia Representativa en todos y cada uno de sus Estados miembros, el CJI resolvió que las situaciones descriptas en la Resolución 1080 constituyen incumplimiento de la obligación de ejercer efectivamente la democracia representativa, encontrándose sujeto, por tanto, a la obligación de restablecer dicho ejercicio efectivo.[47]

Vale la pena destacar que el Comité Jurídico Interamericano, que ha venido manteniendo el tema de la "democracia en el sistema interamericano" en la agenda de sus períodos de sesiones de los últimos años, cuenta en su haber con un Anteproyecto de Instrumento, Declaración o Tratado sobre la Democracia en el Sistema Interamericano. El Primer Preinforme sobre el tema, presentado por un miembro del Comité, el Dr. Eduardo Vío Grossi, durante el LVIII período ordinario de sesiones (Ottawa, marzo 2001), concluye que existen elementos para intentar elaborar, sobre la base de las normas vigentes en el sistema interamericano, un estudio sobre el contenido de la obligación jurídica interamericana de ejercer efectivamente la democracia representativa, como una institución jurídica internacional, autónoma, específica y distinta de otras instituciones jurídicas internacionales. Vale decir, "se trata de analizar las características que un Estado debe tener para ser considerado como un Estado democrático, y determinar cuál es el derecho en esta materia, por un lado, y cuál es la voluntad política, por otro, sin mezclar ambos ámbitos".[48]

Conviene revisar la argumentación que hace el Comité sobre el tema, en su resolución CJI/doc.47/01 —Democracia y Derecho Internacional—, al reiterar que es obligación jurídica de los Estados miembros de la OEA practicar la democracia, a pesar de no existir en el ámbito interamericano ningún documento o instrumento internacional que defina qué es la democracia. Es, precisamente, esta carencia la que procura saldar el CJI al proponer la elaboración en el seno de la OEA de una declaración internacional o de un pacto que defina en qué consiste el deber jurídico de practicarla.

La naturaleza e implicancias de las afirmaciones y estudios precedentes constituyen antecedentes de significativa importancia por su trascendencia jurídica y por la proyección que pueden tener a la hora de ser recogidos, eventualmente, en un documento político de alcance hemisférico o en un instru-

---

[47] Ibid.

[48] Informe Anual del Comité Jurídico Interamericano a la Asamblea General, OEA, Ser.G, CP/doc.3545/02, 28 de enero 2002, p. 47.

mento que tenga un carácter vinculante, quizás bajo la forma de un protocolo modificatorio de la Carta de la OEA o a través de una convención específica.

Por último, resulta apropiado hacer unas breves formulaciones en relación con el último instrumento adoptado en el seno de la OEA en relación con la democracia: la "Carta Democrática Interamericana". El origen de esta propuesta se ubica en un discurso pronunciado en el Congreso peruano por el Presidente del Consejo de Ministros y Ministro de Relaciones Exteriores, Javier Pérez de Cuellar, en el que destacaba las aspiraciones del Perú de participar activamente en la política internacional, "especialmente en la integración, en la consolidación de la América Latina como un actor internacional diferenciado; y en la promoción de una Carta Democrática Interamericana que otorgue una natu-raleza jurídicamente vinculante a todos los instrumentos y mecanismos de pre-servación de la democracia, así como de medios de acción más oportunos y eficaces."[49]

Esta iniciativa fue presentada en las reuniones preparatorias que, en el marco del Grupo de Revisión de Implementación de Cumbres (GRIC), se llevaban a cabo para la III Cumbre de las Américas, para lo cual la Delegación del Perú fue enfáticamente apoyada por la Delegación Argentina, que compartía los alcances de tal propuesta. Como resultado de ese proceso, la III Cumbre, celebrada en Québec, aprobó una Declaración cuyo párrafo sexto dice:

"Las amenazas contra la democracia, hoy en día, asumen variadas formas. Para mejorar nuestra capacidad de respuesta a estas amenazas, instruimos a nuestros Ministros de Relaciones Exteriores que, en el marco de la próxima Asamblea General de la OEA, preparen una Carta Democrática Interamericana que refuerce los instrumentos de la OEA para la defensa activa de la democracia representativa".

Ese mandato de los Jefes de Estado y de Gobierno del hemisferio puso en marcha un ejercicio impulsado por la delegación del Perú, y constantemente acompañado por Argentina, dirigido a negociar y presentar al XXXI período ordinario de sesiones de la Asamblea General de la OEA, un proyecto de "Carta Democrática Interamericana", elaborado sobre la base de los diversos instrumen-tos jurídicos interamericanos vinculados con la democracia, especialmente la

---

[49] Exposición del Presidente del Consejo de Ministros y Ministro de Relaciones Exteriores, Embajador Javier Pérez de Cuellar, ante el Congreso de la República, Lima, 11 de diciembre de 2000.

Carta de la OEA. Cabe destacar que, pese al empeño y voluntad de numerosas delegaciones, entre ellas la Argentina, la Asamblea General de la OEA no pudo cumplir su cometido debido a la resistencia de varias delegaciones, particularmente la de Venezuela y otras de la CARICOM, aunque fundándose en distintas razones. En consecuencia, la Asamblea General se limitó a aprobar una resolución que aceptaba el proyecto de Carta Democrática Interamericana —negociado informalmente con anterioridad a la AGOEA— que serviría como documento de base, y encomendaba al Consejo Permanente "que proceda a fortalecer y ampliar, a más tardar el 10 de septiembre de 2001, el proyecto de Carta Democrática Interamericana, de conformidad con la Carta de la OEA, tomando en cuenta las consultas que los gobiernos de los Estados Miembros realicen de conformidad con sus procedimientos constitucionales y sus prácticas democráticas".[50]

Una de las mayores dificultades planteadas durante las negociaciones tenía que ver con el hecho de que la citada Carta Democrática no se limitaba a reproducir o recoger los diversos instrumentos interamericanos en la materia, sino que iba más allá, al extender o aplicar procedimientos a situaciones que ya contemplan un mecanismo específico como el de la resolución 1080 o el artículo 9 de la Carta de la OEA; o al innovar con figuras nuevas para el sistema interamericano, tales como la incorporación de la llamada "Cláusula Democrática", incluida en la Declaración de la III Cumbre de las Américas. En ese sentido, se presentaban dos posturas: la de aquellos que se resistían a innovar, fundados en que ello sólo puede hacerse por medio de una reforma a la Carta, y la de las delegaciones que presentaban una posición amplia y que entendían ver en este ejercicio no sólo una labor de recopilación de los instrumentos y figuras ya existentes, sino también su actualización sobre la base de la práctica y de las nuevas realidades y desafíos que enfrenta hoy la democracia, así como de las nuevas figuras o mecanismos que iban surgiendo en el ámbito hemisférico. En esta última postura podría incluirse a la Argentina.

En la reunión preparatoria de la III Cumbre, llevada a cabo en Barbados (5 al 9 de marzo de 2001), la Delegación Argentina propuso la incorporación de una "Cláusula Democrática", que perseguía trasladar al ámbito de la Cumbres de las Américas un mecanismo ya adoptado en esquemas de integración regional, explícitamente, como el MERCOSUR y el mecanismo de concertación

---

[50] AG/doc. 4043/01 rev. 1, 5 junio 2001.

política de Tuxtla, que agrupa a México y los países de Centroamérica, en relación con el denominado Plan Puebla-Panamá (PPP) (desde junio de 2001); o implícitamente, como en la Comunidad Andina y el Sistema de Integración Centroamericana (CICA).

En Barbados, bajo el liderazgo de la Delegación Argentina, se negoció un texto que —venciendo una considerable resistencia inicial— alcanzó una fórmula de compromiso entre las delegaciones que querían ver cubiertas situaciones nuevas, como la de un gobierno democrático que muta en otro que no lo es (como lo ocurrido con Fujimori en Perú), y el caso tradicional de quebrantamiento o ruptura del orden democrático cuando un gobierno es despojado del ejercicio del poder. Como resultado de esa negociación, la III Cumbre incorporó en su párrafo quinto la propuesta Argentina, complementada ulteriormente por otras delegaciones con el siguiente alcance:

"Reconocemos que los valores y prácticas de la democracia son fundamentales para avanzar en el logro de todos nuestros objetivos. El mantenimiento y fortalecimiento del Estado de Derecho y el respeto estricto del sistema democrático son, al mismo tiempo, un propósito y un compromiso compartido, así como una condición esencial de nuestra presencia en ésta y en futuras Cumbres. En consecuencia, cualquier alteración o ruptura inconstitucional del orden democrático en un Estado del Hemisferio constituye un obstáculo insuperable para la participación del gobierno de dicho Estado en el proceso de Cumbres de las Américas. Tomando debidamente en cuenta los mecanismos hemisféricos, regionales y subregionales existentes, acordamos llevar a cabo consultas en el caso de una ruptura del sistema democrático de un país que participa en el proceso de Cumbres."[51]

Este texto se presentaba, entonces, como uno de los pilares de la Carta Democrática y uno de los puentes que nos permitirían transitar entre dos momentos o realidades en materia de mecanismos e instrumentos de defensa de la democracia. Dicha cláusula constituía, a la vez, un nexo indiscutible y apun-

---

[51] Cabe destacar que este fue el texto acordado en español durante la reunión preparatoria, en Québec, que tuvo lugar unos pocos días antes de la Cumbre. Sin embargo, la versión final del documento cambió esa redacción —aparentemente por una mala traducción de la versión en inglés, que conserva el lenguaje originalmente acordado. El nuevo texto habla ahora de "ruptura o alteración constitucional del orden democrático"; como si existiera, como contraposición, una "alteración constitucional" de dicho orden.

taba a la convergencia entre el proceso de cumbres y la OEA. En ese sentido, el Canciller Argentino, Dr. Adalberto Rodríguez Giavarini, dijo en la Asamblea General de la OEA reunida en San José de Costa Rica: "Mi gobierno, y yo mismo lo he afirmado hace un año, reconoce la convergencia de la OEA con el proceso de Cumbres Hemisféricas, y ha sido la defensa de la democracia representativa la que se ha ocupado de corroborar esta afirmación. Acaso existe otra voz más autorizada que la de los primeros mandatarios del hemisferio, ¿Acaso existe otra institución más comprometida y calificada para proteger la democracia que la OEA? Quizás, la obviedad de las respuestas nos eximía decirlo con la reiteración y la claridad que sólo quiénes la denegaban con encomio exigían."[52]

Luego de la Asamblea General de San José de Costa Rica, se abrió un período de consultas con los diversos gobiernos y con la sociedad civil, a partir de lo cual se reiniciaron las negociaciones respectivas en el seno de la OEA, las que desembocaron en su adopción por el Consejo Permanente, el 7 de septiembre de 2001, y en su posterior aprobación durante el XXVIII período extraordinario de sesiones de la Asamblea General de la Organización, celebrado en Lima (Perú), el 11 del mismo mes y año.

En la sesión ordinaria del Consejo Permanente de la OEA, en la que se acordó el texto de la CDI, cinco días antes de su aprobación por los Cancilleres americanos en Lima, el Representante Permanente de Argentina, Raúl Ricardes, afirmaba: "la República Argentina, desde 1991, cuando se aprobaron la resolución AG/RES 1080 (XXI-0/91) y el Compromiso de Santiago, ha mantenido una posición unívoca y transparente respecto de la vigencia y defensa de la democracia representativa en las Américas."[53]

Más adelante, el representante argentino explicaba los alcances del compromiso que asumía la República con el flamante instrumento: "Apoyamos la aplicación de la cláusula democrática, cuando corresponda, contenida en la Carta Democrática y cuyos antecedentes, señor Presidente, se encuentran en diversos instrumentos aprobados en el Hemisferio y, ante todo, en la cláusula democrática de la Declaración adoptada en la Argentina en 1996 por los Presidentes del MERCOSUR y de Bolivia y Chile. Apoyamos la incorporación de la gradualidad para el tratamiento y solución de las crisis políticas en el He-

---

[52] Discurso del Canciller de la República Argentina, Dr. Adalberto Rodgríguez Giavarini, en el Diálogo de Jefes de Delegación, XXXI Asamblea General de la OEA, 5 junio 2001.
[53] OEA/Ser.G — CP/ACTA 1292/01, 6 septiembre 2001, p. 28.

misferio. Apoyamos el contenido y la aplicación de todas las previsiones relativas a la promoción y consolidación de la democracia contenidas en la Carta Democrática. Coincidimos en la necesidad de subrayar la vinculación entre democracia y derechos humanos, así como entre democracia, desarrollo integral y combate a la pobreza."[54]

Al concluir, la Delegación Argentina afirmó: "a la luz de la experiencia histórica de las Américas, a veces feliz y a veces trágica, en la defensa de los derechos y libertades fundamentales, la entrada en vigor de la Carta Democrática Interamericana constituirá un compromiso eficaz, quizás el más eficaz que ha tenido el sistema interamericano hasta ahora, para promover, defender y consolidar la democracia representativa en la región."[55]

Las negociaciones emprendidas luego de Costa Rica se llevaron a cabo entre el 15 de agosto y el 7 de septiembre de 2001, y marcaron una reapertura del texto del proyecto de resolución, en su versión número 7, que era la adoptada en San José.[56] La reapertura del texto hizo posible, asimismo, la incorporación de nuevas propuestas que ampliaron el contenido y la estructura del documento original, como, por ejemplo, la inclusión de un capítulo sobre "democracia, desarrollo integral y combate a la pobreza".

En las negociaciones se habían hecho presentes alternativas que oscilaban entre una resolución o declaración que se limitara a constatar las disposiciones ya contenidas en las diversas resoluciones adoptadas por la OEA en materia de democracia, así como las contenidas en la propia Carta; o bien, incorporar disposiciones novedosas que implicaran una modificación a contenidos de la Carta de Bogotá, en cuyo caso el único camino posible era el de un Protocolo modificatorio de dicha Carta.

Puede decirse que se impuso finalmente una posición intermedia dada la necesidad y la voluntad política de los Estados miembros de dar cumplimiento en tiempo y forma al mandato de la Asamblea General de la OEA. En efecto, adoptar la primera posición hubiese determinado un instrumento débil y de escasa trascendencia, no compatible con las aspiraciones de los pueblos y gobiernos del hemisferio; en tanto que la segunda postura resultaba imposible de cumplir, teniendo en cuenta el plazo límite establecido en la resolución acordada en la XXXI AGOEA, que prescribía su adopción antes del 30 de

---

[54] Ibid, pp.28-29.
[55] Ibid, p. 29.
[56] Ver AG/RES. 1838 (XXXI 0/01), 5 de junio de 2001.

septiembre de 2001. El fracaso sufrido por la OEA en Costa Rica no podía repetirse en Lima en septiembre, pues de pasar a ser un organismo con uno de los más avanzados esquemas y mecanismos de defensa de la democracia, la OEA podía llegar a ser considerada como ineficiente e improductiva.

La Carta Democrática Interamericana consta de un extenso preámbulo y de seis capítulos que vinculan la democracia con el sistema interamericano (I), los derechos humanos (II), el desarrollo integral y el combate a la pobreza (III), el fortalecimiento y preservación de la institucionalidad democrática (IV), las misiones de observación electoral (V), y la promoción de la cultura democrática (VI); en un total de 28 artículos. Sin duda que la columna vertebral de la Carta Democrática Interamericana está constituida por el capítulo IV, "Fortalecimiento y preservación de la institucionalidad democrática". Los artículos 17 y 18 proporcionan el marco general, al decir:

Art. 17: "Cuando el gobierno de un Estado Miembro considere que está en riesgo su proceso político institucional democrático o su legítimo ejercicio del poder, podrá recurrir al Secretario General o al Consejo Permanente a fin de solicitar asistencia para el fortalecimiento y preservación de la institucionalidad democrática."

Art. 18: "Cuando en un Estado Miembro se produzcan situaciones que pudieran afectar el desarrollo del proceso político institucional democrático o el legítimo ejercicio del poder, el Secretario General o el Consejo Permanente podrán, con el consentimiento previo del gobierno afectado, disponer visitas y otras gestiones con la finalidad de hacer un análisis de la situación. El Secretario General elevará un informe al Consejo Permanente, y éste realizará una apreciación colectiva de la situación y, en caso necesario, podrá adoptar decisiones dirigidas a la preservación de la institucionalidad democrática y su fortalecimiento."

Los citados artículos recogen, básicamente, el desarrollo y la base de la resolución 1080. La gran novedad se presenta con los artículos siguientes, pues adaptan y explicitan la terminología y el sentido de la cláusula democrática contenida en la Declaración de la ciudad de Quebec. De igual modo, procuran cubrir las situaciones de amenazas posibles a un régimen democrático, tanto en su forma tradicional cuanto en las novedosas y recientes manifestaciones de alteración inconstitucional o ruptura del orden democrático:

Art. 19: Basado en los principios de la Carta de la OEA y con sujeción a sus normas, y en concordancia con la cláusula democrática contenida en la Declaración de la ciudad de Quebec, la ruptura del orden democrático o una alteración del orden constitucional que afecte gravemente el orden democrático en un Estado Miembro constituye, mientras persista, un obstáculo insuperable para la participación de su gobierno en las sesiones de la Asamblea General, de la Reunión de Consulta, de los Consejos de la Organización y de las conferencias especializadas, de las comisiones, grupos de trabajo y demás órganos de la Organización.

Los artículos 20 y 21 desarrollan cada uno de los dos supuestos contemplados en el 19, adicionándole elementos del artículo 9 de la Carta (Protocolo de Washington), como por ejemplo la realización de gestiones tendientes a la restitución de la situación al *status quo ante*. El artículo 21 prevé expresamente que, en caso de constatarse que se ha producido una ruptura del orden democrático en un Estado Miembro la Asamblea General de la OEA, podrá suspenderlo en su derecho de participar en la Organización. Es importante destacar que, si bien el artículo 20 no lo contempla expresamente, la Asamblea General podría acordar la misma medida —suspensión— en caso de que en un Estado Miembro se produzca una alteración del orden constitucional que afecte gravemente su orden democrático.

Art. 20: En caso de que en un Estado Miembro se produzca una alteración del orden constitucional que afecte gravemente su orden democrático, cualquier Estado Miembro o el Secretario General podrá solicitar la convocatoria inmediata del Consejo Permanente para realizar una apreciación colectiva de la situación y adoptar las decisiones que estime conveniente.

El Consejo Permanente, según la situación, podrá disponer la realización de las gestiones diplomáticas necesarias, incluidos los buenos oficios, para promover la normalización de la institucionalidad democrática.

Si las gestiones diplomáticas resultaren infructuosas o si la urgencia del caso lo aconsejare, el Consejo Permanente convocará de inmediato a un período extraordinario de sesiones de la Asamblea General para que ésta adopte las decisiones que estime apropiadas, incluyendo gestiones diplomáticas, conforme con la Carta de la Organización, el derecho internacional y las disposiciones de la presente Carta Democrática.

Durante el proceso se realizarán las gestiones diplomáticas necesarias, incluidos los buenos oficios, para promover la normalización de la institucionalidad democrática.

Art. 21: Cuando la Asamblea General, convocada a un período extraordinario de sesiones, constate que se ha producido la ruptura del orden democrático en un Estado Miembro y que las gestiones diplomáticas han sido infructuosas, conforme con la Carta de la OEA tomará la decisión de suspender a dicho Estado Miembro del ejercicio de su derecho de participación en la OEA con el voto afirmativo de los dos tercios de los Estados Miembros. La suspensión entrará en vigor de inmediato.

El Estado Miembro que hubiese sido objeto de suspensión deberá continuar observando el cumplimiento de sus obligaciones como miembro de la Organización, en particular en materia de derechos humanos.

Adoptada la decisión de suspender a un gobierno, la Organización mantendrá sus gestiones diplomáticas para el restablecimiento de la democracia en el Estado Miembro afectado.

Está claro que, una vez superada la situación que motivó la suspensión, la Asamblea General de la OEA podrá disponer su levantamiento, conforme lo prevé el artículo 22 de la Carta Democrática Interamericana.

La aprobación de la "Carta Democrática Interamericana", cuya eficacia y efectiva aplicabilidad determinarán el tiempo y la propia OEA, es un instrumento de significativa importancia y actualidad, que refuerza los mecanismos y procedimientos para la defensa y promoción de la democracia en el sistema interamericano. A poco de su adopción, trascendía una pregunta no poco inquietante: ¿podrá aplicarse la Carta Democrática Interamericana a un Estado Miembro de la OEA en caso de que ocurra una de las situaciones contempladas en ella, si el gobierno de dicho Estado u otro cuestionara su procedencia desde el punto de vista jurídico, especialmente en los casos de los artículos 20 y 21, frente al artículo 9 de la Carta de la OEA.? Las respuestas están divididas y aún no se ha producido semejante hipótesis.

La Carta Democrática Interamericana tuvo su bautismo de fuego con la crisis democrática desencadenada en Venezuela, en abril de 2002. Si bien para algunos, al tiempo de concluirse el presente libro, la OEA y, con ella, la CDI no terminaron de pasar el examen, no puede negarse que su aplicación oportuna fue determinante en lograr la restitución al poder del Presidente Hugo Chávez.

Es importante indicar que, en las negociaciones desarrolladas para la adopción de la CDI, la Delegación Argentina, encabezada por su Representante Permanente ante la OEA, Embajador Raúl Ricardes, tuvo una activa y destacada participación en las negociaciones, en sintonía con la prioridad que le asignó al tema la Cancillería de nuestro país y el entonces Ministro de Relaciones Exteriores, Adalberto Rodríguez Giavarini. La activa participación argentina quedó plasmada, sobre todo, en las reuniones informales de coordinación y negociación en el ámbito de la OEA y que se llevaban a cabo en el seno del grupo ALADI, a fin de armonizar posiciones para ser presentadas en el grupo de trabajo encargado de preparar la Carta Democrática.

Es importante señalar que esta fue la primera vez que el grupo ALADI ensayó este esquema de reuniones de coordinación en la historia de la OEA y que desde entonces se mantiene para la mayor parte de los asuntos que requieren adoptar una posición común. Esa es también una práctica seguida constantemente por las delegaciones de los países de la CARICOM, y que a menudo también imitan aquellas del grupo centroamericano (GRUCA), y que consiste en acordar posiciones frente a un tema o asunto determinados, con miras a presentar una posición uniforme y coordinada en el seno de la negociación formal. Es una sana y útil práctica que bien vale la pena seguir cultivando también en el grupo ALADI, de donde curiosamente habían surgido las mayores desavenencias al comenzar la segunda etapa de negociación del proyecto de Carta Democrática Interamericana.

Es de esperar que los particularismos y las posiciones de avanzada que plantearon algunas delegaciones en la negociación se doblegaron definitivamente ante la unánime aprobación de este instrumento, que lleva estampada en una Declaración adicional la firma de todos los Ministros de Relaciones Exteriores y Jefes de Delegación del hemisferio que participaron en Lima de la XXVIII Asamblea General Extraordinaria de la OEA. Reposa en la voluntad y la decisión de los Estados miembros de la OEA asegurar su valor, eficacia y vigencia en beneficio de la calidad y salud de la democracia en las Américas.

Antes de concluir con esta sección, vale la pena recordar algunos de los pasajes contenidos en la intervención de la Delegación Argentina, presidida por el Canciller Carlos Ruckauf, durante el diálogo de Jefes de Delegación sobre el tema "seguimiento y desarrollo de la Carta Democrática Interamericana", en la XXXII AGOEA, reunida en Barbados, en junio de 2002, tres meses antes de cumplirse el primer aniversario de la adopción de dicho instrumento: "Los países de América hemos recogido en la CDI nuestro amplio consenso sobre la Democracia Representativa como principio fundamental de nuestros gobiernos y de la convivencia de nuestras naciones. Ese consenso constituye el marco en el cual desarrollamos nuestra acción conjunta a favor de la paz, la justicia, la libertad, el respeto de los Derechos Humanos, la igualdad de oportunidades sin discriminación alguna, la seguridad, la superación de conflictos por las vías pacíficas, el desarrollo social y económico, la lucha por desterrar definitivamente la pobreza crítica en la región, la protección del medio ambiente y el impulso otorgado a procesos de apertura e integración."

En relación con el mecanismo introducido en el capítulo IV de la CDI, el representante argentino decía: "Como corolario de nuestro consenso, hemos incluido en la Carta nuestra decisión de otorgar una respuesta coordinada para no permitir que en nuestro Hemisferio tenga lugar una alteración del orden constitucional o la ruptura del orden democrático. Acontecimientos recientes (en alusión al golpe de Estado producido en Venezuela dos meses antes) han demostrado la sabiduría de la previsión del mecanismo que hemos adoptado y que ha acompañado nuestra acción decidida para velar por la preservación de la institucionalidad democrática en América Latina... Es así que el pronto retorno al orden constitucional en Venezuela fue posible gracias a las acciones de los Presidentes del Grupo de Río, al recurso oportuno a la OEA y a la aplicación de la Carta Democrática Interamericana... El cometido con la vigencia de la CDI implica, también, mejorar la calidad de las instituciones, noción fundamental para la cual es necesario integrar aún más a los ciudadanos a la vida política".

Antes de concluir su intervención, el representante de Argentina citaba la resolución impulsada por este país, y que fuera adoptada en la citada XXXII AGOEA, titulada "Promoción de la Cultura Democrática", que desarrolla el último capítulo de la CDI (VI): "Es a través de la promoción de una cultura democrática y de los principios y valores que propiciamos, que fortaleceremos las bases de sustentación permanente de la institucionalidad democrática en el Hemisferio. En ese sentido, consideramos que la educación en los principios y valores que compartimos y en las prácticas democráticas será fundamental para el porvenir de las democracias en América."

Hasta aquí hemos visto los instrumentos jurídicos y la doctrina interamericana en materia de democracia, que constituye el punto de partida lógico para comenzar a considerar caso por caso cuál ha sido la respuesta que la Organización de Estados Americanos, y el Sistema Interamericano en su conjunto, han dado a las crisis y amenazas a la democracia en la región.

SECCIÓN III

LA OEA PUESTA A PRUEBA

Las crisis hemisféricas

En esta sección analizaremos la actuación que tuvo la OEA en aquellas situaciones que interrumpieron el proceso constitucional democrático en alguno de los Estados miembros del hemisferio, a las que calificaremos específicamente como "crisis", y qué tipo de respuesta surgió del Organismo regional. Estas crisis son, entonces, aquellas situaciones en las que, efectivamente, fue derrocado el gobernante de turno o el poder ejecutivo, en un sistema representativo republicano y federal, o se alteró la clásica tríada de poderes en las que se sustenta tal sistema. Estos fueron los casos de Haití, Perú, Guatemala y Venezuela, a los que se sumará el precedente de Cuba, suspendido de la OEA en 1962, y cuya exposición ha sido ordenada cronológicamente. El mecanismo común en los primeros tres casos —salvo, claro está, respecto de Cuba— es el establecido por la Resolución AG/RES. 1080.

Más contemporáneamente, en el caso específico de Venezuela se aplicó, por primera vez, la Carta Democrática Interamericana, que prácticamente sustituyó a aquella resolución. Los restantes supuestos en los cuales se produjo una amenaza al sistema y a las instituciones propias de la democracia —Venezuela, Paraguay, Ecuador y, otra vez, Paraguay— difícilmente puedan ser calificadas de crisis, pues oficialmente el Estado involucrado no consideró interrumpido o desestabilizado su sistema democrático. En estos casos, la OEA no se pronunció más allá de lo que las circunstancias y el propio representante permanente

75

del país involucrado aconsejaban. Ante esta situación, la promoción de algún tipo de medida de alcance hemisférico, e incluso de alguno o de algunos de los Estados miembros de la OEA, hubiese constituido una injerencia en los asuntos internos, repelida por el derecho internacional y por la propia Carta y política de la Organización.

En consecuencia, y aquí entramos a la esencia de la presente obra, nos concentraremos en analizar las *crisis* mencionadas precedentemente, comenzando por el caso de Cuba.

1) Cuba

Es importante tener en cuenta que, tradicionalmente, Cuba mantuvo vínculos muy especiales con los Estados Unidos, más que con cualquier otro país del hemisferio, antes y desde su independencia en 1898. La economía cubana, durante la depresión, se basaba en una sola cosecha: el azúcar, la cual tenía una sola salida: los Estados Unidos. Por otra parte, la Constitución cubana incluía hasta 1934 disposiciones especiales que restringían su libertad diplomática, y Estados Unidos mantenía una base naval (que todavía existe) en la isla. Además, hubo una fuerte inversión estadounidense en propiedades urbanas y servicios que, sumados a los bajos precios, transformó la isla en un atractivo sitio de turismo para los americanos.

Los Estados Unidos eran vistos, entonces, como el verdadero poder detrás del régimen conservador cubano. El gobierno del dictador Fulgencio Batista perdió el favoritismo de los Estados Unidos y alcanzó la desaprobación del Departamento de Estado hacia 1957. Por ese entonces, un joven nacionalista llamado Fidel Castro había ya comenzado una campaña guerrillera en contra del régimen, al que derrocó en 1959.

La llegada al poder de Castro no fue seguida de ninguna medida de carácter hemisférico, ni tampoco fue perseguida por los Estados Unidos. Más aún, el diálogo amplio que mantenía Castro con todos los sectores cubanos, de los liberales a los marxistas que querían derrocar a Batista, tranquilizaba al país del norte que lo caracterizaba como el "Sukarno caribeño". Sin embargo, este idilio no duró mucho. Pronto la relación con Estados Unidos comenzó a deteriorarse, una vez que Castro interfirió en los intereses comerciales estadounidenses, empezando con la reforma agraria y continuando con su incitación al antiamericanismo. Sobrevino la ruptura de relaciones diplomáticas con Cuba, por parte de Estados Unidos, así como la declaración de Castro de su apego al marxismo y el alineamiento con la Unión Soviética. A partir de allí, los planes para derrocar a Castro, el fiasco de Bahía de Cochinos y la crisis de los misiles, la que llevó al mundo al borde de una conflagración nuclear entre las dos superpotencias, son aspectos ya conocidos y en los cuales no nos vamos a detener.

¿Cuándo y cómo interviene la OEA en esta crisis? Antes que nada, aclaremos que la toma del poder por Castro, que en los hechos fue un golpe de Estado, no generó respuesta alguna de la OEA, básicamente por dos razones: no existía un mecanismo como el provisto por la 1080 —aprobada tres décadas después— para impulsar una restitución al *status quo ante*, y porque, en plena *guerra fría*, la OEA estaba alineada con Washington. Esto significaba que, carente de un peso específico propio en el contexto hemisférico, la Organización se posicionaba detrás del más poderoso, seguía sus intereses y acompañaba sus acciones. Sobre esa base, las naciones americanas tuvieron una respuesta firme y unánime contra los avances de la Unión Soviética en la crisis de los misiles en Cuba.

En la Séptima Reunión de Consulta, llevada a cabo en Costa Rica en 1960, Perú invocó la Carta de la OEA por la situación de Cuba y la defensa del sistema regional y los principios democráticos. Será en 1962 cuando la OEA adoptará medidas concretas. En la Octava Reunión de Consulta, realizada en Punta del Este, del 22 al 31 de enero de 1962, los representantes de los gobiernos del hemisferio, con la excepción de México, ratificaron la incompatibilidad para un Estado de ser Miembro de la OEA y su adherencia al marxismo-leninismo. En ese sentido, la Resolución VI señalaba que en atención a la identificación del gobierno de Cuba con los principios de la ideología marxista-leninista; su adhesión al bloque chino-soviético; su aceptación de la ayuda militar de las potencias comunistas extra-continentales y la amenaza de intervención armada de la URSS en América, la Octava Reunión de Consulta declaró "que el actual Gobierno de Cuba, como consecuencia de sus actos reiterados, se ha colocado voluntariamente fuera del Sistema interamericano", y la Reunión resuelve:

"1. Que la adhesión de cualquier miembro de la OEA al marxismo-leninismo es incompatible con el Sistema Interamericano, y el alineamiento de tal Gobierno con el bloque comunista quebranta la unidad y la solidaridad del Hemisferio.

2. Que el actual Gobierno de Cuba, que oficialmente se ha identificado como un gobierno marxista-leninista, es incompatible con los principios y propósitos del Sistema Interamericano.

3. Que esta incompatibilidad excluye al actual Gobierno de Cuba de su participación en el Sistema Interamericano.

4. Que el Consejo de la OEA y los otros órganos y organismos del Sistema Interamericano adopten sin demora las providencias necesarias para cumplir esta resolución".[57]

Corresponde señalar que una de las cuestiones planteadas en la discusión de esta resolución fue el fundamento jurídico de la misma, a la luz de las normas de la Carta de Bogotá. Al respecto, hubo una coincidencia generalizada en que la membresía de la Organización de los Estados Americanos descansaba en el compromiso de observar el principio de la democracia representativa. Sin embargo, el corolario que se derivaba de tal regla, esto es, la marginación del sistema interamericano, no arrojó una adhesión semejante. Uno de los argumentos expuestos fue que la Carta de la OEA no estipulaba tal sanción. Finalmente, digamos que sólo diecisiete delegaciones estuvieron de acuerdo en que "el actual Gobierno de Cuba, como consecuencia de sus actos reiterados, se ha colocado voluntariamente fuera del Sistema Interamericano".

Esta fue la única oportunidad en la que la Organización adoptó una medida extrema como la suspensión de uno de sus Estados miembros, pese a no estar contemplado en su Carta un mecanismo semejante. Como sabemos, ello sólo sería corregido con el Protocolo de Washington y la inclusión del artículo 9 en la Carta, casi treinta años más tarde.

Ahora bien, dadas las confusiones que esta medida generó y aún genera en diversas instancias en lo relativo a si la suspensión es al Gobierno o al Estado cubano, corresponde hacer la siguiente aclaración. Conforme al ordenamiento jurídico internacional, el sujeto de Derecho Internacional es el Estado. En efecto, el gobierno es sólo uno de los elementos constitutivos del Estado. Por ende, los cambios de gobierno no afectan la subjetividad jurídica internacional del Estado, sin perjuicio de la situación que pudiera plantear un golpe de Estado en materia de reconocimiento por la comunidad internacional de Estados. Cabe señalar que incluso el quebrantamiento del orden jurídico estatal no afecta las obligaciones internacionales del Estado, de acuerdo con el prin-

---

[57] Acta Final de la Octava Reunión de Consulta, OEA/Ser.F/ II.8 Doc. 69, p. 12.

cipio de continuidad de éste. De tal manera que, teniendo presente que los Miembros de la Organización son los Estados y no los gobiernos, jurídicamente es el Estado a quien eventualmente debe aplicarse la referida sanción, la que se traduce en que el gobierno de facto no podrá representar al Estado en los órganos de la OEA mientras dure la sanción.

Volviendo a la historia del caso, cabe recordar que el 9 de noviembre de 1961, Colombia solicita la Reunión de Consulta, la que se inicia el 10 de enero de 1962 y finaliza después de celebrada la Reunión de Punta del Este. Invoca el TIAR por considerar que existe una amenaza a la paz y la independencia política de los Estados Americanos merced a la acción de Cuba. El Consejo Permanente, actuando como órgano provisional de consulta, ratifica la decisión de la Octava Reunión de Consulta.

También en 1962, pero en octubre, Estados Unidos invoca el TIAR por el peligro que significa el almacenamiento de armas ofensivas nucleares en Cuba por parte de una potencia extra-continental. Se pide a la Unión Soviética el retiro de las armas nucleares, de los proyectiles y personal militar de Cuba. Se recomienda a los Estados Miembros que adopten todas las medidas, individuales y colectivas, incluyendo el empleo de la fuerza armada, que consideren necesarias para asegurar que el gobierno de Cuba no pueda continuar recibiendo de las potencias chino-soviéticas pertrechos y suministros militares que amenacen la paz y la seguridad del continente, y para impedir que los proyectiles en Cuba, con capacidad ofensiva, se conviertan en cualquier momento en una amenaza activa contra la paz y la seguridad del continente.

¿Cuál fue la posición sostenida por la República Argentina? En el caso cubano, "el gobierno (argentino) trató de mediar entre las partes (Estados Unidos y Cuba), lo cual en el fondo significaba el apoyo de nuestra Cancillería a la tesis cubana del conflicto *bilateral* con Estados Unidos, siendo así que la concepción de Estados Unidos era que debía considerárselo 'hemisférico'.[58] Esta contradicción latente, explica Puig, "se corporizó en la Octava Reunión de Consulta, en la cual la Argentina, juntamente con Bolivia, Brasil, Chile, Ecuador, Haití y México, se abstuvo en la resolución por la cual se excluía a Cuba del sistema interamericano".[59] Posteriormente, sin embargo, el gobierno argentino

---

[58] Alberto Conil Paz y Gustavo Ferrari, *Política Exterior Argentina, 1930-1962* (Circulo Militar: Buenos Aires, 1971), p. 216.

[59] Juan Carlos Puig, "*Política Internacional Argentina*", en *Argentina en el Mundo* (Grupo Editor Latinoamericano: Buenos Aires, 1988), p. 35

rompía relaciones con el de Fidel Castro, pese a invocar permanentemente una encendida posición neutral.

Las posiciones exhibidas por algunos de los países citados están reflejadas en los discursos de sus Ministros de Relaciones Exteriores. Chile, representado por su canciller, Carlos Martínez Sotomayor, fundándose en argumentos de carácter jurídico, "estimó que el tema de esta reunión no concuerda con la letra y el espíritu del Tratado de Río de Janeiro y, por lo tanto, se abstuvo de dar aprobación a la convocatoria. Pero hemos concurrido aquí inclinándonos ante el voto mayoritario de los Estados que forman nuestra Organización."[60] Es decir, no veía que la situación estuviera contemplada en el TIAR y en la Carta de la OEA, pues esos instrumentos tienen un objetivo preciso. México, representado por su Secretario de Relaciones Exteriores, Manuel Tello, admitía la existencia de una incompatibilidad entre la pertenencia a la OEA y una profesión política marxista-leninista. Sin embargo, también cuestionó la aplicación o procedencia jurídica del TIAR al caso concreto.[61] Ya sabemos que México, no obstante, lideró una encendida defensa de la permanencia de Cuba dentro del sistema a la hora de considerarse la adopción de sanciones al régimen y desde entonces siguió una política de promoción de su reincorporación a la OEA, que sólo se ha entibiado durante la administración del Presidente Vicente Fox.

Brasil, en tanto, expresó por boca de su Ministro de Relaciones Exteriores, Francisco Clementino de Santiago Dentas, su rechazo a la adopción de sanciones militares, económicas y diplomáticas, pues "adolecen de bases jurídicas sólidas y pueden ser en el mejor de los casos infructíferas y en el peor de ellos contraproducentes".[62] A éste le siguió una encendida defensa de su interés nacional y de la aplicación de sanciones en el caso cubano por parte del Secretario de Estado de los Estados Unidos, Dean Rusk.[63] Cabe recordar que la resolución que privaba al gobierno de Cuba de toda participación en los órganos y organismos del Sistema Interamericano, mientras subsistan las condiciones que motivan la decisión, fue presentada por las delegaciones de Colombia, Panamá, Paraguay, Nicaragua, Honduras, El Salvador, Perú, Costa Rica, Haití, Guatemala y República Dominicana; y enmendada por otro proyecto de

---

[60] Octava Reunión de Consulta, OEA/Ser. F/II.8-Doc. 16.
[61] Octava Reunión de Consulta, OEA/Ser. F/II.8-Doc. 25
[62] Octava Reunión de Consulta, OEA/Ser. F./II.8, Doc. 32.
[63] Octava Reunión de Consulta, OEA/Ser. F./II.8, Doc. 35.

resolución circulado por Panamá, Paraguay, Honduras, Nicaragua, El Salvador, Perú, Colombia, Costa Rica, Venezuela, Haití, Guatemala, República Dominicana, Uruguay y Estados Unidos.[64] La Delegación de México, en la ocasión, formuló una declaración expresa en el sentido de que "la exclusión de un Estado Miembro no es jurídicamente posible sin las modificaciones previas de la Carta de la Organización de los Estados Americanos conforme al procedimiento previsto en el artículo III de la misma".[65]

En la Octava Reunión de Consulta, el Ministro de Relaciones Exteriores de Argentina, Miguel Angel Cárcano, señaló que se estaba ante un momento en el que las "fuerzas del mal" —representadas por el comunismo— "vuelven al asalto de nuestras libertades y nuestra democracia". Frente a ello, decía, "es nuestra tarea reafirmar los principios del sistema democrático". Luego de invocar los principios de soberanía, independencia política e igualdad jurídica de los Estados, así como la solución pacífica de las controversias, atacaba las bases mismas del comunismo como "uno de los imperialismos más despóticos" y por su desconocimiento de los principios democráticos y su abolición de las libertades básicas. Más adelante, el Canciller Cárcano enfatizaba que no se intentaba intervenir en los asuntos internos de Cuba: "Los problemas internos de Cuba pertenecen a su pueblo y a él le corresponde restablecer la paz y la armonía en su tierra, pero la marcha de su revolución ha conmovido el sistema de convivencia americana y amenaza su misma existencia cuando la envuelve en un mundo de prevenciones y desconfianzas, y se alinea con los enemigos naturales y extra-continentales por añadidura, de nuestros sistemas de vida. Esto ya nos afecta y nos hiere... Un país comunista aspira a convivir en la comunidad democrática americana. Está dentro de nuestra casa. La estructura jurídica y política de esencia democrática que hemos levantado en el transcurso de un siglo, para mejor convivir, progresar y alcanzar el grado de bienestar a que aspiramos, siente esa presencia como una amenaza".[66]

En forma terminante y clarificando la posición de nuestro país, manifestaba que "Argentina considera que un Estado comunista es incompatible con

---

[64] Ver Resolución "Exclusión del Actual Gobierno de Cuba de su Participación en el Sistema Interamericano".

[65] Octava Reunión de Consulta, OEA/Ser. F./II.8, Doc. 70.

[66] Acta de la Novena Sesión de la Comisión General, Octava Reunión de Consulta de Ministros de Relaciones Exteriores, Actas de las sesiones (Punta del Este, Uruguay: 31 de enero de 1962), OEA/Ser.F/III.8, Doc. 72, pp. 32-36.

los principios y fundamentos del sistema interamericano... Argentina estima que es primordial que en esta conferencia salga vigorizado el sistema americano y la unidad política, económica y social de nuestro Continente. Yo exhorto a mis ilustres colegas que olvidemos los pequeños intereses que puedan dividirnos, las presiones circunstanciales que operan en cada uno de nuestros países, las deformaciones que pueda sufrir nuestro criterio por las influencias actuales y consideremos que la consolidación de nuestra alianza es lo principal y permanente. Tenemos que evitar que caiga en América la Cortina de Hierro, que anunciara Churchill en Fulton, Missouri, en los Estados Unidos, en 1946... ¡América manda! Debe ser nuestra divisa de unión en la libertad y la democracia".[67]

La abstención argentina, formulada al tratarse la resolución por la que se excluía a Cuba del sistema interamericano, era explicada por Cárcano en la Octava Reunión de Consulta, de la siguiente manera: "Nos parece sumamente grave establecer un precedente que significa excedernos de las facultades conferidas a este órgano de Consulta por el Tratado Interamericano de Asistencia Recíproca. El derecho internacional es fundamentalmente de aplicación restrictiva, pues supone concesiones que el Estado hace de su soberanía a la comunidad de naciones. No puede, en forma alguna, ir más allá de lo estipulado... La adopción de la fórmula propuesta en el párrafo 3 significa un precedente jurídico del cual mañana, frente a otras circunstancias imprevisibles, cualquiera de los Estados aquí presentes podríamos arrepentirnos... Debemos recordar que es un principio elemental y reconocido por el derecho internacional, que si el instrumento constituyente del organismo no tiene cláusula alguna respecto a la suspensión o exclusión de un Estado Miembro, no existe derecho de la Organización para suspender o excluir... Nuestro país, respetuoso de las normas jurídicas, como principio esencial de su vida internacional, no puede apoyar con su voto esa resolución que estima va mucho más allá de las facultades a las cuales ha dado su consentimiento. Creemos que la mejor defensa contra los avances del comunismo internacional consiste en la aplicación de las normas jurídicas obligatorias, base de una sana política internacional".[68]

Posteriormente, en ocasión de pronunciar un discurso en una sesión protocolar del Consejo Permanente de la OEA, el 22 de enero de 1963, el entonces Ministro de Relaciones Exteriores de Argentina, Carlos Manuel Muñiz,

---

[67] Ibid.
[68] Ibid.

al referirse al desarrollo del caso cubano, sostuvo: "El sentido de esos hechos es el de que un país hermano de la América Latina ha sufrido el proceso de asalto al poder a espaldas de la voluntad popular, que es un método ya clásico del comunismo. Su población no puede expresar libremente sus preferencias políticas ni retomar por vías pacíficas el camino de la libertad. Desgraciadamente para nosotros se ha convertido en un foco subversivo de inminente peligro para la continuación en nuestras tierras del estilo de vida y de los valores que nos son más caros. Es nuestro deber hacia los pueblos de América defendernos de ese peligro y emplear en la defensa, sin vacilaciones, todas nuestras mejores energías."[69]

Al aludir a la actuación de la OEA, Carlos Muñiz afirmaba que "la reacción unánime de la OEA en oportunidad de la crisis que hemos mencionado marcó una convicción profunda. Nuestra Organización tomó en ese momento como guía de su actitud las grandes tradiciones que nutren nuestro ser democrático, único medio en el que podrá darse con naturalidad la histórica revolución de la prosperidad y de la cultura para los hombres de América."[70]

Al enunciar la posición de nuestro país, el Canciller Muñiz decía: "La Argentina en esa coyuntura no vaciló en participar efectivamente en la operación defensiva. Lo hizo siguiendo el imperativo que le imponía su vocación de libertad, y el gobierno actuó en cumplimiento de la voluntad nacional expresada definidamente en su apoyo. Mi país en su política internacional ha actuado siempre en consonancia con el íntimo sentir de su pueblo y en asistencia a sus países hermanos. De ello ha dado pruebas suficientes nuestra historia, y estos mismos foros interamericanos han sido testigos de nuestra independiente conducción exterior."[71]

Hasta el día de hoy, no ha habido variantes en el caso cubano, básicamente porque el mismo protagonista o responsable de la suspensión sigue en el poder: Fidel Castro. Los incesantes esfuerzos del gobierno norteamericano por aislar a Cuba son cada vez más débiles a nivel hemisférico. Ya sólo quedan recuerdos de aquella casi unanimidad que acordó la suspensión del gobierno de Cuba del Sistema Interamericano. El último gran fracaso de la intentona estadounidense fue el unánime rechazo que mereció la adopción por Estados Unidos de la Ley Helms-Burton, rechazo éste que se hizo explícito durante el

---

[69] OEA/Ser.G/II - C-a-477 (Protocolar), 22 enero 1963, p. 17.
[70] Ibid.
[71] Ibid, p. 18.

XXVI período ordinario de sesiones de la AGOEA, celebrado en Panamá.[72] En aquella ocasión, al tratarse el proyecto de resolución sobre "Libertad de Comercio e Inversión en el Hemisferio", la Delegación de Bolivia —en nombre de los países del Grupo de Río y de la Delegación de Canadá— presentó el proyecto de resolución, con el patrocinio de 33, el cual —luego de formular consideraciones en torno al debido respeto a la personalidad, soberanía e independencia de los Estados, y a la promulgación y aplicación por parte de los Estados miembros de leyes y disposiciones reglamentarias cuyos efectos territoriales afecten la soberanía de otros Estados (en clara alusión a la Ley Helms-Burton)— resolvió instruir al Comité Jurídico Interamericano para que presente su opinión sobre la validez, conforme al derecho internacional, de la legislación Helms-Burton. Consultado que fue el Comité Jurídico Interamericano, destacó que "los fundamentos y aplicación de esta legislación no guardan conformidad con el derecho internacional".[73] Los tiempos cambian y ahora quedaba claro que el hemisferio no se alineaba automáticamente detrás del más poderoso, sino que entonces más que nunca se erigía en orgulloso defensor de la soberanía, integridad e independencia de todos y cada uno de sus Estados miembros. Hoy, cada vez son más los gobiernos del continente que apoyan o verían con simpatía el reingreso de Cuba al Sistema.

Pero, volviendo a nuestro balance, la respuesta de la OEA fue positiva en cuanto a mostrar una imagen de fortaleza del Sistema Interamericano en su conjunto frente a un gobierno claramente contrario a los más elementales principios de observancia de la democracia y de respeto a los derechos humanos. Sin embargo, la medida no se adoptó como consecuencia del derrocamiento de un gobierno, en este caso del dictador Batista por el revolucionario Castro, en 1959. Fue el alineamiento del gobierno cubano con la URSS y su adhesión al marxismo-leninismo lo que desencadenó la suspensión y generalizada ruptura de relaciones diplomáticas. Sin duda, también la OEA jugó un papel muy bien definido en el bipolarismo que caracterizó la llamada *guerra fría*.

2) Haití:

En el caso de Haití, luego del derrocamiento del Presidente Jean-Bertrand Aristide, el 29 de septiembre de 1991, la resolución 1080 fue invocada por

---

[72] Actas y Documentos, XXVI AGOEA, Panamá (3-7 junio de 1996)(OEA/Ser.P/XXVI-0.2)
[73] CJI.II-14/96)

primera vez en el sistema interamericano para responder a una agresión explícita al sistema democrático de gobierno en uno de sus Estados miembros. Inmediatamente, y siguiendo la convocatoria del Secretario General de la OEA, Baena Soares, tuvo lugar una sesión extraordinaria del Consejo Permanente de la Organización, el 30 de septiembre de 1991, en la que condenó el golpe de Estado y decidió convocar a una Reunión Ad Hoc de Ministros de Relaciones Exteriores, la que tuvo lugar el 2 de octubre, con la presencia del depuesto Presidente, Jean-Bertrand Aristide.

En aquella ocasión, los Cancilleres americanos condenaron el acto, exigieron la plena vigencia del estado de derecho y la inmediata restitución del Presidente Jean-Bertrand Aristide en el ejercicio de su legítima autoridad. Sobre esa base, en su primera resolución la Reunión Ad Hoc recomendó a los Estados miembros de la OEA la adopción de diversas medidas tendientes a procurar "el aislamiento diplomático de quienes detentan de hecho el poder en Haití", pues no reconocía el gobierno instaurado por la fuerza; a suspender "sus vínculos económicos, financieros y comerciales con Haití, así como la ayuda y cooperación técnica que fuera del caso, con excepción de los aspectos estrictamente humanitarios". Finalmente, se acordó el envío con urgencia de una misión presidida por el Secretario General, que "exprese a quienes detentan de hecho el poder el rechazo de los Estados americanos a la interrupción del orden constitucional."[74] A partir de entonces, los Cancilleres americanos se reunieron cinco veces, en tres años, para procurar el retorno de la institucionalidad democrática depuesta por el golpe de Estado, erigiéndose así en la cuestión que más tiempo y dedicación constante requirió de los gobiernos de la región. Como veremos más adelante, los periódicos altibajos de la realidad haitiana no cesan de fomentar preocupaciones en el seno de la Organización.

Algunos días después, el 8 de octubre, la Reunión Ad Hoc de Ministros de Relaciones Exteriores adoptó una nueva resolución como consecuencia del agravamiento de la situación en Haití. La resolución MRE/RES. 2/91 exhortaba a los Estados miembros "a que en forma inmediata procedan al congelamiento de los activos del Estado haitiano y apliquen un embargo comercial a Haití, salvo excepciones de carácter humanitario". Además, y atendiendo a lo solicitado por el Presidente Aristide, la resolución creó una misión de carácter civil para el restablecimiento y fortalecimiento de la democracia constitucional

---

[74] MRE/RES. 1/91 - "Apoyo al Gobierno Democrático de Haití" (OEA/Ser. F/V.1 - 3 octubre 1991).

en Haití (OEA-DEMOC). La organización de esta misión fue encomendada al Secretario General. También se le encargó que "mantenga abiertos los canales de comunicación con instituciones políticas democráticamente constituidas y con otros sectores de Haití, para propiciar un diálogo con miras a asegurar el retorno del Presidente Jean-Bertrand Aristide en sus funciones". Finalmente, resolvía "comunicar la presente resolución a la Organización de las Naciones Unidas y solicitar a sus Estados miembros que adopten las mismas medidas convenidas por los países americanos".[75]

En virtud de las acciones y contactos llevados a cabo por el Secretario General, se suscribieron en la sede de la Organización regional, el 23 y el 25 de febrero de 1992, los "Protocolos de Washington". El primero de estos instrumentos fue firmado por el Presidente Aristide y la Comisión Parlamentaria de Negociación, representada por los Presidentes del Senado y de la Cámara de Diputados, con miras a encontrar una solución definitiva a la crisis haitiana. El segundo documento, en tanto, fue suscripto por el Presidente Aristide y el Primer Ministro designado por aquél, según lo convenido en el primer Protocolo.

Frente a la falta de observancia de los referidos Protocolos, una nueva Reunión de Consulta de los Ministros de Relaciones Exteriores, el 17 de mayo de 1992, aprobó una nueva resolución en la que reiteró su pleno apoyo al Protocolo del 23 de febrero de ese año, e instó a los Estados miembros a adoptar medidas adicionales tales como: extender y profundizar la verificación del embargo comercial a Haití; denegar facilidades portuarias a cualquier navío que no respete el embargo y a asegurar que no se utilice el transporte aéreo para el tráfico de bienes en violación del mismo; no conceder o revocar, según el caso, las visas de ingreso a favor de los autores y partidarios del golpe de Estado y a congelar sus activos; y ampliar la ayuda humanitaria dirigida a los sectores más empobrecidos del pueblo de Haití.[76]

Esta última resolución también contiene una exhortación a los Estados que están fuera de la región especialmente los países de la Comunidad Económica Europea (hoy Unión Europea), para que tomen medidas que permitan hacer más efectivo el embargo comercial; a la vez que solicitó la cooperación de las instituciones financieras internacionales y de las Naciones Unidas en la aplicación de las nuevas sanciones.

---

[75] MRE/RES. 2/91 - "Apoyo a la Democracia en Haití" (OEA/Ser. F/V.1 — 8 octubre 1991)
[76] MRE/RES. 3/92 - "Restauración de la Democracia en Haití" (OEA/Ser. F/V.1 - 17 mayo 1992)

El 13 de diciembre de 1992 se lleva a cabo una nueva Reunión Ad Hoc de Ministros de Relaciones Exteriores, la que resolvió *inter-alia* encargar al Presidente de la Reunión y al Secretario General "que con carácter urgente y en estrecha cooperación, en su caso, con el Secretario General de las Naciones Unidas, realicen esfuerzos adicionales con todos los sectores haitianos para facilitar un diálogo político responsable entre ellos, necesario para lograr el restablecimiento de la institucionalidad democrática en Haití..." Asimismo, la citada resolución reconocía las graves y persistentes violaciones a los derechos humanos en aquel país, a la vez que otorgaba un mandato al Secretario General de la OEA "para que extreme acciones dentro del marco de la Carta en la búsqueda de una solución pacífica a la crisis haitiana y, en contacto con el Secretario General de las Naciones Unidas, explorar la posibilidad y conveniencia de llevar la situación haitiana al conocimiento del Consejo de Seguridad de las Naciones Unidas para lograr la aplicación universal del embargo comercial recomendado por la OEA".[77]

A partir de allí, la OEA con la ONU desarrollaron una estrecha colaboración comandada por los Secretarios Generales de ambas organizaciones. Fruto de esa acción conjunta fue la conformación de una Misión Civil Internacional en Haití (MICIVIH) para la verificación del cumplimiento de los derechos humanos, y la designación conjunta de un Enviado Especial —el ex Canciller argentino Dante Caputo— para facilitar el diálogo y un acuerdo que permitiese la restauración de la democracia y del gobierno del Presidente Aristide.

La Reunión Ad Hoc de Ministros de Relaciones Exteriores, en ocasión de la Asamblea General de la OEA en Managua, adoptó el 6 de junio de 1993 una nueva resolución, en la que —entre otras manifestaciones— reiteró su decisión de continuar la ayuda humanitaria coordinada con las Naciones Unidas (MRE/RES. 5/93).

Luego de la resolución 841 del Consejo de Seguridad, que prohibió el envío de petróleo y armas al mismo tiempo que se congelaron los bienes en el extranjero de aquellos que sostenían a quienes detentaban el poder en Haití, se produjo una negociación al más alto nivel entre el Presidente Jean-Bertrand Aristide y el Jefe de las Fuerzas Armadas y líder del golpe, General Raoul Cedras, en la Isla del Gobernador, el 3 de julio de 1993. El acuerdo resultante, conocido como el "Acuerdo de Governor's Island", estableció el nombramiento

---

[77] MRE/RES. 4/92 - "Reanudación de la Democracia en Haití" (OEA/Ser.F/V.1 - 13 diciembre 1992)

de un nuevo Primer Ministro por parte del Presidente Aristide, la separación de los poderes del Estado, la promulgación de una ley de amnistía y la reinstalación del Presidente Aristide en sus legítimas funciones, creando así las condiciones para su regreso el 30 de octubre de 1993. Como consecuencia del referido Acuerdo, y a fin de darle implementación, se aprobó en Nueva York, el 16 de julio, el "Pacto de Nueva York", en virtud del cual las fuerzas políticas haitianas se comprometieron a respetar una tregua política de seis meses con el propósito de garantizar un período de transición estable y pacífica. Concluido este pacto, el Presidente Aristide propuso el nombre del Sr. Robert Malval para el cargo de Primer Ministro; quien, pese a las discusiones generadas por su designación, fue ratificado por la Asamblea Nacional el 25 de agosto. Casi paralelamente, la OEA recomendó a sus Estados miembros el levantamiento de las sanciones impuestas el 8 de octubre de 1991 al gobierno haitiano. Igual medida adoptó el Consejo de Seguridad de la ONU el 27 de agosto, anticipando que las sanciones serían reimpuestas si no se cumplía íntegramente el Acuerdo de Governor´s Island.

En ocasión de la Asamblea General de la OEA, celebrada en Belém do Pará (Brasil), se lleva a cabo una Reunión Ad Hoc de Ministros de Relaciones Exteriores que aprobó una resolución, de fecha 9 de junio de 1994, en la que —entre otras cosas— reiteraba "la necesidad de que, de conformidad con la resolución MRE/RES. 5/93, los Estados miembros de la OEA y de las Naciones Unidas apoyen y refuercen las medidas de embargo tales como la suspensión de vuelos comerciales, y que congelen los activos del régimen de facto y de sus partidarios, …y que suspendan las transacciones financieras internacionales con Haití".[78]

El rebrote con más fuerza de la violencia en Haití, unido al asesinato del Ministro de Justicia, Guy Francois Malary, provocó el repudio de la comunidad internacional. A ello se sumó el incumplimiento del Acuerdo de Governor´s Island por parte del gobierno de facto, al no permitir avances en el diálogo entre la Comisión Presidencial y Representantes del Parlamento Haitiano. Tampoco se avanzó en la ratificación parlamentaria del Primer Ministro designado por Aristide, ni en las reformas judiciales y de las Fuerzas de Policía, ni la designación de nuevas autoridades militares o el retiro anticipado del Comandante de las Fuerzas Armadas.

---

[78] MRE/RES. 6/94 - "Llamado al Retorno a la Democracia en Haití"(OEA/Ser. F/V. 1-9 junio 1994)

Todo esto fue base suficiente para que, luego de que los militares haitianos impidieran el acordado regreso del Presidente Aristide, el Consejo de Seguridad de la ONU renovara las sanciones oportunamente dispuestas y autorizara el 31 de julio de 1994 la invasión de Haití por una fuerza multinacional, sobre la base del capítulo VII de su Carta. La resolución 904 del Consejo de Seguridad autorizaba a "recurrir a todos los medios necesarios para facilitar la partida de Haití de los dirigentes militares, de conformidad con los Acuerdos de Governor's Island, el pronto regreso del Presidente legítimamente electo y el restablecimiento de las autoridades legítimas del Gobierno de Haití...". Con tropas estadounidenses en camino, la misión fue suspendida, y un nuevo Acuerdo, alcanzado el 18 de septiembre, logró que los militares dejaran el poder y Aristide fuera restituido en el gobierno. Como parte de ese Acuerdo, miles de soldados de Estados Unidos comenzaron a llegar a Haití el 19 de septiembre. El Presidente Aristide regresó a la isla y fue repuesto en el cargo el 15 de octubre.

Puede decirse que todos los Estados Miembros de la OEA tuvieron una actitud de condena al derrocamiento del Presidente Aristide y, en general, coincidieron en la aplicación de la resolución 1080 al caso concreto. Así, Brasil, representado en la sesión extraordinaria del Consejo por su Representante Permanente ante la Organización, Bernardo Pericas, expresó —en nombre de su gobierno— "su más vehemente repudio al quebrantamiento del orden constitucional en Haití", y apoyó "poner en marcha los mecanismos previstos, inclusive los de la resolución 1080, para que se adopten de acuerdo a la Carta y al derecho internacional las decisiones que la situación requiera".[79] Lo propio hizo Colombia, representado por su Embajador, Julio Londoña Paredes, quien también solicitó la aplicación de la resolución 1080;[80] lo mismo que Canadá, a través de su Representante Permanente, Jean Paul Hubert.[81] Venezuela a través de su representante, Nora Armao Machado, que había solicitado a la Secretaría General la convocatoria a una reunión con la finalidad de poner en marcha el mecanismo que establece la resolución 1080, circuló un proyecto de resolución de su autoría para que fuera adoptado frente al caso en consideración.[82]

---

[79] OEA/Ser. G/CP/ACTA 870/91, 30 de septiembre de 1991, p. 10.
[80] Ibid.
[81] Ibid, pp. 13-14.
[82] Ibid, p. 11.

Por su parte, el Embajador de México, Santiago Oñate Laborde, expresó su "solidaridad con el pueblo de Haití y con sus legítimos y democráticos gobernantes". Afirmó que "estamos en presencia de hechos que configuran los supuestos previstos en la resolución 1080". Sin embargo, apelando a cierta cautela, expresó: "hechos como los que nos ocupan constituyen un llamado de atención… la necesidad de apreciar la validez de la resolución 1080 que nos ocupa, en su punto 3 resolutivo, que establece la necesidad de formular un conjunto de propuestas e incentivos para la preservación y fortalecimiento de los sistemas democráticos sobre las bases de la solidaridad y la cooperación internacional."[83]

Es importante destacar que, en la Reunión Ad Hoc de Ministros de Relaciones Exteriores, se constituyó un grupo de redacción —a propuesta del Presidente de la Reunión, el Canciller de Bolivia, Antonio Aranibar Quiroga— cuya composición refleja cuáles resultaron ser las delegaciones más activas, entre las que aparecían las que estaban entre el "Grupo de Amigos del Secretario General de la ONU": Argentina, Bolivia, Brasil, Canadá, Estados Unidos, Haití, México, Nicaragua y Trinidad y Tobago.[84] En la oportunidad, siguieron las condenas al régimen militar que había depuesto a Aristide, y se cuestionaba, en algunos casos, que no se hubiera podido restituir a Aristide en el poder, pese a las gestiones del representante especial Dante Caputo, cuyos esfuerzos fueron reconocidos por varios delegados.

Es interesante destacar algunas intervenciones, como la de la Secretaria de Estado para América Latina y África de Canadá, Christine Stewart, quien recordaba que cuando había tenido lugar el golpe que derrocó al gobierno democráticamente electo del Presidente Jean-Bertrand Aristide, hacía tres años atrás, había sido la OEA la primera en adoptar el desafío de restaurar la democracia en ese país. Sugería que la Reunión adoptara, entre otras medidas: un claro apoyo y observancia de los Estados Miembros y Observadores de la OEA a las sanciones que habían sido adoptadas recientemente por el Consejo de Seguridad de las Naciones Unidas; e instara a los gobiernos nacionales a considerar medidas adicionales que refuercen la presión sobre los militares con el propósito de incrementar las posibilidades para un pronto y pacífico final del régimen militar.[85]

---

[83] Ibid, p. 12.

[84] Ver Acta de la Séptima Sesión de la Reunión Ad Hoc de MRE, OEA/Ser. F/V.1/MRE/ACTA 7/94, 6 de junio de 1994.

[85] Acta de la Séptima Sesión de la Reunión Ad Hoc de MRE, OEA/Ser. F/V.1/MRE/ACTA 7/94, 6 de junio de 1994., pp.28-29

El Canciller de Brasil, Celso Luiz Nunes Amorin, reiteraba su condena al régimen de facto vigente en Haití y destacaba que "nuestro interés central continúa siendo el respeto a la voluntad soberana del pueblo haitiano y el respaldo a sus legítimas aspiraciones a vivir en paz y con dignidad... En este proceso hemos procurado resguardar el necesario equilibrio entre la defensa de la democracia y el pleno respeto a la personalidad de los Estados".[86] El Canciller de Venezuela, Miguel Angel Burelli Rivas, fue enfático en resaltar la gravedad de la crisis haitiana y la falta de resolución al problema que planteaba, y que asoció con escenarios tales como los de Rwanda o Bosnia-Herzegovina. Resumía la dificultad que mostraba el caso cuando decía que: "...así como la democracia es la condición natural del hemisferio, la no intervención es la columna vertebral de nuestro derecho americano y de nuestra convivencia. Ahí radica justamente la dificultad del caso, de la cual no deberíamos salir imponiendo otra acción armada, sea ésta de un solo país o de la colectividad regional." Cuestionaba, por último, que el peso de la presión no fuera simétrico, pues reconocía que "las acciones, aunque sean multilaterales, terminan siendo unilaterales".[87]

El Secretario para América Latina, Asuntos Culturales y Cooperación Internacional de México, Jorge Pinto Mazal, luego de reconocer la persistencia de obstáculos para el restablecimiento del régimen constitucional en Haití, señalaba que "México ha apoyado las medidas hasta ahora recomendadas o adoptadas por nuestra Organización y continúa convencido de que la situación en Haití, si bien seria y particularmente difícil para el pueblo de Haití, no constituye una amenaza a la paz y seguridad internacionales". Apelaba, finalmente, a superar el estancamiento actual y a apoyar el fortalecimiento de la Misión Civil Internacional y las acciones de la UNMIH.[88]

La posición de Argentina en el caso de Haití ya estaba marcada por un nivel considerable de involucramiento en la escena internacional. El nuevo marco de la política exterior se iba abriendo paso procurando un papel más protagónico en las relaciones internacionales, a lo que sumaba un paralelismo con muchas de las políticas impulsadas por Washington. Esa coincidencia, unida a una resurrección del multilateralismo y de las iniciativas colectivas, creó la fórmula justa que impulsara a Argentina a jugar un papel de relieve en la

---

[86] Ibid, pp. 30-31.
[87] Ibid, pp. 32-33.
[88] Ibid, p. 34.

crisis haitiana. Así, desde la integración del grupo de amigos del Secretario General de la ONU, pasando por la asistencia y la participación de gendarmes argentinos, y llegando a un activo desenvolvimiento tanto en el seno de la OEA cuanto en el ámbito de la ONU, marcaron a fuego una nueva era para la política exterior de Argentina en el hemisferio.

En ocasión de la sesión extraordinaria del Consejo Permanente de la Organización, el Representante Permanente de Argentina, Hernán Patiño Mayer, dio lectura a la declaración formulada por el Gobierno de la República Argentina el 30 de septiembre, la que decía:

"El Gobierno Argentino expresa su más enérgico repudio a los hechos de violencia producidos en la República de Haití, que podrían poner en peligro la estabilidad institucional de esta nación hermana, y declara su total respaldo al Gobierno constitucional que encabeza el Presidente Jean-Bertrand Aristide. En circunstancias en que América Latina ha consolidado sus instituciones republicanas y la democracia esencial a las relaciones entre los países de la región y con el mundo, conductas como las incurridas por este sector marginal deben ser enfrentadas y anuladas para que los insurrectos que se han enfrentado a la Constitución y a las leyes, depongan su actitud y se subordinen a la autoridad legítima que asumió el 7 de febrero próximo pasado."[89]

Patiño Mayer, asimismo, apoyó la puesta en práctica del mecanismo adoptado en Santiago, bajo el nombre de "Resolución 1080", sobre la base de dos objetivos: "uno, la manifestación expresa de repudio; otro, forzar la reparación del daño causado".[90]

Posteriormente, y antes de la Reunión Ad Hoc de MRE, el gobierno argentino emitió el siguiente comunicado, fechado en Buenos Aires, el 1ro. de octubre de 1991:

"El Gobierno Argentino reitera su más enérgica condena por los hechos que tienen lugar en la República de Haití y lamenta profundamente la pérdida de vidas producidas. Al respecto, desea expresar:

1. El Presidente Jean Bertrand Aristide y todas las autoridades constitucionales deben ser inmediatamente repuestas en sus funciones.

[89] OEA/Ser. G/CP/ACTA 870/91, 30 septiembre 1991, pp. 15-16.
[90] Ibid.

2. No se reconocerá ningún gobierno de hecho surgido de estos actos facciosos ni de golpe de Estado alguno.

3. Promoverá en el ámbito interamericano la adopción inmediata de medidas y, en su caso, de sanciones efectivas dirigidas a restablecer el pleno orden constitucional en esa nación.

4. Hace un llamamiento a la comunidad internacional para que acompañe las decisiones que se adopten con el fin de reinstaurar la democracia y de asegurar la vigencia de las libertades fundamentales en la República de Haití".[91]

Durante la Reunión Ad Hoc de Ministros de Relaciones Exteriores, del 2 de octubre de 1991, el Vice Canciller de Argentina, Juan Carlos Olima, usó de la palabra para expresar "el rechazo que el Gobierno argentino ha manifestado en forma categórica a este inexplicable e injustificable intento de burlar la voluntad popular". Luego de reclamar la restitución de las legítimas autoridades haitianas como único elemento que permite poner fin a este problema, la delegación argentina propuso que todas las medidas a ser adoptadas tuvieran tres elementos: "certeza, de que el objetivo final de restitución en el poder del legítimo Presidente va a ser alcanzado; urgencia, porque aquí está en cuestionamiento no solamente el restablecimiento de la democracia sino también vidas humanas y hasta la propia eficacia de la Organización; y gradualidad, para de esta manera indicar la madurez política que ha alcanzado el Continente y sus organizaciones regionales".[92]

Dos días más tarde, el 3 de junio, el Vice Canciller Olima leyó, en nombre del Canciller Di Tella —quien se había ausentado poco tiempo antes— su discurso, en el que decía que "la reconquista de la democracia le ha costado a América Latina enormes esfuerzos", pero "lo que está en juego en Haití es algo más que un problema jurídico y constitucional; está en juego un proceso de incorporación de los sectores más humildes y más desposeídos... Allí reside uno de los dilemas y desafíos: la integración de esa parte de la sociedad, mayoritaria sin duda, marginada en el sistema político, económico y social de la República de Haití... La Argentina ratifica que el Presidente Aristide reencarna la legitimidad en la República de Haití... La Argentina quiere la restauración de la paz en Haití; y la creación de las condiciones necesarias para el retorno del Presidente Aristide al ejercicio de sus funciones... Quiere, ade-

---

[91] OEA/Ser.F/V.1 - MRE/INF.13/91 (7 octubre 1991).
[92] OEA/Ser.F/V.1 - MRE/ACTA 1/91 (2 octubre 1991).

más, la garantía del pleno respeto de los derechos humanos, la vigencia de las libertades individuales y el estado de derecho, con estricta adhesión al principio de división de poderes y la subordinación de las fuerzas armadas al legítimo poder civil"[93]. Finalmente, la Delegación Argentina propuso que se analizara la posibilidad de que la OEA solicite al Consejo de Seguridad de la ONU el envío de una fuerza integrada exclusivamente por países miembros de la Organización. Vale decir, Argentina se mantuvo en todo momento en la misma sintonía que aquellas delegaciones que veían en la restitución del Presidente Aristide y en el respeto a los derechos humanos y al estado de derecho, la única salida para poner fin a la crisis planteada.

Es importante hacer notar, antes de concluir, la originalidad de una propuesta formulada en dicha Reunión Ad Hoc, del 3 de octubre de 1991, por la delegación de Argentina, en el sentido de constituir con la mayor urgencia una comisión que estudie cambios en la Carta de la OEA, que le permitan la constitución tanto de misiones de carácter civil, como de fuerzas de paz, cuando la democracia se vea comprometida en el futuro. La OEA, decía Olima, "debe adquirir capacidad de acción en la región, similar a la que tienen las Naciones Unidas, y sólo la existencia de esas nuevas capacidades permitirá que las resoluciones de nuestra Organización adquieran un poder de convencimiento que, en caso contrario, no tendrían".[94] Semejante propuesta era no poco novedosa y agitaría algunas aguas que todavía ven con recelo la posibilidad de concretar una iniciativa semejante, incluso bajo la coordinación o autoridad de la Organización de Naciones Unidas.

Resulta importante apuntar, en ese sentido, que en marzo de 1994 el Comité Especial de la Carta de las Naciones Unidas y del Fortalecimiento del Papel de la Organización aprobó la "Declaración sobre el Mejoramiento de la Cooperación entre las Naciones Unidas y los Acuerdos u Organismos Regionales en el Mantenimiento de la Paz y Seguridad Internacionales"[95]. Dicho documento destaca que esos Acuerdos u Organismos Regionales "pueden, en sus esferas de competencia y de conformidad con la Carta, aportar importantes contribuciones al mantenimiento de la paz y la seguridad internacionales, entre otras cosas, según proceda, mediante el arreglo pacífico de controversias, la

---

[93] OEA/Ser.F/V.1 - MRE/ACTA 2/91 (3 octubre 1991).

[94] Ibid.

[95] Documentos oficiales de la Asamblea General, Cuadragésimo Noveno período ordinario de sesiones. Suplemento No.33 (A/49/33).

diplomacia preventiva, el establecimiento de la paz, el mantenimiento de la paz y la consolidación de la paz después de los conflictos".[96] Luego de consagrar el uso de la diplomacia preventiva en el ámbito regional, la citada Declaración alienta a los Acuerdos y Organismos Regionales "a que consideren, en sus esferas de competencia, la posibilidad de establecer y capacitar grupos de observadores militares y civiles, misiones de determinación de los hechos y contingentes de fuerzas para el mantenimiento de la paz para utilizarlos, según convenga, en coordinación con las Naciones Unidas y, cuando sea necesario, bajo la autoridad del Consejo de Seguridad o con su autorización, de conformidad con la Carta".[97] La importancia de esta Declaración reside en que es la primera vez que los cuerpos regionales son llamados de manera tan amplia a participar en materia de paz y seguridad. He ahí el precedente que alguna que otra delegación ha recogido con rara frecuencia en el seno de la OEA. Margarita Diéguez sostiene que "este llamado debe ser considerado con cautela en vista de los peligrosos intentos por parte de algunos miembros de la OEA para dotar a la organización regional con mecanismos de naturaleza militar. Esto implicaría sobrepasar sus facultades al llevar a cabo acciones *ultra vires*, las cuales disminuirían los derechos de cada nación de anticipar y resolver sus propios problemas".[98]

Por último, en este recuento de intervenciones argentinas, cabe recordar el discurso pronunciado en la Reunión Ad Hoc de MRE por el entonces Secretario de Relaciones Exteriores y Asuntos Latinoamericanos, Embajador Fernando Petrella, quién luego de destacar la labor del Enviado Especial de los Secretarios Generales de la OEA y de la ONU, Dante Caputo, señaló que la dictadura haitiana violó lo pactado al no permitir el regreso del Presidente Aristide, agregando que "la situación en Haití se agrava día a día, el tiempo se acorta y las opciones se limitan".[99]

Petrella instaba, luego, a adecuar la respuesta de la Organización a la gravedad de la situación, por lo que aquella debía "advertir claramente a la dictadura que, en caso de no retomar de inmediato el Acuerdo de Governor's

---

[96] Ibid, 2.

[97] Ibid. 10.

[98] Margarita Diéguez, *Regional Mechanisms for the Maintenance of Peace and Security in the Western Hemisphere*, en Olga Pellicer, *Regional Mechanisms and International Security in Latin America* (New York: United Nations University Press, 1998), p.97.

[99] Acta de la Séptima Sesión de la Reunión Ad Hoc de MRE, OEA/Ser. F/V.1/MRE/ACTA 7/94, 6 de junio de 1994., pp. 29-30.

Island, se profundizarán las sanciones."[100] El representante argentino indicaba, finalmente, que "consecuente con las decisiones vigentes, el Gobierno argentino ha destacado una unidad naval a la zona, de modo de contribuir a la observación del embargo impuesto por las Naciones Unidas. Con ello Argentina desea reafirmar que ha apoyado y apoyará todas las medidas que permiten la Carta de la OEA y la de las Naciones Unidas para lograr la restauración de la democracia en Haití y el fin de las violaciones a los derechos humanos".[101]

Es indudable que la crisis haitiana, a partir del derrocamiento del Presidente Aristide, abrió una instancia de permanente atención para la OEA, reflejada en seis Reuniones Ad Hoc de Ministros de Relaciones Exteriores y permanente seguimiento en el seno del Consejo Permanente de la Organización, además de las actividades del Enviado Especial y de las gestiones del Secretario General de la OEA. Lamentablemente, la OEA mostró una incapacidad evidente para, por sí sola, poner fin a la crisis y restituir las cosas a su estado anterior. Fueron necesarios casi tres años, e ingentes negociaciones, que involucraron a la OEA y a la ONU, además de especiales presiones de Estados Unidos, para lograr que los militares dejaran el poder y que el Presidente Aristide fuera restituido en el ejercicio de la Presidencia.

Por otro lado, la superación de una crisis democrática se mide por el logro de un estado de normalización y de reformas que aseguren la vigencia de las instituciones y de los valores que garanticen el respeto de la convivencia ciudadana, la protección de los derechos humanos, y el libre ejercicio de los derechos políticos y el goce de las libertades fundamentales. La prolongación hasta el día de hoy de una permanente situación de inestabilidad y de constante amenaza a la soberanía popular, no hace más que reflejar el fracaso de una iniciativa que comenzó hace casi diez años y que no logró profundizar en las reformas necesarias para consolidar el régimen democrático.

3) Perú

En 1990, el ingeniero Alberto Fujimori fue investido del mandato de Presidente de la Nación peruana por mayoritaria decisión popular. Las situaciones por las

[100] Ibid.
[101] Ibid.

que atravesaba la nación andina eran cada vez más agobiantes: uno de los más altos índices de inflación de América Latina, altos índices de desocupación y desabastecimiento, la corrupción endémica, una guerrilla que se afirmaba de manera creciente en el país, los atentados terroristas se multiplicaban a diario, y como si esto fuera poco el narcotráfico también había obtenido su visa de ingreso en el Perú. Esta inestabilidad creciente, unida a significativas debacles en el seno del propio gobierno, llevaron al Presidente Fujimori a justificar, dos años después, su decisión de disolver el Congreso e intervenir el Poder Judicial, el Ministerio Público, el Consejo Nacional de la Magistratura y el Tribunal de Garantías Constitucionales, a través de un decreto que llevaba su firma y estaba fechado el 5 de abril de 1992.

Las medidas adoptadas por el Presidente peruano llevaron entonces al Secretario General de la OEA, Joao Clemente Baena Soares, a estimar procedente la invocación del mecanismo previsto en la resolución 1080, y a convocar una sesión extraordinaria del Consejo Permanente de la Organización. Precisamente, en la reunión informal del Consejo Permanente, el Secretario General expresó que en Perú se había interrumpido el orden constitucional y proponía la inmediata convocatoria a una Reunión Ad Hoc de Cancilleres, para analizar la situación planteada. En esa ocasión, el Representante del Perú manifestó que la decisión del Presidente Fujimori tenía carácter termporal y transitorio, y obedecía a reiteradas obstrucciones por parte de los Poderes Legislativo y Judicial, a las políticas que impulsaba la administración de Fujimori para combatir el terrorismo y el narcotráfico.

La sesión extraordinaria del Consejo Permanente de la OEA, llevada a cabo el 6 de abril de 1992, se desarrolló sin la presencia de la Delegación peruana, cuyo retiro fue justificado por su Embajador sobre la base de lo mencionado en la sesión informal. La mayoría de las delegaciones presentes, en tanto, expresaron su rechazo a los hechos ocurridos en el Perú, anticipando el Representante Permanente de Estados Unidos, a la sazón el Embajador Luigi Einaudi, la suspensión por parte de su país de la ayuda económica y militar a Perú. Las ironías del destino pusieron en boca de Einaudi una aguerrida defensa de la democracia y una enérgica condena a la decisión del mandatario peruano. Ocho años después, Luigi Einaudi era elegido Secretario General Adjunto de la Organización con el apoyo y el patrocinio, desde el lanzamiento de su candidatura al cargo, del gobierno del Perú.

Es importante destacar que, en dicha sesión del Consejo Permanente, todas las delegaciones expresaron su preocupación, su deseo de alcanzar una solución pacífica a la cuestión, y apoyaron la resolución presentada sobre la base
de la resolución 1080. La única excepción fue México, cuyo Representante Permanente, el Embajador. Santiago Oñate Laborde, luego de reafirmar su respeto
absoluto al principio de no intervención y a las normas del derecho internacional, dijo: "México considera que es exclusivamente a los integrantes del
hermano pueblo peruano, a sus dirigentes legítimos, a sus instituciones, a
quienes corresponde la responsabilidad de encontrar las vías para superar la
difícil situación que está enfrentando esa hermana nación".[102]

El Consejo Permanente, entonces, considerando que "los graves acontecimientos ocurridos en el Perú configuran una interrupción del proceso político
institucional democrático de este país", resolvió deplorar los sucesos, instar a
las autoridades peruanas que restablezcan, de inmediato, la absoluta vigencia
de las instituciones democráticas, y convocar, ante la gravedad de los hechos,
una Reunión Ad Hoc de Ministros de Relaciones Exteriores, conforme a la
resolución 1080.[103]

La Reunión Ad Hoc tuvo lugar el 13 de abril, reiterándose en la oportunidad lo ya expresado en el seno del Consejo Permanente. En la primera resolución adoptada por los Cancilleres se estimó que "los acontecimientos ocurridos en el Perú afectan seriamente el orden institucional y alteran la vigencia de la democracia representativa en un Estado miembro de la Organización",
y resolvió "hacer un llamado para que se restablezca urgentemente el orden
institucional democrático en el Perú y se ponga fin a toda acción que afecte
la vigencia de los derechos humanos, evitándose la adopción de nuevas medidas
que continúen agravando la situación".[104]

A tal fin, solicitó al Presidente de la Reunión Ad Hoc que, junto con los
Cancilleres que él invite y el Secretario General, "se trasladen al Perú y pro-
muevan de inmediato gestiones a fin de que se entable un diálogo entre las
autoridades del Perú y las fuerzas políticas representadas en el Poder Legislativo con la participación de otros sectores democráticos, dirigido a establecer
las condiciones y el compromiso entre las partes para el restablecimiento del

---

[102] Acta Sesión Extraordinaria, 6 abril 1992, OEA/Ser. G-CP/ACTA 897/92, p. 15.
[103] CP/RES. 579 (897/92), 6 de abril de 1992.

orden institucional democrático, dentro del pleno respeto a la separación de poderes, los derechos humanos y el Estado de Derecho". Esta Misión de la OEA, que estuviera encabezada por el entonces Canciller del Uruguay, Héctor Gross Espiel y el Secretario General de la OEA, Joao Clemente Baena Soares, realizó tres visitas al Perú, en las que mantuvo entrevistas con representantes del gobierno y de los diversos sectores y de la oposición; concluyendo que se deberían convocar elecciones para una Asamblea Constituyente.

En la segunda Reunión Ad Hoc, llevada a cabo el 18 de mayo de 1992, se ratificó la necesidad de convocar a dichas elecciones, tomándose conocimiento "del compromiso contraído por el señor Presidente de la República del Perú de convocar a la elección en forma inmediata de un Congreso Constituyente, a través de un acto electoral rodeado de todas las garantías de libre expresión de la voluntad popular, de manera de restablecer la democracia representativa de su país". En esa reunión, mantenida en Bahamas, el propio Presidente Fujimori se comprometió a convocar las mencionadas elecciones, cuya observación estaría a cargo de la OEA. Conforme a lo prometido, la elección se llevó a cabo en noviembre de ese año, con la presencia en el país de una Misión de Asistencia y Observación Electoral, todo lo cual determinó el cierre de la Reunión Ad Hoc.

Repitiendo el paralelismo que hicimos al considerar las demás crisis, es interesante recoger algunas intervenciones y posturas de países de la región frente a la crisis peruana. Así, el Ministro de Relaciones Exteriores de Costa Rica, Bernd Niehaus, luego de resaltar el sentido del Compromiso de Santiago de 1991, y el resurgimiento de la amenaza de un retorno a las dictaduras con los casos de Haití y Venezuela, decía: "Ahora nos enfrentamos al drama del Perú. Si ante él callamos y pasamos indiferentes, si las democracias de América no hacemos nada para tratar de proteger el sistema democrático en el Perú, ¿qué destino nos aguarda?"[105]

Por su parte, la Canciller de Canadá, Barbara McDougall, enfatizaba que estaba en juego la credibilidad de la OEA, un cuestionamiento que ha estado presente en casi todas las crisis y sobresaltos democráticos en la región. Añadía que, "además, está en riesgo la credibilidad de cada uno de nosotros como

---

[104] MRE-RES. 1/92 "Apoyo al Restablecimiento Democrático en Perú" (OEA/Ser.F/V.2 - 13 abril 1992)

[105] Reunión Ad Hoc de MRE, OEA/Ser. F/V.2/MRE/ACTA 1/92, 13 de abril de 1992, p. 19.

democracias individuales", expresando su temor de una propagación de la cuestión peruana a otras democracias. Fue terminante en apoyar una misión al Perú "en caso de que el Presidente Fujimori no esté dispuesto a cooperar o que los resultados de las discusiones no sean satisfactorios". Concluyó indicando que "Canadá presionará a los MREs. para que desarrollen un programa de sanciones que demuestre que la Organización está preparada para defender la democracia, como se dice en la 1080".[106]

El Secretario de Estado de los Estados Unidos, James Baker III, decía que "si la democracia constitucional es restaurada, podemos reabrazar la nación peruana y al pueblo peruano y trabajar juntos para ayudar al Perú a superar sus difíciles problemas. Si Perú decide perseguir la vía solitaria e inaceptable del autoritarismo, nuestra solidaridad, nuestra cooperación y nuestra ayuda serán imposible".[107] Para el vice Canciller del Brasil, Marcos Castrioto de Azambuja, su país participa "inspirado por nuestro propósito común de defensa vigorosa de la democracia representativa en el hemisferio, respetando el principio de no intervención".[108]

La Argentina acompañó en su totalidad la marcha de las negociaciones y de las acciones impulsadas por la OEA. Era la época en la que Argentina miraba hacia el centro del escenario internacional y reconocía a la promoción y fortalecimiento de la democracia como uno de los pilares de su política exterior. En esta oportunidad, Argentina ocupaba la Secretaría Pro-Témpore del Grupo de Río y la coordinación del Grupo de Países Amigos, lo que la ubicó en un plano de liderazgo formal, nunca visto en otra crisis hemisférica.

En la sesión extraordinaria del Consejo Permanente, el Embajador argentino ante la OEA, Hernán Patino Mayer, leyó la Declaración Ministerial del Grupo de Río, aprobada en Buenos Aires, Argentina, el 27 marzo 1992:

"Asimismo, señalan su profunda preocupación de que son las propias instituciones democráticas las que deben proveer los mecanismos para superar, en democracia, las eventuales dificultades de orden político, económico o social que surjan en los países como consecuencia de factores internos o externos, y que, en caso alguno, tales dificultades pueden convertirse en pretexto para que,

---

[106] Ibid, p. 22.
[107] Ibid, p. 30.
[108] Ibid, p. 32.

invocándose valores nacionales u otras motivaciones, se pretenda transgredir el ordenamiento jurídico institucional".[109]

En las Reuniones Ad Hoc de Ministros de Relaciones Exteriores realizadas por la situación en Perú estuvo presente el Canciller argentino. El 13 de abril de 1992, el Ministro Guido Di Tella, comenzó aludiendo a los vínculos comunes entre ambos pueblos y expresó nuestro deseo "de ayudar, de colaborar, de cooperar". Seguidamente, enfatizó: "No nos olvidamos que el Perú tiene problemas gravísimos de terrorismo, de narcotráfico, de pobreza, de estancamiento, de corrupción. Pero no es violando la ley como estos problemas van a ser menores… La legitimidad del Gobierno ha disminuido drásticamente… Nos corresponde, por más dolor que nos cree, una condena inequívoca, una condena tajante, una reprobación total de lo ocurrido".[110]

Con un mensaje visiblemente más duro y contundente que el expresado en las reuniones que mereció la crisis haitiana, pese a la mayor gravedad de esta última por haber desalojado virtualmente del poder al mandatario electo, el Canciller argentino recordó que "la democracia tiene que ser plena, tiene que ser representativa; no se puede inventar una democracia a base de referéndum". Luego de calificar como golpistas, por el lenguaje empleado, a las nuevas autoridades peruanas, el Canciller Di Tella afirmaba que, en el Perú, "se ha violado la Constitución, se ha violado la democracia, se han violado los derechos humanos, se ha violado la libertad de prensa. Y decimos todo esto sin creer que estamos interviniendo en las políticas internas de otro país, ni violando el principio de no intervención".[111]

La condena a los hechos ocurridos y la necesidad de una respuesta categórica definieron el nivel de la participación y expresión argentinas. Agregaba el Canciller Di Tella: "Creo que declaraciones blandas no ayudan al presente Gobierno del Perú. Es más, una reacción muy blanda que tome la OEA va a ayudar claramente a que esto derive finalmente en un golpe militar, tranquilo de que tiene inmunidad diplomática, inmunidad internacional. Una condena categórica y posiciones claras y transparentes, comprensivas, pero claras, ayudan en realidad".[112]

---

[109] Acta Sesión Extraordinaria, 6 abril 1992, OEA/Ser. G-CP/ACTA 897/92, p. 13.
[110] Reunión Ad Hoc de Ministros de Relaciones Exteriores, Acta de la Primera Sesión (OEA/Ser.F/ V.2-MRE/ACTA 1/92 - 13 abril 1992).
[111] Ibid.
[112] Ibid.

En la Reunión Ad Hoc del 18 de mayo, reconoció la presencia del Presidente Fujimori y la importancia de la Asamblea Constituyente, la cual —dijo— debe ser elegida a través de un sistema electoral ortodoxo y no debería exceder de tres meses. Finalmente, instó al mandatario peruano a dialogar con la oposición en su país.[113]

La OEA fue nuevamente puesta a prueba. Para los partidarios de una visión pesimista de la OEA, la Organización estuvo lejos de conseguir por sí misma una restitución de la situación al estado anterior a la crisis planteada, pues tuvo que negociar y avenirse a los términos del Presidente Fujimori. Sin embargo, debe tenerse en cuenta que las organizaciones intergubernamentales no son más que aquello que sus Estados miembros quieren que sean. En otras palabras, esas organizaciones internacionales tendrán la eficacia y efectividad que el consenso y la voluntad política de sus miembros logren consolidar. No debe olvidarse que la OEA no es una organización supranacional; por ende, no goza de ningún tipo de autonomía en la adopción de decisiones y en su ejecución. Más aún, carece de una identidad y de un mecanismo de acción que le sea propio y le permita actuar en determinadas circunstancias.

A partir de este razonamiento, difícilmente pueda esperarse una respuesta diferente a la alcanzada frente a la crisis peruana. Es indudable que, si bien la respuesta de la Organización fue inmediata y de monitoreo y negociación constante, una gran parte del resultado alcanzado se debió a la suspensión efectiva de la ayuda y a las presiones ejercidas bilateralmente por algunos países de la comunidad internacional, como Estados Unidos, España, Japón, la Unión Europea, el Grupo de Río, e instituciones tales como el Banco Interamericano de Desarrollo, entre otros. También contribuyeron de manera decidida al re-encauzamiento de la situación, las enormes presiones internas ejercidas por la prensa, las fuerzas políticas y la intelectualidad en el país.

Es interesante recordar que la actitud asumida por los países del hemisferio no fue idéntica en todos los casos, y esa falta de simetría se reflejó en las discusiones y procesos de maduración de las acciones a emprender. Por ejemplo, los países limítrofes o comprometidos en un proceso de integración con el Perú, no eran partidarios de medidas extremas. Por aquel entonces, llegó a considerarse la idea de suspender a Perú de la OEA, apelando al precedente cubano y a la tesis de que sólo pueden ser miembros activos de la Organización, países

---

[113] Reunión Ad Hoc de Ministros de Relaciones Exteriores - Acta de la Cuarta Sesión (OEA/Ser.F/V.2/MRE/ACTA 4/92 (18 mayo 1992).

que respeten la democracia representativa como forma de gobierno; lo que sería virtualmente integrado luego en el Protocolo de Washington.

Sin pretender hacer un análisis exhaustivo del paralelismo con la crisis en Haití, existieron considerables diferencias entre ambas situaciones. Por un lado, la crisis en Perú encontraba su génesis en el propio Jefe de Estado elegido democráticamente, y no en un golpe de Estado, como en el caso haitiano, que había hecho desaparecer todo vestigio de institución democrática. En Perú, los militares estaban alineados con la decisión del Presidente Fujimori, mientras que en Haití habían desplazado al Presidente Aristide. Perú no había experimentado, como consecuencia de la crisis, situaciones de violencia generalizada con centenares de muertos, como en el caso de Haití. La posición del Perú en el hemisferio era relativamente mucho más fuerte que la de Haití y disponía de un cierto apoyo que evitaba una condena unánime y la adopción de medidas colectivas duras en contra de ese país.

Ahora bien, el mecanismo previsto por la resolución 1080 funcionó y la presión que, en sí mismo representa, puso en marcha una respuesta que restituyó al Perú en la senda de la democracia. Debemos tener en cuenta que de la invocación de la resolución 1080 a la medida de suspensión prevista en el artículo 9 de la Carta de la Organización, hay sólo un paso, y difícilmente un gobernante con expectativas de consolidarse en el poder, o al menos de mantenerse por unos años, en el poder se atreva a inmolarse indefenso frente a la condena de la comunidad internacional.

La OEA reaccionó al llamado *auto-golpe*, sobre la base de los mecanismos que están a su alcance frente a situaciones que amenazan o efectivamente desestabilizan la democracia y sus instituciones en alguno de sus Estados miembros. Pero como se dijo más arriba, la OEA carece de la fuerza suficiente para imponer por sí sola una medida determinada, si no se asienta sobre la cooperación y acción efectiva de sus miembros. La crisis fue resuelta sobre la base del respeto al principio de no-injerencia en los asuntos internos y un apego a la exigencia de encauzar a la nación en la búsqueda del compromiso democrático y del respeto a la soberanía popular.

Desde el comienzo de la crisis, se percibió en los vecinos sudamericanos, además de Estados Unidos, una tendencia a reaccionar de manera diferente a lo ocurrido en la crisis de Haití; y, de hecho, el nivel y la prontitud de la respuesta, así como la rapidez de la resolución, probaron la diferencia. Ocho años después, aquellos sucesos serían recordados por algunos Cancilleres reunidos en ocasión del XXX período ordinario de sesiones de la Asamblea General de la Organización, celebrado en Windsor (Canadá), en junio de 2000. En esa ocasión, donde el tema dominante pasó a ser la situación en Perú, el Presidente peruano volvería a estar en el centro de la controversia al conseguir la segunda reelección, luego de un proceso electoral que enfrentó una severa crisis de credibilidad y que arrojó, conforme a las conclusiones de la Misión de Observación Electoral de la OEA en el Perú, un "cuadro de insuficiencias, irregularidades, inconsistencias e inequidades que condujo a considerar el proceso electoral en su conjunto como irregular..."[114]

4) Guatemala

El Presidente Fujimori, quizás sin saberlo, había inaugurado una nueva etapa en la historia americana, la de los auto-golpes, la de los golpes civiles, o la del reemplazo de un régimen democrático por uno de corte autocrático. No acababan aún de calmarse las olas levantadas por la crisis peruana, cuando el 25 de mayo de 1993 el Presidente de Guatemala, Jorge Serrano Elías, decretó la suspensión general de varias de las garantías individuales de la Constitución del país, la disolución del Congreso y la remoción de los miembros de la Corte Suprema y de la Corte de Constitucionalidad, así como del Procurador General de la Nación y del Procurador de los Derechos Humanos (cuya detención ordenó); y, finalmente, suspendió la vigencia de la ley electoral y de Partidos Políticos.

Dado que estas medidas significaban una interrupción abrupta o irregular del proceso político institucional democrático, el caso encajaba perfectamente en uno de los supuestos contemplados en el resolutivo primero de la resolución 1080, y así lo entendió el Secretario General de la OEA al convocar a una sesión extraordinaria del Consejo Permanente de la Organización. En su resolución, adoptada por unanimidad el mismo día 25, el Consejo deploró los sucesos ocurridos en Guatemala y expresó su más profunda preocupación, en tanto éstos afectan la vigencia de los mecanismos institucionales de la democracia representativa en la región. Asimismo, instó a las autoridades guatemaltecas "para que restablezcan, de inmediato, la absoluta vigencia de las institu-

---

[114] Ver "Informe al Secretario General de la Misión de Observación Electoral de las Elecciones Generales en la República del Perú Año 2000".

ciones democráticas y el pleno respeto de los derechos humanos, dentro del estado de derecho"; a la vez que convocó a una Reunión Ad Hoc de Ministros de Relaciones Exteriores conforme a la resolución 1080.

Antes de que dicha Reunión tuviera lugar, el Consejo aceptó —en el texto de la resolución— la invitación del Gobierno de Guatemala para que el Secretario General encabezara una misión de "averiguación de los hechos" en ese país e informara de sus resultados a la reunión de ministros. La Misión del Secretario General mantuvo reuniones con miembros de las instituciones afectadas por la decisión presidencial, así como con representantes de los partidos políticos y de las fuerzas armadas, entre otros sectores de la vida nacional.

La Reunión Ad Hoc tuvo lugar el día 3 de junio de 1993, en la sede de la OEA en Washington DC. En esa oportunidad, la reunión tomó nota de la Misión del Secretario General y resolvió "condenar los graves hechos ocurridos en Guatemala el 25 de mayo pasado y expresar su más profunda preocupación en tanto éstos afectan la vigencia de los mecanismos institucionales de la democracia representativa en la región y las bases de la solidaridad hemisférica". Más adelante, la resolución adoptada urgía a "las autoridades de Guatemala a restablecer la plena vigencia del Estado de Derecho y la restauración del régimen constitucional", y a que garantizaran el absoluto respeto al ejercicio de los derechos humanos y libertades fundamentales. Adicionalmente, invitaba a "los Estados miembros, Observadores Permanentes y a la Comunidad Internacional, a que evalúen sus relaciones así como la cooperación" que mantienen con Guatemala; y solicitar al Secretario General "que, conjuntamente con los Cancilleres que él invite, regrese a Guatemala para que se continúe apoyando los esfuerzos del pueblo guatemalteco para restablecer el orden constitucional por la vía del diálogo y la concertación", e informe sobre sus resultados a la próxima sesión de la Reunión, que se anticipaba el 6 de junio en Managua.[115]

Durante la segunda visita de la Misión del Secretario General, la crisis llegó a su culminación: presiones externas y, fundamentalmente, internas que se manifestaban a través de la resistencia popular y de las propias instituciones que el Presidente Serrano había intentado disolver, especialmente la Corte de Constitucionalidad y el Tribunal Supremo Electoral, así como de las fuerzas armadas. Serrano Elías renunció el 1 de junio de 1993 y dejó inmediatamente

---

[115] MRE/RES. 1/93 "Restablecimiento Democrático en Guatemala" (OEA/Ser.F/V.3/MRE/RES. 1/93 (3 junio 1993).

el país, para encontrar asilo en Panamá, el mismo sitio adonde había ido a parar Raoul Cedras.

También el Vicepresidente guatemalteco Espina Salguero fue encontrado co-responsable de los acontecimientos, por lo que la Corte de Constitucionalidad solicitó al Congreso de la República elegir a la brevedad un nuevo presidente para que completara el período constitucional que había sido interrumpido. El 6 de junio de 1993, Ramiro de León Carpio, entonces Procurador de los Derechos Humanos, fue elegido para cubrir el cargo.

El caso de Serrano Elías, que en algunos aspectos se acercaba al Presidente Fujimori, especialmente por las medidas adoptadas, no corrió la misma suerte del mandatario peruano. La falta de apoyo de las fuerzas armadas, indudablemente, jugó un papel fundamental en la decisión de Serrano Elías de dejar el país. La resistencia tanto popular cuanto de los miembros de aquellas instituciones que el presidente guatemalteco intentó disolver formaron un frente lo suficientemente robusto como para ser sorteado por el régimen autocrático que se quería imponer. En este caso, más que en Haití o en Perú, la OEA jugó un rol fundamental. La inmediata y eficaz reacción de la OEA, poniendo efectivamente en marcha el mecanismo de la 1080, ayudó a contener un avasallamiento de las instituciones democráticas en Guatemala. Hubo un claro consenso en la condena que se reflejó en la unanimidad mostrada en la resolución adoptada en el Consejo Permanente y ratificada en la Reunión Ad Hoc; ello a pesar de las tibias reacciones al inicio de la crisis por parte de países centroamericanos, los cuales llegaron a circular un proyecto de resolución que convalidaba la decisión del Presidente Serrano Elías de convocar a una Asamblea Constituyente.

El liderazgo y la firmeza de la condena expresado por algunas delegaciones como Estados Unidos, Canadá, Venezuela y Argentina, marcaron la senda hacia el rechazo de las medidas adoptadas por Serrano Elías, dejando en claro que la defensa de la democracia estaba por encima de la no-ingerencia. En la Reunión Ad Hoc de MRE, el Secretario de Estado de los Estados Unidos, Warren Christopher, hacía un balance ajustado de la evolución de los acontecimientos y de la reacción que provocaron: "Las acciones del Presidente Serrano encontraron una firme respuesta del pueblo de Guatemala y de toda la comunidad interamericana. Los Estados Unidos y otras naciones suspendieron la asistencia bilateral y revisaron sus relaciones comerciales". Fundaba la acción de la comunidad interamericana en "la decisión histórica y unánime de defender colectivamente la democracia, en Santiago en 1991", a la vez que hacía un llamado a "renovar nuestro debate sobre cómo reforzar los instrumentos disponibles para defender la democracia —algo en lo que la OEA debía embarcarse años más tarde—, pues... la lucha para consolidar e institucionalizar la democracia apenas ha comenzado".[116]

La Secretario de Estado, para Asuntos Exteriores del Canadá, Barbara McDougall, luego de reclamar que se mantuviera abierta la Reunión Ad Hoc, decía: "Si los eventos lo dictan, debemos estar preparados para perseverar tanto a través de la Organización cuanto bilateralmente para asegurar que la democracia representativa sea restaurada. Debemos estar preparados para ajustar las sanciones individuales y colectivas si hubiese algún retroceso... Los intentos por derrocar instituciones democráticamente elegidas por medios constitucionales no serán tolerados".[117] Al mismo tiempo, reclamaba una actitud más activa y de largo plazo de parte de la OEA en la promoción y fortalecimiento de la democracia. El Ministro de Relaciones Exteriores de Venezuela, Fernando Ochoa Antich, por su parte, exponiendo la experiencia de su país —habían enfrentado dos intentos de golpe militar en el último año y se encontraban atravesando una situación política compleja—, rechazaba rotundamente los golpes de Estado y repudiaba las medidas adoptadas por el ex Presidente Serrano Elías, a la vez que reclamaba un papel activo de la OEA en apoyo a la democracia en Guatemala.[118]

En una interesante intervención, el vice Canciller de Chile, Rodrigo Díaz Albónico, sostenía que los hechos ocurridos cabían en el supuesto de la resolución 1080 y destacaba: "La modalidad de autogolpe utilizada no disminuye la gravedad de los hechos acontecidos; por el contrario, representa el peligro de un nuevo modelo aparentemente más benigno pero quizás aún más nocivo en las tradicionales rupturas de la democracia".[119]

La elocuencia de los sucesos y las actitudes y medidas del Presidente Serrano Elías no daban lugar a duda alguna, por lo que prácticamente la totalidad de los Ministros de Relaciones Exteriores dieron consenso a las medidas adoptadas y destacaron de consuno la celeridad y eficacia de la OEA en salir al auxilio de Guatemala. Una excepción, en ese sentido, fue la posición esgri-

---

[116] Reunión Ad Hoc de MRE, OEA/Ser. F/V.3/MRE/ACTA 1/93, 3 de junio de 1993, p. 32.
[117] Ibid, pp. 14-15
[118] Ibid, pp. 20-22.
[119] Ibid, p. 13.

mida por México que, fiel a su tradición, invocaba una vez más los principios de no-intervención y de autodeterminación de los pueblos. El Secretario de Relaciones Exteriores de México, Fernando Solana, luego de destacar la rápida reacción de la OEA para buscar la plena restitución del orden constitucional, decía: "Será el propio pueblo de Guatemala, en ejercicio de su soberanía, el que habrá de restablecer en su país el hoy vulnerado estado de derecho".[120]

Más adelante agregaba: "Con estricto respeto a la Carta (de la OEA) vigente, nuestra Organización puede contribuir eficazmente a la restauración del orden constitucional, sin necesidad de recurrir a mecanismos de exclusión y suspensión de los países afectados por crisis institucionales".[121] En forma terminante el Canciller de México afirmaba: "México reitera su posición en contra de excluir o suspender a los Estados Miembros y de producir crisis institucionales como forma de promover la democracia".[122] No es de extrañar esta posición, reiterada en más de una ocasión, y que llevó a México a no convertirse nunca en parte en el Protocolo de Washington. Sería en el año 2000 cuando México, por boca de su Canciller, Jorge Castañeda, renunció a invocar el principio de no-intervención en su política exterior, y, en 2001, cuando acordó la adopción de la Carta Democrática Interamericana, que va más allá del citado Protocolo de Washington.

Argentina, que en las Reuniones Ad Hoc no contó con la participación del entonces Canciller Di Tella, no exhibió con tibieza su posición. Al contrario, se manifestó un ferviente defensor de la democracia y de la necesidad de respetar sus instituciones y consolidarla en el marco del compromiso adoptado en Santiago de Chile, en junio de 1991, y en una efectiva reacción de la OEA frente a la quiebra de los procesos institucionales en el Hemisferio. El gobierno de Argentina hizo evidente su malestar y rechazo por la situación planteada en Guatemala, al retirar a su embajador acreditado en ese país y al cancelar una visita que el Presidente Serrano Elías tenía previsto realizar a la Argentina.

En la Reunión Ad Hoc llevada a cabo el 3 de junio de 1993, el Vice Canciller de Argentina, Fernando Petrella, luego de recordar que esta era la tercera ocasión en que se reunían en dos años en cumplimiento de la resolución 1080 y de definir la voluntad de la OEA de actuar en defensa de la democracia, afirmó que "esa voluntad debe manifestarse en esta ocasión con mayor firmeza

---

[120] Reunión Ad Hoc de MRE, OEA/Ser. F/V.3/MRE/ACTA 1/93, 3 de junio de 1993.
[121] Ibid, p. 10.
[122] Ibid, p. 11.

que en las anteriores oportunidades, de modo que nadie pueda pensar que nos estamos acostumbrando a las aberraciones antidemocráticas y que las dificultades con que nos enfrentamos para resolver situaciones que afronta la comunidad interamericana han debilitado nuestra decisión de actuar categóricamente en defensa del común patrimonio democrático de la región".[123]

Más adelante, el Vice Canciller argentino puso énfasis en señalar que la delegación argentina concurría a esta Reunión "no sólo a condenar lo ocurrido en Guatemala y a comprometerse con todas las medidas que posibiliten el retorno de la normalidad constitucional sino a reiterar su compromiso con la vigencia de la democracia, de los derechos humanos y del desarrollo económico y social".[124] Seguidamente, destacó el compromiso de la Argentina con la defensa y consolidación de la democracia, recordando las palabras del Presidente Carlos Menem, para quien "los problemas que presenta el funcionamiento de la democracia solamente se resuelven con más democracia". Retomando lo que ya había sido expresado por la delegación argentina en ocasión de la crisis haitiana, en el sentido de desarrollar un mecanismo colectivo que, dentro de la OEA, pueda actuar frente a hechos que socaven la legitimidad democrática en un país miembro, a la manera de una fuerza de paz. Pero también añadía un elemento nuevo, la actuación con fines preventivos y no sólo cuando ya estamos frente a hechos consumados.

El Vice Canciller Petrella decía: "... sin dejar de reconocer los importantes logros alcanzados en el fortalecimiento del rol político de la Organización, nos permitimos insistir en la necesidad de continuar avanzando en la consideración de medidas y mecanismos de acción colectiva dirigidos a asegurar la constante adecuación del organismo hemisférico a los desafíos que las cambiantes circunstancias históricas puedan plantearnos. No se trata de invadir jurisdicciones o competencias que parecen reservadas a las Naciones Unidas, ni de actuar sólo reactiva y punitivamente; se trata de actuar colectivamente para prevenir las crisis, para tomar decisiones cuando éstas se produzcan y para actuar de manera solidaria y fraterna al momento de asumir compromisos concretos, en procura de restaurar la democracia allí donde haya sido violada... El principio de no intervención en los asuntos internos de los Estados, elaborado en circunstancias marcadamente diferentes a las actuales, requiere, para reafirmar su vi-

---

[123] Acta de la Primera Sesión, Reunión Ad Hoc de Ministros de Relaciones Exteriores (OEA /Ser.F/ V.3/MRE/ACTA 1/93 - 3 junio 1993).

[124] Ibid.

gencia, una adecuada y prudente actualización, si es que no queremos conde-narlo a ser una pieza de culto recluida en la sala de un museo".[125]

La iniciativa que quería impulsar Argentina, y que hasta la fecha no pros-peró, fue, curiosamente, recogida por la delegación de Estados Unidos y he-cha propia, en 1999, aunque concentrada en la faz preventiva, luego del ase-sinato del Vice Presidente del Paraguay, Luis María Argaña. Aquella iniciati-va argentina reconocía como basamento un legítimo objetivo: un mayor protagonismo de la OEA en los atentados contra la democracia y en la resti-tución de los Estados afectados al cauce normal de la vida republicana; pero también respondía a la búsqueda de un papel activo en el plano multilateral por parte del gobierno argentino en aquel entonces. Por ejemplo, Roberto Russell, al referirse a los ejes estructurantes de la política exterior del Presidente Menem, le atribuye una lectura wilsoniana de las cuestiones de seguridad, reflejada en la práctica, entre otras maneras, "en la adopción de posiciones de alto perfil en el seno de la OEA para crear nuevos mecanismos de seguridad regional, dado que se considera que los actualmente existentes son inadecua-dos. Aún más, se ha propuesto avanzar hacia algún tipo de *seguridad cooperativa* entre los Estados del continente".[126] Este concepto, que Russell muy bien ca-racteriza como enfocado hacia la prevención de conflictos a través de medidas que inhiben la capacidad y el potencial de agresión de cada Estado y cuyo impulso se atribuyó al gobierno argentino, forma parte del nuevo concepto de seguridad hemisférica cuyo marco conceptual y naturaleza siguen siendo aún objeto de análisis en el ámbito de la Organización.

En la segunda Reunión Ad Hoc, llevada a cabo el 7 de junio de 1993, la delegación argentina estuvo representada por el Representante Permanente ante la OEA, Hernán Patiño Mayer, quien recordó las medidas bilaterales adop-tadas por el gobierno argentino —retiro de su embajador y cancelación de la visita del Presidente Serrano Elías—, a la vez que saludó "la resolución rápi-da, pacífica, auténticamente soberana de la crisis, creada por una decisión tan arbitraria como irresponsable".[127]

---

[125] Ibid.

[126] Roberto Russell, "Los Ejes Estructurantes de la Política Exterior Argentina". *América Latina Internacional* (Otoño-Invierno 1994, vol. 1 nro. 2), p.18.

[127] Acta de la Segunda Sesión, Reunión Ad Hoc de Ministros de Relaciones Exteriores (OEA / Ser.F/V.3/MRE/ACTA 2/93 - 7 junio 1993)

5) Venezuela

Como fue sostenido por algunos, "el 11 de septiembre de 2001 resultó un día decisivo, de una manera que pocos podrían haber imaginado, para el Presidente venezolano Hugo Chávez".[128] Precisamente, en aquella fecha, el Secretario de Estado de los Estados Unidos, Colin L. Powell, haciendo uso de la palabra en el XXVIII período extraordinario de sesiones de la Asamblea General de la OEA, reunido en Lima (Perú), defendía elocuentemente la Carta Democrática Interamericana (CDI), un nuevo instrumento forjado en la organización, para proporcionar una respuesta hemisférica a la interrupción del orden constitucional. El destino determinó que ese instrumento fuera utilizado por primera vez para lograr el retorno al poder del Presidente constitucional de Venezuela, Hugo Chávez, luego de haber sido derrocado por un golpe cívico-militar entre el 11 y el 14 de abril de 2002.

Lo curioso del caso fue que el capítulo IV de la CDI, "Fortalecimiento y preservación de la institucionalidad democrática", tuvo su origen —como ya hemos visto— en la denominada "cláusula democrática", contenida en la Declaración de la III Cumbre de las Américas. En esa ocasión, el Presidente venezolano expresó profundas reservas respecto de la introducción de esa cláusula, aunque su gobierno luego aceptó su desarrollo en la CDI. Por su parte, el Canciller, Luis Alfonso Dávila, había indicado que Venezuela se había anotado varios triunfos en la XXXI Asamblea General de la OEA, que se llevó a cabo en San José de Costa Rica, en junio de 2001. Así, Dávila señaló como "uno de estos triunfos la no aprobación de la denominada Carta Democrática", con la que se "pretendía reforzar la democracia en el continente", pero que a su juicio "violentaba el principio de autodeterminación de los pueblos".[129]

El Presidente venezolano fue derrocado en la noche del 11 de abril de 2002, luego de una tensa jornada de protesta en la que murieron aproximadamente 15 personas. Después de horas de incertidumbre, las noticias procedentes de Caracas indicaban que Chávez, abandonado por la cúpula militar, aceptó renunciar después de que la mayoría de los sectores castrenses le exigie-

---

[128] Michael Shifter, "Democracy in Venezuela, Unsettling as ever", *The New York Times*, 21 April 2002, B2.

[129] GLOBOVISIÓN, Caracas, Venezuela, Miércoles junio 6, 2001.

sen el alejamiento. Según fuentes locales, Chávez se había entregado a tres altos militares en el palacio presidencial de Miraflores, desde donde fue trasladado a Fuerte Tiuna, principal acuartelamiento de Caracas, donde permaneció detenido. El general Alberto Camacho, jefe de la Guardia Nacional, anunció que Chávez "abandonó sus funciones", y que se estaba estudiando la conformación de una junta de gobierno y el llamado a elecciones anticipadas.

Los antecedentes de este golpe se atribuyeron a los reclamos que, varios días previos, formularon un número considerable de militares de alto rango, exigiendo que Chávez finalizara su mandato y que "se integre lo más pronto posible una junta de gobierno". El desencadenante de la crisis fue la manifestación que recorrió las calles de Caracas, el 11 de abril, de la que tomaron parte unas 150 mil personas, y cuya represión y enfrentamientos cobraron la vida de unas 15 personas —según medios periodísticos llegaron a 20—, además de un centenar de heridos. Cabe destacar que, en las semanas previas, la popularidad de Chávez había caído bruscamente, al tiempo que se agravaba un conflicto sindical con los trabajadores petroleros, y la sustitución del directorio de la empresa petrolera estatal (PDVSA), a lo que se sumaron numerosos cuestionamientos a su gobierno procedentes del sector privado.

Según diversos medios de prensa, la suerte de Chávez quedó sellada en las primeras horas de la noche con el pronunciamiento del comandante del Ejército, Efraín Vásquez Velasco, con lo cual se confirmó que la más poderosa de las fuerzas apoyaba, en un sólo bloque, la actitud de rechazo a la represión ordenada por Chávez y a la cual aludió Vásquez Velasco como la causa de su defección. Rodeado del Alto Mando de su fuerza, Vásquez Velasco advirtió que no se trataba de una insurrección sino de un "acompañamiento" en solidaridad con el pueblo. Antes se había anunciado la renuncia del viceministro del Interior, Luis Camacho Kairuz, precedida por la rebelión de la oficialidad de la Guardia Nacional, y el pronunciamiento de un grupo de oficiales de las tres fuerzas. Posteriormente, vino la serie de pronunciamientos que llegó a su punto culminante con la solicitud que, en nombre del Alto Mando Militar, le hiciera el inspector general de la FAN, general Lucas Rincón, al presidente Chávez "para que renuncie a su cargo y convoque a elecciones".

Diversos medios de prensa, tratando de explicar el porqué de lo ocurrido, afirmaban que Hugo Chávez había sido víctima de su propia medicina "gobernó dividiendo y cayó por la unión de sus opositores, derecha, izquierda, civiles, militares, obreros y empresarios... la corrupción galopante, la economía que no despegaba y la enorme presión social sobre una sociedad harta de que el entorno del ex coronel hiciese y deshiciese a su antojo, terminaron por hacer estallar por los aires la famosa revolución bolivariana, que se nutría desde el nacionalismo más reaccionario hasta el ideario de Fidel Castro".[130]

Tras el derrocamiento de Hugo Chávez, Pedro Carmona, presidente de la asociación de los empresarios venezolanos (Fedecámaras), asumió la titularidad del gobierno de transición cívico-militar que se había impuesto. Fue precisamente Carmona, según los medios de comunicación y noticias de prensa, quien anunció en el Fuerte Tiuna de Caracas, que el ex presidente había dimitido, después de que el estamento militar y la sociedad civil le pidieran la renuncia, y confirmó que se haría cargo de la presidencia en el gobierno de transición. En sus primeras declaraciones, Carmona afirmó que habría un proceso electoral a corto plazo, aunque no precisaba fecha, y anunció el levantamiento inmediato de la huelga general indefinida que dos días antes había declarado Fedecámaras junto a la Confederación de Trabajadores de Venezuela (CTV), para presionar la salida de Chávez del poder.

El primer bloque sub-regional que analizó y reaccionó frente a la situación en Venezuela fue la Cumbre de Presidentes del Grupo de Río, que se encontraba reunido previamente en San José de Costa Rica. Si bien los temas centrales de la XVI Cumbre eran la lucha contra la pobreza y el fortalecimiento de la familia, entre otros, la situación en Venezuela resultó el más relevante para los ojos expectantes de América Latina. No debe olvidarse que el Grupo de Río es un mecanismo de concertación política que tiene en la democracia uno de sus fundamentos principales.[131] Luego de considerar detenidamente la situación en Venezuela, el Grupo de Río produjo, el 12 de abril de 2002, la siguiente Declaración:

Los Presidentes de los países miembros del Mecanismo Permanente de Consulta y Concertación Política, Grupo de Río, ante los hechos ocurridos en Venezuela, y ratificando su adhesión a los procedimientos democráticos y al estado de derecho, expresan lo siguiente:

---

[130] Facundo Landivar, "Víctima de su propia medicina", *La Nación line*, 12 de abril de 2002.

[131] Integran el Grupo de Río: Argentina, Bolivia, Brasil, Colombia, Costa Rica, Chile, Ecuador, El Salvador, Guatemala, Guyana, Honduras, México, Nicaragua, Panamá, Paraguay, Perú, República Dominicana, Uruguay y Venezuela.

1. Reafirman el derecho de los pueblos a la democracia y la obligación de los gobiernos de promoverla y defenderla, y reconocen que la democracia representativa es indispensable para la paz y el desarrollo de la región dentro del marco de la Carta Democrática Interamericana.

2. Lamentan los hechos de violencia que han provocado la pérdida de vidas humanas y acompañan al pueblo venezolano en su deseo de reconstruir una democracia plena, con garantías ciudadanas y de respeto a las libertades fundamentales.

3. Condenan la interrupción del orden constitucional en Venezuela, generada por un proceso de polarización creciente.

4. Instan a la normalización de la institucionalidad democrática en el marco de la Carta Democrática Interamericana y a dar los pasos necesarios para la realización de elecciones claras y transparentes, en consonancia con los mecanismos previstos por la constitución venezolana.

5. Informan que el Grupo de Río ha solicitado al Secretario General de la OEA la convocatoria de una sesión extraordinaria del Consejo Permanente conforme al artículo 20 de la Carta Democrática Interamericana, para realizar una apreciación colectiva de la situación y adoptar las decisiones que estime conveniente.

6. Solicitan al Secretario General de la OEA, se disponga a tomar contacto con la realidad política de Venezuela a través de los medios que considere más adecuados.

De este modo, el Grupo de Río calificaba la naturaleza del hecho producido en Venezuela, "la interrupción del orden constitucional", reconocía a la OEA como el ámbito natural para la resolución de la cuestión a la vez que enmarcaba la respuesta a partir del artículo 20 de la Carta Democrática Interamericana, conforme al cual el Secretario General de la OEA debía solicitar la convocatoria inmediata del Consejo Permanente de la Organización para realizar una apreciación colectiva de la situación y adoptar las decisiones que estime conveniente. Por último, demarcando el camino, solicitaba al Secretario General de la OEA que tomara contacto con la realidad política de Venezuela, en alusión a una posible visita al país.

El Grupo de Río, al invocar el artículo 20 de la CDI, reconocía que se había producido una alteración del orden constitucional que afectaba gravemente el orden democrático en Venezuela. Sin embargo, como veremos más adelante, no hubo consenso en tal calificación por parte de los gobiernos del hemisferio. Un análisis objetivo de los hechos nos muestra que se había producido un golpe de Estado en Venezuela, pese a versiones encontradas que aludían a una renuncia firmada por el ex presidente, la que nunca fue exhibida por los golpistas.

La alteración del orden constitucional también se hacía evidente al no seguirse los procedimientos establecidos por la constitución del país en caso de vacancia del poder, o, como dice la carta magna de Venezuela, "falta absoluta del Presidente de la República". En efecto, el artículo 233 del texto constitucional dice que "serán faltas absolutas del Presidente de la República su muerte, su renuncia, la destitución decretada por sentencia del Tribunal Supremo de Justicia, la incapacidad física o mental…, el abandono del cargo, declarado éste por la Asamblea Nacional, así como la revocatoria popular de su mandato". El mismo artículo dispone, más adelante, que "cuando se produzca la falta absoluta del Presidente durante los primeros cuatro años del período constitucional (caso de Chávez, que por entonces contaba tres años y medio) se procederá a una nueva elección universal y directa dentro de los treinta días consecutivos siguientes.

El gobernante de facto, Pedro Carmona, anunció una serie de medidas que produjeron el comienzo del fin del régimen recientemente instalado. Carmona anunció el viernes 12 que no permanecería más de un año en el poder; sustituyó el nombre del país, República Bolivariana de Venezuela, devolviéndole su denominación original: República de Venezuela; dejó sin efecto la Constitución de la República, que había sido adoptada durante la presidencia de Chávez; además de disolver la Asamblea Nacional y el Tribunal Supremo de Justicia, entre otras medidas de considerable gravedad y afrenta al sistema democrático.

Precedido de una sesión informal en la tarde del viernes 12 de abril, el Consejo Permanente de la OEA sesionó durante toda la jornada del sábado 13 sobre la situación en Venezuela, discutiendo el texto de la Resolución que terminó siendo adoptada en las primeras horas de la madrugada del domingo 14.

Tras intensas negociaciones, en las que quedaron claramente fijadas las posiciones de los distintos países en torno a la cuestión frente al increíble dinamismo y conclusión de la situación en el país venezolano, el Consejo Permanente aprobó —en un proceso calificado por algunas delegaciones como extremadamente lento frente a la dinámica del acontecer venezolano— la Resolución CP/RES. 811 (1315/02) "Situación en Venezuela", la que en su parte resolutiva dispone:

1. Condenar la alteración del orden constitucional en Venezuela.

2. Condenar los lamentables hechos de violencia que han provocado la pérdida de vidas humanas.

3. Expresar su solidaridad con el pueblo venezolano y apoyar su voluntad de restablecer una democracia plena, con garantías ciudadanas y de respeto a las libertades fundamentales, en el marco de la Carta Democrática Interamericana.

4. Instar a la normalización de la institucionalidad democrática en Venezuela en el marco de la Carta Democrática Interamericana.

5. Enviar a Venezuela, con la mayor urgencia, una Misión encabezada por el Secretario General de la OEA, con el objeto de investigar los hechos y emprender las gestiones diplomáticas necesarias, incluidos los buenos oficios, para promover la más pronta normalización de la institucionalidad democrática. Se mantendrá informado al Consejo Permanente de estas iniciativas.

6. Convocar, de conformidad con el artículo 20, párrafo tercero, de la Carta Democrática Interamericana, a un período extraordinario de sesiones de la Asamblea General a celebrarse en la sede de la Organización el jueves 18 de abril de 2002 para recibir el informe del Secretario General y adoptar las decisiones que se estimen apropiadas.

7. Continuar la consideración de este asunto.

Al adoptarse la citada Resolución, ya era un hecho el regreso de Chávez al poder, quien tomó juramento en las primeras horas de la madrugada del domingo 14, convirtiendo en efímero su derrocamiento. Las fuerzas leales a Chávez acudieron en ayuda del ex primer mandatario, luego de imponerse y negociar el retiro de los golpistas, y lo transportaron de regreso al Palacio de Miraflores, todo ello mientras el Consejo Permanente de la OEA debatía sobre el contenido y alcances de la resolución que iba a adoptar. Como lo afirmó tiempo después el Representante Permanente de Chile, Embajador Esteban Tomic, la OEA demoró más tiempo en adoptar una resolución de lo que demoró la superación de la crisis en Venezuela.

Como resultado del mandato otorgado por el Consejo Permanente, el Secretario General, César Gaviria, se desplazó de inmediato a Venezuela, acompañado por la Presidente del Consejo Permanente y Embajadora de El Salvador, Margarita Escobar, y por la Representante Permanente de Belice y vocera de la CARICOM, Embajadora Lisa Shoman. Luego de mantener entrevistas con todos los sectores interesados, incluido el propio Presidente Chávez, y de realizar una investigación de los hechos, la misión liderada por Gaviria —quien por primera vez en una misión de estas características estaba por encima de los representantes del Consejo Permanente que lo acompañaban— regresó a Washington para informar a la Asamblea General.

El XXIX período extraordinario de sesiones de la Asamblea General de la OEA se llevó a cabo, en la sede de la Organización, el día jueves 18 de abril, contando con la presencia de tan sólo siete Cancilleres, entre los que se contaba el Secretario de Estado de los Estados Unidos, Colin Powell, quien permaneció el tiempo que le demandó pronunciar su discurso. El primer punto abordado por la Asamblea General fue el informe que presentó el Secretario General sobre su visita a Venezuela, en el cual este último destacó que, "por lo menos hasta que no se demuestre lo contrario, los organizadores de la manifestación convocada por la oposición política y muchas organizaciones sociales en los días precedentes y en el propio 11 de abril, son diferentes de quienes usurparon el poder, detuvieron al Presidente Chávez y trataron de instaurar lo que llamaron un gobierno provisional, cuyo ejercicio del mando encontró un amplio y generalizado rechazo no sólo por su origen fáctico sino además por las decisiones que tomó y que significaban el cierre de los organismos elegidos popularmente, la intervención del poder judicial y de todos los organismos del llamado 'poder moral' y en la práctica la derogatoria de la Constitución y de muchos de los actos realizados bajo su desarrollo".[132] Gaviria concluía más adelante que "el gobierno que estaba apenas en la fase de instauración, sin ninguna legitimidad democrática, fue fruto de decisiones tomadas por los militares".[133]

Otro importante elemento presentado por Gaviria en su informe, da cuenta de "una excesiva polarización no sólo de los protagonistas naturales de la política, como lo son el gobierno, los partidos y las bancadas de oposición, sino de casi todas las organizaciones laborales, empresariales, de la sociedad civil,

---

[132] Informe del Secretario General de la OEA, César Gaviria, en cumplimiento de la resolución CP/RES. 811 (1315/02) "Situación en Venezuela", OEA/Ser.P, AG/doc.9(XXIX-E/02), 18 de abril de 2002, p. 2.
[133] Ibid.

los representantes de algunos de los otros poderes del Estado y los medios de comunicación". "Esa excesiva polarización, agregaba Gaviria, tiene connotaciones de intolerancia que en la práctica impiden el diálogo democrático y la búsqueda de acuerdos que permitan cierto entendimiento para mantener la paz social". Esto, concluía el Secretario General, haría prevalecer el convencimiento según el cual "es inevitable una renovada confrontación entre amigos y contradictores del gobierno".[134] Luego de diversas consideraciones y recomendaciones a ser adoptadas por los diferentes sectores involucrados en el país y por la comunidad internacional, no resultaba difícil inferir que no estábamos presenciando el último capítulo de esta historia.

La Asamblea General de la OEA, luego de escuchar la intervención de casi todas las delegaciones presentes, aprobó un proyecto de resolución que había sido negociado hasta altas horas de la noche anterior y terminado minutos antes de su adopción. Sobre la base de la resolución CP/RES. 811, la Carta Democrática Interamericana y el Informe del Secretario General de la OEA, la resolución AG/RES. 1 (XXIX-E/02) "Apoyo a la Democracia en Venezuela", resolvió:

1. Expresar satisfacción por el restablecimiento del orden constitucional y del gobierno democráticamente elegido del presidente Hugo Chávez Frías en la República Bolivariana de Venezuela.

2. Manifestar la determinación de los Estados Miembros de seguir aplicando, con estricto apego a la letra y espíritu, y sin distinción, los mecanismos previstos por la Carta Democrática Interamericana para la preservación y defensa de la democracia representativa, reiterando el rechazo al uso de la violencia para sustituir a cualquier gobierno democrático en el hemisferio.

3. Respaldar la iniciativa del Gobierno de Venezuela de convocar de inmediato a un diálogo nacional, sin exclusiones, y exhortar a todos los sectores de la sociedad venezolana para que participen en el mismo, con sus mejores y más decididos esfuerzos a fin de lograr el pleno ejercicio de la democracia en Venezuela, con pleno apego a la Constitución, y tomando en cuenta los elementos esenciales de la democracia representativa contenidos en los artículos 3 y 4 de la Carta Democrática Interamericana.

4. Alentar al gobierno de Venezuela en su voluntad expresa de observar y aplicar plenamente los elementos y componentes esenciales de la democra-

[134] Ibid, p.3.

cia representativa, como lo estipulan los artículos 3 y 4 de la Carta Democrática Interamericana.

5. Alentar al gobierno y a todos los sectores sociales e instituciones de Venezuela a desarrollar sus actividades respetando el estado de derecho, así como la búsqueda de la reconciliación nacional.

6. Expresar satisfacción de que la Comisión Interamericana de Derechos Humanos haya aceptado la invitación que el gobierno de Venezuela hiciera en septiembre de 1999, para realizar una visita *in loco* a Venezuela que se efectuará en la primera semana de mayo del presente año.[135]

7. Brindar el apoyo y la ayuda de la OEA que el gobierno de Venezuela requiera para la consolidación de su proceso democrático.

8. Encomendar al Consejo Permanente de la Organización que presente un informe global sobre la situación en Venezuela al próximo período ordinario de sesiones de la Asamblea General.

Al tiempo de concluir el presente trabajo, se ha iniciado más no concluido el diálogo nacional impulsado por el gobierno; sin embargo, muchas dudas quedan aún por resolverse, se mantienen algunas de las situaciones que generaron la crisis y muchos intereses permanecen aún insatisfechos. La vigencia sin solución de una situación como la anteriormente descripta podría degenerar en nuevas protestas sociales, exacerbando los ánimos y poniendo nuevamente en serio riesgo la vigencia de la institucionalidad democrática en el país.

Nos corresponde ahora considerar las reacciones que la crisis en Venezuela generó por parte de diversos gobiernos del hemisferio. Empezando por Argentina, el propio Presidente de la Nación, Eduardo Duhalde, fue uno de los primeros Jefes de Estado del hemisferio en reaccionar y marcó de manera clara y terminante la posición de nuestro país. "Es un golpe de Estado", afirmó el primer mandatario, explicando luego: "no es una impresión, es una constatación; es un golpe que espero tenga una resolución democrática, que se llame a elecciones y que sea el pueblo de Venezuela el que elija a quien debe ocupar la presidencia".[136] En declaraciones formuladas a la prensa durante su presencia en San José de Costa Rica, donde participaba junto al Presidente Duhalde en la Cumbre del Grupo de Río, el Canciller Carlos Ruckauf sostenía que la Argentina "no reconoce" al nuevo gobierno cívico-militar que había

[135] La CIDH realizó efectivamente la visita *in loco,* en la primera semana de mayo de 2002.
[136] *Clarín.com,* viernes 12 de abril de 2002.

desplazado al Presidente constitucional de Venezuela. Al admitir la "profunda preocupación del gobierno argentino, el Canciller puntualizaba: "aquí, o se retrocede treinta años o se sigue caminando hacia el futuro".[137] Al abordar la situación, en el ámbito del Consejo Permanente, la Argentina no dudó en invocar la CDI y tuvo una activa participación en la negociación y preparación de la resolución relativa a Venezuela.

El Representante Permanente de la Argentina ante la OEA, Embajador Rodolfo Gil, calificó en términos similares a los del Presidente Duhalde los sucesos acaecidos en Venezuela. El Embajador Gil reiteró la calificación de "golpe de Estado", que hizo el Presidente argentino, primero ante el Consejo Permanente de la OEA, y luego, al usar de la palabra en el XXIX período extraordinario de sesiones de la Asamblea General. En esa oportunidad, el Representante Permanente de Argentina, siguiendo la posición adoptada por el gobierno en el sentido de invocar el nuevo instrumento interamericano adoptado para la defensa de la democracia, afirmó que "esta situación quedará grabada en la historia de la OEA como la primera vez en la que apelamos a la Carta Democrática Interamericana frente a una alteración del orden constitucional que afectaba a su vez gravemente el orden democrático en uno de sus Estados miembros". En referencia a las condiciones que precipitaron la crisis en Venezuela, el representante argentino sostenía: "cuando el orden constitucional es resquebrajado, no hay lugar para ambigüedades o indefiniciones. Cuando se llega a esta situación, y lo dice el representante de una nación que en el pasado fue azotada recurrentemente por los golpes de Estado, es porque esa nación está partida, porque en ella afloran la intolerancia y la falta de diálogo, y porque la pasión sectaria ahoga lo que tiene que ser la concepción de la nación como un valor supremo, que está por encima de los mezquinos intereses grupales".

Otros Jefes de Estado de la región no dudaron en reaccionar ante el golpe de Estado. El Presidente de México, Vicente Fox, condenó "la interrupción violenta del orden constitucional" e instó a la "normalización de la institucionalidad democrática". El gobierno mexicano solicitó además a la OEA la aplicación de los procedimientos establecidos en la CDI.[138] En el comunicado oficial distribuido por el gobierno mexicano, recogiendo las declaraciones de Fox, éste decía: "No es posible dejar de considerar que los lamentables acontecimien-

---

[137] *Clarín.com*, sábado 13 de abril de 2002.
[138] *Clarín.com*, sábado 13 de abril de 2002.

tos en Venezuela se han producido a partir de una intensa y amplia reacción social ante el curso de polarización interna y externa y de conducción económica errática seguido por los gobiernos en tiempos recientes". Más adelante, Fox sostuvo que "ante la situación actual, México —sin abdicar de ninguna de sus obligaciones de carácter humanitario ni de solidaridad con el pueblo de Venezuela, en aplicación estricta de la Doctrina Estrada en su acepción precisa y única— se abstendrá de reconocer o no al nuevo gobierno de Venezuela y se limitará a continuar las relaciones diplomáticas con dicho Gobierno". En términos contundentes, su Representante Permanente ante la OEA, Embajador Miguel Ruíz Cabañas, exponía ante la Asamblea General de la OEA la posición de su país al exhortar a la defensa y fortalecimiento de la democracia. Luego de hacer votos para que la violencia llegue a su fin en Venezuela, el representante mexicano sostuvo que la justicia debía investigar los hechos ocurridos y sancionar a los responsables. "Las naciones del continente no podemos darle la espalda a la democracia. Nada justifica la perpetración de un golpe de Estado", sentenció.

El Brasil tampoco permaneció ajeno en calificar duramente la crisis venezolana. El Presidente Fernando Henrique Cardozo, que no participó de la Cumbre del Grupo de Río, afirmó: "en este momento debemos aproximarnos de manera conjunta con un principio básico: este continente es democrático y no aceptará a ningún gobierno instalado por la fuerza".[139] En tanto, el comunicado oficial del gobierno lamentaba "profundamente la ruptura del orden institucional", a la vez que reafirmaba la importancia de la democracia y los derechos ciudadanos. Sostuvo, asimismo, que "en estas condiciones, está en consulta con sus países vecinos y los foros competentes en los términos de la Cláusula Democrática en vigor", exhortando al pueblo venezolano a "regresar a la normalidad democrática celebrando elecciones". En la Asamblea General, el Representante Permanente del Brasil, Walter Peckly Moreira, recordó que los países del Grupo de Río interpretaron el sentir de todo el continente y solicitaron a la OEA que "examinásemos la situación y adoptáramos las medidas correspondientes en el marco de la Carta Democrática Interamericana". Y concluía: "tenemos hoy razones para celebrar, la CDI pasó la prueba. No toleraremos la deposición por la fuerza de los líderes democráticos en este hemisferio".

---

[139] Ibid.

El Presidente de Chile, Ricardo Lagos, dijo en San José de Costa Rica que lo ocurrido en Venezuela "nos preocupa a todos" y exhortó a que "se respeten los procedimientos democráticos y la libre determinación" de ese país, para luego confiar en que los venezolanos "estarán a la altura de su historia" en esta crisis.[140] El Representante Permanente de Chile ante la OEA, Esteban Tomic, sostuvo en la AGOEA la importancia de la CDI para la defensa de la democracia y afirmó que la Cláusula Democrática debe funcionar como "elemento de prevención o de alerta temprana" y no solamente de sanción.

La CARICOM, que rechazó todo intento de aplicar la CDI en el caso de Haití y que planteó serios cuestionamientos en la negociación ante el Consejo Permanente de la resolución, se expresó en Costa Rica a través del Primer Ministro de Belice, Said Musa, quien sostuvo que "una declaración del Grupo de Río deberá ser una declaración muy medida que no se pueda interpretar como si estuviéramos dándole legitimidad a un cambio de gobierno en el hemisferio por la vía de la fuerza, por más difícil que haya sido la situación interna en Venezuela".

El único país que reconoció al efímero gobierno de Carmona fue El Salvador. Su Presidente, Francisco Flores, se justificó diciendo que la información con la que contaban daba cuenta de la renuncia de Hugo Chávez y que "nosotros considerábamos que si había un civil que se había comprometido a llamar a elecciones debía recibir un voto de confianza".[141]

Los Estados Unidos fueron objeto de duras críticas por su actitud frente al golpe en Venezuela, que fue interpretada como un apoyo implícito al derrocamiento de Chávez, y una negativa del país del Norte a reconocer que lo ocurrido fue un golpe de Estado. Esta decisión provocó no pocas preocupaciones en varios gobiernos democráticos del hemisferio, al enviar un mensaje ambiguo respecto de la posición de los Estados Unidos en defensa de la democracia. Ante el Consejo Permanente de la OEA, el Representante Permanente, Embajador Roger Noriega, sostuvo que era necesario examinar con cuidado los hechos antes de calificar la situación. Luego de ser restituido en el ejercicio del poder, el propio Presidente Chávez y algunos de sus seguidores insinuaron la colaboración de Estados Unidos con la intentona golpista. Un comunicado de prensa del Departamento de Estado, circulado el 12 de abril, afirmaba que los eventos del día anterior "resultaron en un gobierno de transición hasta

---

[140] EFE, 12 de abril 2002.
[141] EFE, 17 de abril 2002.

que se lleven a cabo nuevas elecciones. Pese a que los detalles no son todavía claros, las acciones antidemocráticas cometidas o promovidas por la administración de Chávez provocaron la crisis en Venezuela". Luego de invocar la aplicación de la CDI, el citado comunicado hacía un llamado para que "los elementos esenciales de la democracia, que se han visto debilitados en los meses recientes", sean restaurados completamente.

En la Asamblea General extraordinaria de la OEA, el Secretario de Estado de los Estados Unidos, Colin Powell, fue el primer funcionario americano de alto rango en declarar que se había producido un golpe de Estado en Venezuela y en condenarlo inequívocamente.[142] En esa ocasión, Powell indicó que "los golpes de Estado son cosas del pasado y no tienen sendero para el futuro". Sin embargo, en el mismo discurso, Powell sostuvo que "las democracias no pueden ser democracias duraderas si los líderes elegidos usan métodos antidemocráticos" para gobernar.[143] En esa misma sintonía, el Secretario de Estado dijo: "todos debemos examinar cómo debimos haber usado los mecanismos de la CDI antes del 11 de abril para respaldar a la democracia venezolana, porque la consolidación de la democracia en nuestro hemisferio es muy importante para todos nosotros, para nuestra libertad, prosperidad y seguridad". Luego de señalar que "este es un momento de reconciliación y no de revancha", Powell pidió a todos los sectores de la sociedad que participen en un diálogo nacional.

En una sesión ordinaria del Consejo Permanente de la OEA, y en ocasión de considerar el tema de la agenda correspondiente al "seguimiento y desarrollo de la Carta Democrática Interamericana", el Representante Permanente de los Estados Unidos, Roger Noriega, se refirió a su aplicación para la crisis en Venezuela y sostuvo que "no podemos realmente decir que hemos pasado el examen o que esta Carta ha pasado el examen, porque el examen está siempre presente". Afirmó luego que "siempre vamos a enfrentar este tipo de amenazas, por lo que creo que es importante que, antes de que nos congratulemos demasiado sobre cómo aplicamos la Carta en Venezuela, recordemos que la crisis en Venezuela fue creciendo por muchos, muchos meses. Las instituciones democráticas en ese país y los derechos consagrados en la CDI han estado comprometidos por muchos, muchos meses". Concluyó afirmando que la situación en Venezuela no está resuelta y es un asunto en el que necesitamos concentrarnos".

---

[142] Peter Hakim, "Democracy and U.S. Credibility", *The New York Times*, 21 April 2002, 4 WK.
[143] Intervención en XXIX AGOEA y despacho EFE, 18 abril 2002.

Hemos visto que si bien la reacción frente a la crisis en Venezuela no fue unánime, sólo fue el compromiso de apelar a la CDI como un instrumento esencial para la defensa de la democracia, acentuándose en algunos la necesidad de apelar a su faz preventiva y no solamente sancionatoria. Al tiempo de concluir el presente trabajo, el fantasma de la crisis no ha abandonado todavía Venezuela y no prevalece aún un claro espíritu de reconciliación nacional, pese a la apertura de un proceso de diálogo con todos los sectores promovido por el gobierno de ese país.

Luego de la adopción de una Declaración redactada durante el XXXII período ordinario de sesiones de la Asamblea General (Barbados, junio 2002), que no hizo más que recoger la sustancia de la resolución AG/RES. I (XXIX-E/02), la última decisión relativa a Venezuela, en el marco de la OEA, fue la resolución CP/RES. 821 (1329/02) "Apoyo al Proceso de Diálogo en Venezuela", en la cual el Consejo Permanente acordó:

1. Reiterar la disposición de la OEA de brindar el apoyo y la ayuda que el Gobierno de Venezuela requiera para la realización del proceso de diálogo y la consolidación de su proceso democrático.

2. Saludar la iniciativa del gobierno de Venezuela de impulsar y realizar un proceso de diálogo que cuente con la participación de todos los sectores del país y con el apoyo de la comunidad internacional.

3. Respaldar los buenos oficios realizados en Venezuela por la Organización de los Estados Americanos, el Programa de las Naciones Unidas para el Desarrollo (PNUD) y el Centro Carter, alentándoles a que continúen estos esfuerzos.

4. Alentar al gobierno y a todos los sectores de la oposición, así como a los sectores sociales e instituciones de Venezuela, para que a través del diálogo, y en estricto apego a la Constitución de la República, se logre la reconciliación nacional que tanto espera el pueblo venezolano y la comunidad internacional.[144]

Si bien la OEA probó su eficacia al reaccionar decidida y contundentemente frente a la crisis, la demora y los problemas en acordar una resolución no dejaron bien sentada a la Organización, un lujo que la OEA no puede darse

---

[144] CP/RES.821(1329/02) "Apoyo al Proceso de Diálogo en Venezuela", OEA/Ser.G, 14 agosto 2002.

en un momento de particular relevancia en su historia. Quizás, para evitar situaciones semejantes, sería conveniente que los países acordaran de antemano en el seno de la OEA un esquema básico de proyecto de resolución para ser aplicado a crisis semejantes, un "formulario tipo", si se quiere, que evite repetir tan desgastante experiencia y tan preocupante inclinación.

Al concluir este libro, la OEA integra una misión conjunta con el PNUD y el Centro Carter, con el propósito de facilitar el diálogo y brindar la asistencia que las partes requieran para salir del presente impasse.

Con Venezuela, hemos concluido la revisión de las denominadas crisis hemisféricas, las que nos llevaron a revisar la eficacia de la Organización y su respuesta ante las difíciles situaciones generadas. A continuación, revisaremos brevemente aquellas instancias en las cuales se produjo una amenaza que no llegó a desestabilizar por completo el sistema democrático en algunos de los países del hemisferio.

SECCIÓN IV

LAS AMENAZAS A LA DEMOCRACIA
EN EL HEMISFERIO

1) Guatemala

La primera movilización a nivel regional para frenar los avances del comunismo en América fue el caso de Guatemala. La elección, en 1950, del líder izquierdista Jacobo Arbenz Guzmán como Presidente de aquel país levantó la preocupación de aquellos que veían en él una potencial amenaza a sus intereses y, particularmente, la aparición de un terreno fértil para el crecimiento y expansión del comunismo en la región. Pero fue especialmente la adopción de su proyecto de ley de reforma agraria, en 1952, que permitía al gobierno expropiar tierras sin cultivar para distribuirlas entre familias guatemaltecas, lo que generó una reacción concreta. Así, se produjo una fuerte reacción por parte de la United Fruit Company, y por los Estados Unidos, dado que esa empresa era propietaria de grandes extensiones de tierra sin cultivar. A partir de allí, utilizando sus conexiones con el gobierno de Estados Unidos, afirma que la presidencia de Arbenz Guzmán constituía una amenaza real a la seguridad nacional de aquel país.

La evolución de la amenaza llevó a los Estados Unidos, en marzo de 1954, a promover la adopción de la "Declaración de Caracas", en la X Conferencia Interamericana, celebrada en Venezuela. Dado que dicha Declaración sentaba las bases para una posible intervención en Guatemala, para el caso que el movimiento comunista internacional se extendiera en la región, se generó una intensa resistencia por parte de algunos Estados Miembros —entre ellos Argen-

127

tina, México y, por supuesto, Guatemala— que veían una puerta abierta para la intervención unilateral de los Estados Unidos en el país. Es interesante rescatar que, entre los países que acompañaban la iniciativa de Estados Unidos, se contaban: Cuba, El Salvador, Nicaragua, Perú, República Dominicana y Venezuela. Como era de preverse, la Declaración fue aprobada, con las abstenciones de Argentina y México y la oposición de Guatemala. Sin embargo, la adopción de ese instrumento no produjo el efecto esperado por los Estados Unidos, que impulsó una intervención de la OEA en Guatemala. Ya se sabe lo que vino después: en mayo de 1954, Estados Unidos denunció el arribo de armas a Guatemala para ser utilizadas, según se dijo, con el fin de armar una dictadura comunista y revolucionaria en el país. El 19 de junio de 1954, tropas contrarrevolucionarias, que habían sido armadas y apoyadas por Estados Unidos, invadieron ciudad de Guatemala y derrocaron al Presidente Arbenz Guzmán, instaurando en su lugar al líder de las fuerzas invasoras, Carlos Castillo Armas.

Guatemala llevó el asunto al Consejo de Seguridad de la ONU, el cual entendió que era competencia de la OEA intervenir, por tratarse de una disputa regional. ¿Qué hizo la OEA? El 28 de junio, el Consejo Permanente —que, como ocurrió en otras ocasiones, no se erigió en órgano Provisional de Consulta— convocó una reunión de Consulta para el 7 de julio. Para entonces, el derrocamiento se había consumado y la OEA, sometida al influjo de Estados Unidos, resultó ser una mera espectadora ante los hechos. Primer balance negativo de la actuación de la OEA y primera omisión de la organización regional ante una crisis democrática en uno de sus Estados miembros.

2) República Dominicana-Venezuela

En ocasión de la Sexta Reunión de Consulta, llevada a cabo en Costa Rica en 1960, el gobierno de Venezuela invoca el TIAR, acusando a República Dominicana del atentado perpetrado contra el presidente venezolano, Rómulo Betancourt. Vale recordar como antecedente que Venezuela denunció, en febrero de 1960, al gobierno de la República Dominicana de violar los derechos humanos de sus ciudadanos, lo que movilizó una investigación por parte del Comité Interamericano de Paz, que confirmó los abusos y violaciones denunciados, aunque la OEA no acordó ninguna medida al respecto.

Volviendo a la inicial cuestión Venezuela-República Dominicana, el Consejo Permanente, como Órgano Provisional de Consulta, envía una Comisión Investigadora. En su Informe, la Comisión confirmó que el atentado tenía por objeto derrocar al gobierno y que los implicados habían recibido apoyo moral y ayuda material del gobierno de la República Dominicana. Dicha ayuda, concluía el informe, consistió principalmente "en brindar a los implicados facilidades para viajar y para ingresar y residir en territorio dominicano en relación con sus planes subversivos; ... en proveer armas para el golpe contra el Gobierno de Venezuela y el dispositivo electrónico y la bomba que se utilizaron en el atentado...".[145]

En consecuencia, y aunque formalmente en rechazo a la agresión e intervención del gobierno de República Dominicana, presidido por Leónidas Trujillo, contra Venezuela, el Consejo Permanente, actuando como Órgano de Consulta bajo el TIAR, "condenó enérgicamente la participación del gobierno de la República Dominicana en los actos de agresión e intervención contra el Estado de Venezuela que culminaron en el atentado contra la vida del Presidente de dicho país"; y acordó romper relaciones diplomáticas con República Dominicana e interrumpir parcialmente los vínculos económicos de los Estados miembros con dicho país.[146]

Entre el 22 y el 29 de agosto de 1960 se llevó a cabo la Séptima Reunión de Consulta, de la que no participó República Dominicana, adoptándose la "Declaración de San José de Costa Rica", en la cual, entre otras disposiciones, se condenaba enérgicamente la intervención o amenaza de intervención de una potencia extra-continental en asuntos de las repúblicas americanas (enraizada en la Doctrina Monroe), y declara que la aceptación de tal amenaza de intervención extra-continental por parte de un Estado americano pone en peligro la solidaridad y seguridad americanas; rechaza, asimismo, la pretensión de las potencias sino-soviéticas de utilizar en su beneficio la situación política, económico o social de cualquier Estado americano; reafirma el principio de no-intervención de un Estado americano en los asuntos internos o externos de los demás; reafirma que el sistema interamericano es incompatible con toda forma de totalitarismo y que la democracia sólo logrará la plenitud de sus objetivos en el continente cuando todas las repúblicas americanas ajusten su conducta

[145] Sexta Reunión de Consulta de Ministros de Relaciones Exteriores, Acta Final (San José de Costa Rica: 16 al 21 de agosto de 1960)OEA/Ser.C/II.6.
[146] Sexta Reunión de Consulta (Costa Rica, 1960) OEA/Ser.F/II.6.

a los principios enunciados en la Declaración de Santiago de Chile, aprobada en la Quinta Reunión de Consulta de Ministros de Relaciones Exteriores; proclama que todos los Estados miembros de la organización regional tienen la obligación de someterse a la disciplina del sistema interamericano, y que la firme garantía de su soberanía y su independencia política proviene de las disposiciones de la Carta de la OEA; formula una declaración en favor de la solución pacífica de las controversias; y reafirma su fe en el sistema regional y su confianza en la Organización, ya que aquí sus miembros encuentran la mejor garantía para su evolución y desarrollo.[147]

He aquí un claro ejemplo de la acción colectiva emprendida a través de la Organización, expresando no sólo la condena sino apelando también a medidas de acción directas en contra del Estado responsable, aunque aún incompleta por no contar entre sus miembros a los países del Caribe que, ya en esa década, comenzaban su proceso de independencia. El Secretario General de la OEA por aquel entonces, José A. Mora, en ocasión de la Octava Reunión de Consulta durante la crisis cubana, destacó que "el caso de República Dominicana recientemente sentó un precedente de valor indudable. Es un ejemplo del proceso ascendente en la capacidad creadora del Sistema Interamericano. Por primera vez se aplicaron las medidas autorizadas por el Tratado Interamericano de Asistencia Recíproca. Aparte de la ruptura de relaciones diplomáticas se dispuso la interrupción parcial de relaciones económicas de todos los Estados miembros."[148]

En este caso, la OEA demostró su eficacia por medio de una misión de asistencia técnica, solicitada por el gobierno de República Dominicana. La Secretaría General proporcionó asesoramiento en materia de requisitos constitucionales y legales, así como para establecer las condiciones técnicas indispensables para la celebración de elecciones libres. Las sanciones acordadas, finalmente, fueron levantadas por decisión del Consejo Permanente el 4 de enero de 1962, dos años después de instauradas.

[147] Séptima Reunión de Consulta, Acta Final (San José de Costa Rica: 22 al 29 de agosto de 1960)(OEA/Ser.C/II:7)

[148] Octava Reunión de Consulta, Sesión solemne inaugural, OEA/Ser. F/II.8, 22 enero 1962.

3) Perú

En 1962 se realizaron varias sesiones extraordinarias del Consejo Permanente de la OEA para considerar una solicitud de los gobiernos de República Dominicana, Venezuela, Honduras y Costa Rica, para convocar, en razón del golpe de Estado ocurrido en Perú, a una Reunión de Consulta de Cancilleres con el objeto de "reafirmar la solidaridad democrática en América y considerar la actitud que deben adoptar los gobiernos de los Estados miembros frente a regímenes surgidos de golpes de Estado".[149] Lamentablemente, como en muchas ocasiones, las buenas intenciones quedaron a mitad de camino por no formarse el consenso necesario para su concreción.

4) República Dominicana

Posteriormente, en mayo de 1965, la Décima Reunión de Consulta de Cancilleres —que esta vez se realizó fuera del marco del TIAR— fue solicitada por Chile en virtud de la Carta, por la gravedad del proceso revolucionario que estaba viviendo la República Dominicana. El 24 de abril de 1965, un movimiento revolucionario encabezado por el Coronel Francisco Caamaño depuso al Presidente Donald Reid Cabral, formando lo que denominó un "Gobierno Constitucional". El propósito del Coronel Caamaño fue restablecer en el poder al ex Presidente Juan Bosch, quién había sido, a su vez, depuesto en septiembre de 1963. Por su parte, una fracción del ejército, que se resistía a las tendencias de Caamaño, estableció un gobierno paralelo que se llamó de "Reconstrucción Nacional", presidido por el general Antonio Imbert.

El 25 de abril se desencadenó una guerra civil. El 28 de abril, Estados Unidos intervino militarmente para defender a sus connacionales, y luego se justificó al indicar que trataba de impedir se instaurara en República Dominicana un gobierno de tendencia comunista, similar al encabezado por Fidel Castro en Cuba. La situación de República Dominicana también fue considerada por el Consejo de Seguridad de las Naciones Unidas, a solicitud de la Unión Soviética.

Como se dijo más arriba, el Consejo Permanente de la OEA se reunió por solicitud chilena, el 29 de abril, y convocó a una Reunión de Consulta. Di-

---

[149] Ver OEA/Ser.G/III - C-a-461-474 (1962).

cha Reunión, llevada a cabo el 1 de mayo, exhortó a un cese del fuego y envió a una Comisión Especial al terreno, integrada por Argentina, Brasil, Colombia, Guatemala y Panamá, con el objeto de ofrecer sus buenos oficios a las partes, obtener el cese del fuego, e investigar la situación.[150] El 5 de mayo de 1965 se firmó el Acta de Santo Domingo, en virtud de la cual se acordó un cese del fuego entre el Gobierno de Reconstrucción Nacional y el Gobierno Constitucional; se estableció una zona de seguridad en la capital del país; y ambas partes declararon reconocer a la Comisión Especial de la OEA la plena competencia para la observancia de lo convenido. He aquí otra difícil situación en la que la OEA jugó un papel no poco significativo a la hora de favorecer una solución negociada a una crisis intestina.

Esta Reunión de Consulta resolvió, además, transformar la acción armada unilateral de uno de sus Estados miembros en República Dominicana en una operación colectiva, mediante la transformación de las fuerzas militares extranjeras en territorio dominicano, en una "fuerza interamericana",[151] uno de cuyos propósitos era el de "en un espíritu de imparcialidad democrática, cooperar en la restauración de condiciones de normalidad en la República Dominicana" y en el establecimiento en dicho país de una atmósfera apropiada al "funcionamiento de las instituciones democráticas".

El 22 de mayo se encomendó al Secretario General establecer un Comando Unificado de la OEA, a efectos de coordinar las fuerzas. Brasil y Estados Unidos asumen la Comandancia y Vicecomandancia, respectivamente, de los contingentes. El 2 de junio se firmó el Acta Constitutiva de la Fuerza Interamericana de Paz. Simultáneamente, la Reunión de Consulta de Cancilleres envió una Comisión Ad Hoc, que reemplazaba a la Comisión Especial de cinco miembros, ahora integrada por Brasil, El Salvador y Estados Unidos, para que proporcionara sus buenos oficios.

La Comisión Ad Hoc llegó a la conclusión de que la única salida era la realización de elecciones libres y democráticas. Con ese fin, la Comisión Ad Hoc presentó una serie de propuestas que se plasmaron en un Acta de Reconciliación Dominicana y en el Acto Institucional. En virtud de la primera, se celebrarían elecciones nacionales para los cargos ejecutivos, legislativos y mu-

---

[150] Décima Reunión de Consulta, OEA/Ser.C/II.10 - 1 mayo 1965.
[151] El territorio de República Dominicana estaba ocupado por fuerzas norteamericanas. Con el establecimiento de esa Fuerza Interamericana —por mayoría de votos, pese a la oposición de Chile, México y Uruguay— la Reunión de Consulta legitimó la intervención y el mantenimiento de una fuerza estadounidense en el país.

nicipales, en seis meses, con la cooperación de la OEA; habría una amnistía general y se establecería un Gobierno Provisional, representativo de ambos sectores. El 31 de agosto de 1965 se firmó el Acta de Reconciliación Dominicana por los Representantes del Gobierno Constitucional y del Gobierno de Reconstrucción Nacional. El 3 de septiembre se instaló el Gobierno Provisional, encabezado por el Dr. Héctor García Godoy, quien firmó el Acto Institucional.

Bajo la supervisión de la Fuerza Interamericana se efectuaron elecciones en la República Dominicana, el 1 de junio de 1966, las que derivaron en el establecimiento de un gobierno civil, a cargo del Dr. Joaquín Balaguer. También aquí la OEA jugó un papel de significativa importancia, aunque bajo el impulso de una clara contingencia histórica de singulares alcances políticos, en el encauzamiento de la situación planteada en aquel país.

5) Nicaragua

La crisis interna que tuvo lugar en Nicaragua lleva a Venezuela a pedir, invocando la Carta, la convocatoria a una Reunión de Consulta de Ministros de Relaciones Exteriores.[152] Así, la Decimoséptima Reunión de Consulta se realizó en Washington DC, en 1978, considerando graves los acontecimientos y urgiendo evitar acciones que pudieran agravar la ya delicada situación en aquél país. Como resultado de dicha Reunión, se formó una "Comisión de Cooperación Amistosa y Esfuerzos Conciliatorios" que dialogó, aunque sin éxito, con el gobierno de Anastasio Somoza en busca de una salida democrática y pacífica de la crisis.[153]

Al año siguiente, en 1979, la misma Reunión de Consulta, por iniciativa de los países del Pacto Andino y de Estados Unidos, aprobó una memorable y célebre resolución que sentó las bases de la salida definitiva al conflicto. Los Cancilleres declararon que la solución del caso nicaragüense debía basarse en: "1) reemplazo inmediato y definitivo del régimen somocista; 2) instalación en el territorio de Nicaragua de un gobierno democrático cuya composición incluya los principales grupos representativos opositores al régimen de Somoza y que refleje la libre voluntad del pueblo de Nicaragua; 3) garantía del respeto a los derechos humanos de todos los nicaragüenses sin excepción; y 4) reali-

[152] Ver CP/RES. 251 (342/78) 18 septiembre 1978.
[153] Ver Actas Decimoséptima Reunión de Consulta, OEA/Ser.F/II.17 - 20 septiembre 1978.

zación de elecciones libres a la brevedad posible que conduzcan al establecimiento de un gobierno auténticamente democrático que garantice la paz, la libertad y la justicia".[154]

De acuerdo con la resolución CP/RES. 261 (361/78), aprobada por el Consejo Permanente el 29 de diciembre de 1978, se convocó la Decimoctava Reunión de Consulta según lo dispuesto en el artículo 6 del TIAR. Con fecha 39 de diciembre de 1978, el Consejo Permanente, actuando provisionalmente como Órgano de Consulta, se reunió y aprobó la resolución CP/RES. 262 (362/78), en la cual, luego de reafirmar el principio de proscripción de la amenaza y del uso de la fuerza en las relaciones internacionales, requiere "al gobierno de la República de Nicaragua que se abstenga de toda amenaza, acto de agresión o uso de la fuerza armada contra la República de Costa Rica...".[155] Este fue el único documento relacionado con la Reunión. La Decimoctava Reunión de Consulta en sí nunca se reunió ni hubo otros documentos sobre el tema que la convocó.

La acción de la Organización de los Estados Americanos concluyó con el "Acuerdo de Esquipulas", importante precedente político que rescata el vínculo existente entre la paz y la seguridad en el ejercicio de la democracia y el respeto a los derechos humanos al interior de cada país.

Argentina acompañó el consenso en cada una de las resoluciones adoptadas, aunque las actas de las citadas reuniones indican que el representante argentino tuvo intervenciones generales e integró el grupo de trabajo para armonizar los proyectos de resolución presentados.

6) Panamá

Estados Unidos comenzó una ofensiva contra su otrora aliado, Manuel Antonio Noriega, de Panamá, acusándolo de vinculaciones con el narcotráfico. A partir de allí procuró involucrar al resto de los países del continente para, por medio de la presión colectiva, obligarlo a abandonar el poder. El 7 de mayo de 1989 se realizaron en Panamá elecciones presidenciales en las que resultó vencedor Guillermo Endara, liderando la oposición al general Noriega. El proceso eleccionario fue anulado por el Tribunal Electoral, que había sido integrado por el gobierno.

[154] Resolución II, Decimoséptima Reunión de Consulta, OEA/Ser.F/II.17, 20 septiembre 1978.
[155] CP/RES. 262 (363/78), OEA/Ser.G, 30 diciembre 1978.

Venezuela solicitó el 11 de mayo la convocatoria a lo que terminó siendo la Vigésimo Primera Reunión de Consulta, celebrada en Washington. El 17 de mayo se acuerda enviar a Panamá una Misión integrada por los Cancilleres de Ecuador, Guatemala y Trinidad y Tobago, a fin de promover fórmulas de avenimiento para lograr un acuerdo nacional, dentro de mecanismos democráticos, de modo de asegurar la transferencia del poder en ese país. Este fue el mayor aporte de la Organización a la situación planteada en Panamá, la que se orientó a buscar una fórmula consensual de solución con el general Noriega, de manera que se respetase la voluntad del pueblo panameño, expresada en elecciones libres. A pesar de realizarse varias visitas de la Misión, no se llegó a ningún acuerdo.

Paralelamente, el mismo tema fue considerado en la XIX Asamblea General de la OEA, en noviembre de 1989. Aun cuando el sentir general era contrario a la situación imperante en Panamá, no prosperó ninguna iniciativa. La respuesta fue mayoritariamente bilateral. En efecto, con excepción de Ecuador, México y Nicaragua, los demás países habían retirado ya sus embajadores de Panamá, en señal de molestia por la anulación de los comicios y la falta de una manifestación de normalización institucional, habiendo expirado el 1 de septiembre el período presidencial. La falta de una acción colectiva decidida por parte del continente, llevó a Estados Unidos a intervenir unilateralmente. Así, invadió Panamá el 20 de diciembre de 1989. Luego de que Noriega se refugiara el 24 en la Nunciatura Apostólica en Panamá, el 26 Guillermo Endara juraba en el Fuerte Clayton, en la zona norteamericana del Canal, como Presidente de Panamá, después que el mismo Tribunal que anuló las elecciones en el mes de mayo fuera nuevamente convocado y se retractara de su decisión. El 3 de enero se anuncia que el general Noriega se había entregado voluntariamente a las fuerzas armadas norteamericanas, las que lo llevaron a Estados Unidos como "prisionero de guerra", para someterlo a juzgamiento, encontrándose actualmente en ese país cumpliendo la condena que le fuera impuesta.

La posición argentina ha sido tradicionalmente contraria no sólo a la injerencia en los asuntos internos de un Estado por parte de otro, sino también a la intervención u ocupación de un Estado en el territorio de otro. Panamá fue, sin duda, uno de los típicos ejemplos de violación al principio de no intervención, repelido por el derecho internacional. En la Reunión de Consulta, que tuvo lugar el 17 de mayo, la delegación argentina sostuvo que era nece-

sario una solución elegida por los panameños y para los panameños, expresando
su solidaridad con el pueblo de ese país en su derecho de autodeterminación,
en tanto que ello implica el ejercicio soberano de sus derechos políticos y de
elegir libremente a sus gobernantes por medio de la participación democrática.
En la sesión extraordinaria del Consejo Permanente, celebrada del 20 al 22 de
diciembre de 1989, el Representante de Argentina ante la OEA, Embajador
Juan Pablo Lohlé, luego de reiterar lo manifestado en la Reunión de Consulta,
indicaba que "los caminos para salir de esta situación están dados por la plena
vigencia de las instituciones políticas, como así también por el retiro de las
tropas de Panamá".[156]

También en aquella ocasión, el gobierno argentino emitió un comunicado
—que fue leído por su representante ante la OEA— y que decía:

"El gobierno argentino expresa su consternación ante los graves acontecimientos en Panamá, que significan una clara violación al principio internacionalmente consagrado de la no intervención y ocasionan trágicas consecuencias
con pérdida de vidas humanas.

La Argentina reafirma, en consecuencia, su tradicional posición de condena a todo acto que implique una transgresión a las normas del derecho internacional que regulan las relaciones entre los Estados y, en particular, a aquellos que vulneran la soberanía y la autodeterminación de los pueblos.

El gobierno argentino insta al retiro inmediato de las fuerzas norteamericanas que actúan en territorio panameño. Exhorta, asimismo, al pronto retorno de las instituciones democráticas en Panamá, considerando que la presencia en el poder del general Manuel A. Noriega, constituye un obstáculo
insalvable para dicho fin, tal cual lo ha sostenido reiteradamente nuestro país
en la Organización.

Asimismo, el gobierno argentino reitera la necesidad del fiel cumplimiento
de los Tratados Torrijos-Carter, firmados en 1977, sobre el Canal de Panamá,
como una condición indispensable para la seguridad del Continente".[157]

Al referirse específicamente al proyecto de resolución circulado, el representante argentino encontraba responsable a Noriega de haber obstaculizado una
solución negociada a la crisis, a pesar de todos los esfuerzos realizados por la

---

[156] Acta Sesión Extraordinaria Consejo Permanente, OEA/Ser.G - CP/ACTA 800/89, 20, 21 y 22
diciembre 1989.
[157] Ibid.

Vigésimo Primera Reunión de Consulta. Sin duda, el texto del comunicado emitido por el gobierno argentino es sumamente elocuente y refleja actitudes que marcaron décadas de nuestra política exterior, ordenada al apego de las normas del derecho internacional.

7) Venezuela

El 4 de febrero de 1992 hubo un conato de golpe de Estado en contra del gobierno del Presidente de Venezuela, Carlos Andrés Pérez, y del que participó quien a fines de esa década sería elegido Presidente del país: Hugo Chávez Frías. Ese intento de golpe, que también perseguía atentar contra la vida del primer mandatario venezolano, fue abortado ese mismo día, por lo que la normalidad político-institucional del país no se vio interrumpida.

Pese a la brevedad de los hechos, se formuló una inmediata convocatoria del Consejo Permanente, el que se reunió ese mismo día. En esa ocasión, el máximo órgano político de la Organización emitió el mismo 4 de febrero una declaración de apoyo al gobierno democrático de Venezuela, luego de que los representantes de los Estados miembros condenaran enérgicamente la sublevación armada contra el gobierno democrático del Presidente Carlos Andrés Pérez, así como el criminal atentado contra su vida, y manifestaran su repudio a "aquellos sectores que han pretendido mediante el uso de la fuerza usurpar la soberanía popular y la voluntad democrática del pueblo venezolano...". El Representante de Argentina en aquella sesión extraordinaria del Consejo Permanente dio a conocer, en primer término, la declaración hecha pública por el gobierno de nuestro país, que decía:

"La República Argentina expresa su más firme condena a las acciones subversivas tendientes a producir un golpe de Estado en la hermosa República de Venezuela. Este deplorable ataque al orden constitucional en un país del hemisferio, constituye también una agresión al conjunto de las naciones americanas que han elegido a la democracia como sistema de gobierno y que han hecho de ella uno de sus valores más fundamentales.

Por ello, la República Argentina expresa su más profunda solidaridad con el pueblo y gobierno de Venezuela en estas horas difíciles, agravadas por la lamentable pérdida de vidas humanas, y manifiesta su satisfacción por la fortaleza demostrada por el sistema constitucional y la convicción de ese pueblo en la defensa de los principios democráticos".[158]

Más adelante, el delegado argentino dijo: "Estamos convencidos de que la OEA es el único organismo internacional que hasta la fecha consagra la democracia como un valor compartido y sobre el cual se fundamenta la solidaridad de sus miembros. No podemos delegar la defensa de la democracia en ningún otro organismo; no hay ninguna otra organización que haga de la democracia un valor común. Es así que me permito... reflexionar sobre la necesidad de que acontecimientos como el de Haití, que tiene empeñado el compromiso de esta Organización y sus Estados miembros; acontecimientos, gracias a Dios, superados como el de Venezuela del día de la fecha, nos lleven a pensar en común sobre la necesidad de adecuar nuestros instrumentos jurídicos, porque no queremos que el hemisferio actúe fuera de los marcos jurídicos, porque no queremos que se repitan historias del pasado, porque queremos un sistema jurídico que nos habilite a defender efectivamente este elemento común, sobre el cual se basa la solidaridad continental".[159]

En la parte considerativa de la declaración adoptada por el CP, el 4 de febrero, se reafirma el valor del principio consignado en la Carta de la Organización en cuanto a que "la solidaridad de los Estados miembros y los altos fines que con ella se persiguen requieren la organización política de los mismos sobre la base del ejercicio efectivo de la democracia representativa", además de recordar el "Compromiso de Santiago con la Democracia y la Renovación del Sistema Interamericano". Más adelante, el CP reitera la decisión de los Estados miembros de respetar y fortalecer el principio de solidaridad democrática, y de actuar conjuntamente conforme con la Carta y el mencionado Compromiso de Santiago, reafirmando "que en el hemisferio no hay ya espacio para los regímenes de fuerza". En la Asamblea General de la OEA, en Bahamas, se aprueba la resolución AG/RES. 1189, que reitera su defensa de la democracia "como el sistema político de los pueblos americanos y el sistema institucional capaz de encarar, en nuestro hemisferio, de modo eficiente, las distintas situaciones políticas, económicas, sociales y éticas con miras a continuar impulsando el proceso de desarrollo integral de los Estados miembros".[160]

[158] Acta Sesión Extraordinaria Consejo Permanente (OEA/Ser.G - CP/ACTA 887/92).
[159] Ibid.
[160] Ver CP/RES.576 (887/92) y AG/RES.1189 (XXII-0/92).

Posteriormente, en 1993, en la AGOEA de Managua, se aprueba una nueva resolución titulada "Apoyo al proceso y afianzamiento de la institucionalidad democrática en la República de Venezuela"[161], que no ahonda ni entrega nuevos aportes sobre la fuerza y la vigencia del principio de la solidaridad democrática, ya mencionados precedentemente. Las variadas reiteraciones que se han hecho sobre el *Compromiso de Santiago*, en los instrumentos mencionados precedentemente con respecto a Venezuela, así como la obligatoriedad que se le atribuye el mismo, han sido invocadas por muchos como prueba de la existencia de un derecho consuetudinario, y como fuente adicional, paralela a la Carta de la Organización, que pueden utilizarse para justificar y sustentar acciones o iniciativas de la OEA con relación a la defensa y protección de la democracia en el hemisferio. En el caso particular de Venezuela, como ya hemos visto, no fue la OEA la responsable de socavar la intentona golpista, pero sí fue la responsable de expresar una vez más, con rapidez y efusividad, la solidaridad continental con todo intento de menoscabar el orden democrático en un país miembro.

8) Paraguay

El 22 de abril de 1996, el entonces Presidente del Paraguay, Juan Carlos Wasmosy, que también era, conforme a la Constitución del país, el Comandante en Jefe de las Fuerzas Armadas, solicitó la renuncia del general Lino Oviedo, Jefe del Ejército. Este último se resistió a acatar la orden presidencial, lo que provocó una crisis institucional en el país, dado el significativo apoyo que poseía el general Oviedo, quién venía aumentando su distanciamiento del gobierno, así como su participación e influencia política dentro del partido oficialista. Oviedo, agravando su actitud desafiante, llegó a pedir la renuncia del Presidente y del Vicepresidente de la República.

La insubordinación o desconocimiento de la autoridad presidencial se interpretó como un intento vedado de golpe de Estado. Si bien este hecho no constituyó como tal una ruptura institucional o del orden democrático, fue lo suficientemente grave como para generar una cierta convulsión política interna que ameritaba un cierto nivel de preocupación. En atención a los acontecimien-

---

[161] AG/RES, 1215 (XXIII-0/93).

tos, se convocó —por requisitoria del Secretario General César Gaviria, quien se encontraba en Bolivia— y llevó a cabo el día 23 de abril una sesión extraordinaria del Consejo Permanente de la OEA para considerar la situación. Al inicio de la sesión, el Representante Permanente del Paraguay —Carlos Montanaro— presentó un informe sobre la situación suscitada en su país. En aquella ocasión, el Consejo Permanente expresó su apoyo al gobierno constitucional del Presidente Wasmosy, demandando el respeto a la Constitución y al gobierno legítimamente establecido. La interpretación de que la actitud del Jefe del Ejército del Paraguay, y los hechos desencadenados a partir de allí, constituían una situación que amenazaba la estabilidad democrática en Paraguay, determinó que se invocara la resolución 1080. En consecuencia, se convocó a una Reunión Ad Hoc de Ministros de Relaciones Exteriores, la que nunca tuvo lugar debido a la rápida superación de la crisis.[162]

En tanto, ese mismo día el Secretario General de la OEA, César Gaviria, junto con el Vice Canciller de Bolivia, Jaime Aparicio, se desplazaron a Paraguay —por encontrarse Gaviria en Bolivia y por ejercer este país la Secretaría Pro-Témpore del Grupo de Río—, para expresar el apoyo de ambos agrupamientos regionales al Presidente Wasmosy. Con el mismo propósito llegaron a Asunción los Cancilleres de Argentina, Brasil y Uruguay. La crisis terminó con la renuncia formal del General Oviedo a su puesto de Jefe del Ejército, el día 24 de abril de 1996, en una ceremonia pública en la que estuvo presente, representando a la OEA, su Secretario General.

La situación planteada fue seguida muy de cerca por el gobierno argentino, motivando —como se indicó en el párrafo precedente— el desplazamiento del Canciller Di Tella, así como un activo diálogo y contacto con el Presidente y autoridades paraguayas, y colegas del resto de los países del MERCOSUR, así como del Grupo de Río. El entonces Representante Permanente Adjunto de Argentina ante la OEA, Ministro Juan José Arcuri, decía en la referida sesión extraordinaria del CP: "Estamos ahora ante una situación anacrónica, extemporánea y ajena a los intereses de esa gente, que debe luchar duramente contra enemigos que la propia realidad le ofrece para comer, para educarse, para poder pensar en el futuro. El mensaje de condena de esta Organización debe ser inmediato, claro, inequívoco y en defensa de los intereses de esa gente".[163] Más adelante, el representante argentino indicaba que "el gobierno de su país desea reiterar

---

[162] Ver Acta Sesión Consejo Permanente OEA (CP/ACTA/1071/96 - 23 abril 1996).
[163] Acta de la Sesión Extraordinaria del Consejo Permanente (CP/ACTA 1071/96) 23 abril 1996.

su confianza en la democracia representativa y en sus instituciones", y en tal sentido formulaba un enérgico llamado a quienes desafían la autoridad del Presidente Wasmosy a que depongan su actitud en beneficio de la estabilidad institucional. Finalmente, en su mensaje, alertaba sobre las graves consecuencias que cualquier ruptura del sistema democrático puede implicar para las relaciones bilaterales y para el proceso de integración del MERCOSUR.[164]

Sin duda que la superación de la crisis interna planteada fue debida a una negociación política y de fuerzas internas, en las que las presiones de la OEA, del Grupo de Río y del MERCOSUR (que tiene su propia cláusula democrática), así como de otros países ejercidas bilateralmente, acompañaron los esfuerzos conducentes a aquella superación. Más aún, trascendió luego que la renuncia de Oviedo fue el resultado de un acuerdo entre él y Wasmosy, por el cual este último, a cambio de la renuncia del primero, lo nombraría Ministro de Defensa, lo que nunca ocurrió, abriendo así las puertas a posteriores acontecimientos en los que la figura de Oviedo siempre estaría presente como un fantasma o como un lobo estepario.

9) Ecuador

El 6 de febrero de 1997, el Presidente del Ecuador, Abdalá Bucarám, fue destituido de su cargo, atribuyéndosele problemas mentales, como una causal prevista en la Constitución del país. Esta fue una medida adoptada con apoyo popular, dadas las políticas y acciones que había implementado el gobierno de Bucarám. Sin embargo, la destitución de Bucarám —adoptada por el Congreso Nacional, por mayoría simple de sus miembros, declarándolo mentalmente incapacitado o incompetente— no se llevó a cabo mediante un procedimiento absolutamente regular, pues no medió un juicio político, como lo requería su legislación interna.

Abdalá Bucarám, quien había sido elegido democráticamente en julio de 1996 y sucedió en el cargo a Sixto Durán Ballen, tuvo que abandonar el cargo el 16 de febrero del año siguiente tras ser depuesto por el Congreso. El Parlamento designó, entonces, al Presidente de ese Cuerpo, Fabián Alarcón, como su sucesor. Pero la entonces Vicepresidenta, Rosalía Arteaga, reclamó su derecho

---

[164] Ibid.

a la sucesión. Con diferentes interpretaciones de la Constitución, los tres dirigentes aseguraban ser la máxima autoridad del país. La creciente incertidumbre obligó a las fuerzas armadas a retirar el apoyo a Bucarám, a nombrar a Arteaga por 48 horas como Presidenta "temporal" y a avalar después la designación de Alarcón como Jefe de Estado "interino". Las insistencias de Bucarám de que había sufrido un "golpe de Estado" y los reclamos de Arteaga en el mismo sentido, obligaron a Alarcón a convocar una consulta popular. Con el apoyo de casi el 70% de la población, Alarcón ratificó su presencia en el gobierno.

La situación planteada llevó a varios Estados miembros de la Organización a expresar su preocupación y a clamar por una pronta salida de la crisis, por los canales democráticos más apropiados. Ello se tradujo en una visita realizada a Quito por el Secretario General César Gaviria, lo que fue visto por algunos sectores como una injerencia en los asuntos internos del Estado ecuatoriano, y por otros como una legítima preocupación de la OEA por el estado de la democracia en uno de sus países miembros. En esta ocasión, el Consejo Permanente no llegó a reunirse, pese a que la Representante Permanente de Estados Unidos, Harriet Babbit, buscaba obtener un pronunciamiento del máximo órgano político de la Organización, en cierto modo, por la tranquilidad que transmitió el Representante Permanente del Ecuador, quien dijo que todo se desarrollaba dentro del cauce constitucional y no existía posibilidad alguna de un golpe de Estado en su país. La destitución de Bucarám —que inició una gira por varios países del cono sur e intentó llegar a la OEA— fue lamentada, mediante sendos comunicados, por los gobiernos de Argentina, Costa Rica, El Salvador, Nicaragua y Panamá. Este último país terminó brindándole la residencia definitiva al destituido mandatario ecuatoriano.

Así, la crisis que encontró su origen en el propio sistema ecuatoriano fue superada conforme a sus propios parámetros, en los cuales la OEA no hubiera podido avanzar más allá sin cometer una injerencia en los asuntos internos del Ecuador, que hubiera sido repelida por sus autoridades nacionales. La normalidad institucional, en última instancia, parecía estar mejor sin el Presidente Bucarám, conforme lo proclamaban los propios ecuatorianos. Ello, sin embargo, nunca acalló las dudas en cuanto a la regularidad o legitimidad del procedimiento empleado para la destitución y para la integración del nuevo Ejecutivo.

En este caso, la posición del gobierno argentino fue expuesta en el sentido que debía interpretarse como un "asunto interno" del Ecuador, por lo que no entendía procedente avanzar en una mayor intervención por parte del organismo hemisférico, ni bilateralmente, ni tampoco tomar posición a favor de ningún sector, tanto de las nuevas autoridades como del Presidente depuesto. El 6 de febrero, emitió el siguiente comunicado:

"El gobierno argentino sigue con atención y preocupación los recientes sucesos en el Ecuador, país con el cual mantiene lazos fraternos de amistad.

La Argentina manifiesta su plena confianza en que el gobierno, los dirigentes políticos y el pueblo ecuatorianos podrán superar, en el marco de la democracia y del estado de derecho, los desafíos que confronta ese país hermano".

10) Paraguay

El 24 de marzo de 1999, el Consejo Permanente de la OEA comenzaba su sesión expresando sorpresa y consternación por el asesinato del Vicepresidente de la República del Paraguay, Luis María Argaña, víctima de un atentado criminal perpetrado en la vía pública. La congoja y la comunicación oficial de los hechos fue expresada por el Representante Permanente del Paraguay ante la OEA, Carlos Montanaro, quien no estuvo presente cuando luego de agotarse el temario de la sesión, el Representante Permanente de Estados Unidos pidió la palabra para invocar la procedencia de la resolución 1080 como el "instrumento primario de la Organización que puede ser aplicado a situaciones y eventos tales como aquellos que están ocurriendo en Paraguay". Luego de hacer referencia a la investigación que, sobre los hechos, encararían las autoridades paraguayas, el representante estadounidense advirtió: "Si, una vez que los hechos se conozcan en su totalidad, se descubre que el asesinato del Vice Presidente Argaña fue un crimen político, entonces la Organización podría tener que examinar de cerca si un asalto de esta naturaleza constituye, como se define en la Resolución 1080, y cito: 'una interrupción irregular del proceso político institucional democrático o del legítimo ejercicio del poder por un gobierno democráticamente electo en cualquiera de los Estados Miembros de la Organización'."[165]

La propuesta del representante estadounidense era convocar a una reunión específica para discutir la aplicabilidad de la resolución 1080 a la situación

[165] Ver Acta Sesión Ordinaria del Consejo Permanente de la Organización (CP/ACTA 1185/99 - 24 marzo 1999).

planteada en el caso paraguayo, e incluso buscar formas de reforzar el mecanismo que prevé dicha resolución y mejorar el papel de la OEA para actuar anticipadamente y responder eficazmente a este tipo de amenazas.[166] Un representante alterno de Paraguay, que fue apoyado por otras delegaciones presentes en la sesión —entre ellas Argentina—, expresó su reserva respecto a "que este Consejo siga manteniendo en su agenda el caso nuestro con la preocupación expuesta por algunas delegaciones. Sin duda es importante que la Organización esté pendiente de los acontecimientos que se desarrollan en el Paraguay, pero creo que estoy siendo objetivo al decir que estamos actuando dentro del marco constitucional. El Paraguay está viviendo actualmente una situación muy crítica, pero la estamos controlando".[167] En otras palabras, gracias por la preocupación, pero la situación está controlada y ahora todo esto constituye un asunto interno que no amerita más injerencia que la que corresponde al pesar y la cooperación.

La Comisión Interamericana de Derechos Humanos (CIDH), consciente de la situación que se desencadenaba en Paraguay, expresó "su más enérgica condena de este crimen atroz, que no sólo quebranta la ley sino que también pone en peligro la estabilidad institucional y la normalidad democrática en ese país".[168]

El tema no volvió a ser debatido, como pretendían los Estados Unidos sin embargo, esta delegación intervino en la sesión del Consejo Permanente del día 12 de mayo, para indicar su pensamiento sobre la democracia en el hemisferio y el papel de la OEA. Dijo el representante estadounidense: "Muchas vidas se han perdido en la lucha para establecer y defender la democracia en nuestros países. Solo semanas atrás, ciudadanos de uno de nuestros Estados miembros —Paraguay— resultaron las victimas últimas. Ellos ofrendaron sus vidas para proteger los valores democráticos... Proliferan los desafíos a la democracia en tiempos de agitación económica y social. Por esa razón, nuestras instituciones democráticas requieren nuestro atento cuidado y vigilancia. Esta atención y cuidado pueden venir en muchas formas. Un mecanismo confiable para la resolución pacífica de disputas intra e interestatales podría ayudar a que florezca la gobernabilidad democrática."[169] En una línea similar a lo que la propia

---

[166] Ibid.
[167] Ibid.
[168] Comunicado emitido por la CIDH el 23 de marzo de 1999 (Comunicado de Prensa OEA Nro. 9/99).
[169] Ver Acta Sesión Ordinaria del Consejo Permanente de la Organización (CP/ACTA 1191/99 - 12 mayo 1999.

delegación argentina indicara en algunas ocasiones, refiriéndose a algunas crisis democráticas en el hemisferio, la delegación estadounidense volvía a referirse a la necesidad de actuar preventivamente y a replantear el rol de la OEA en la defensa de la democracia. Las declaraciones del representante estadounidense eran concluyentes: "La OEA ha demostrado que puede ayudar a restablecer la democracia cuando ésta ha sido atacada y menoscabada. Sin tener que apelar a otras instituciones, ¿podemos además frenar una escalada de disputas que se conviertan en conflictos capaces de interrumpir la democracia? En otras palabras, arrastrando nuestra rica experiencia diplomática regional, ¿no debería la OEA considerar formas de atender situaciones antes de que ellas provoquen la ruptura de la regla democrática? Creemos que debe hacerlo."[170] Estas declaraciones procuraron ser plasmadas luego en un proyecto de resolución que, impulsado por la delegación de Estados Unidos, nunca llegó a ser considerado por la Asamblea General reunida ese año en Guatemala. Pero siempre quedó este tema como una asignatura pendiente, a la espera del tiempo propicio para comenzar a debatirlo.

Para concluir, la Argentina actuó, frente al asesinato del Vicepresidente Argaña, en forma inmediata y se sumó al consenso expresado en actitudes y expresiones con sus socios del MERCOSUR y del Grupo de Río. Precisamente, en la sesión del 24 de marzo, el delegado de Argentina expresó su pesar y su solidaridad con Paraguay, en nombre y representación de ambos agrupamientos subregionales. Asimismo, dijo más adelante: "Coincidimos con la distinguida Delegación de los Estados Unidos en que los dos instrumentos que tiene la Organización para fortalecer la democracia en el hemisferio, que son la mencionada resolución 1080 y el Protocolo de Washington, pueden ser completados en el futuro ante la aparición de elementos no previstos en sus disposiciones, pero que pueden llegar a ser atentatorios de la marcha democrática o del proceso institucional de nuestros países". En similares términos, se expresó la delegación Argentina en la sesión del 12 de mayo. Esta no era la última vez que la OEA volvería a ocuparse del Paraguay, como ya veremos enseguida.

11) Ecuador

El 21 de enero de 2000, un nuevo suceso conmueve al Ecuador. Esta vez, elementos golpistas de las Fuerzas Armadas intentaron quebrantar el Estado de

---

[170] Ibid.

Derecho, desconocieron al Presidente Jamil Mahuad e impusieron la confor-
mación de una Junta Cívico-Militar. El Jefe del Comando Conjunto, Carlos
Mendoza; el Presidente de la Confederación de Nacionalidades Indígenas,
Antonio Vargas; y el ex Presidente de la Corte Suprema de Justicia conformaron
por pocas horas un autodenominado Consejo de Estado, que derrocaba al
Presidente constitucional Jamil Mahuad. Presionados por un levantamiento
indígena y la insubordinación de un grupo de coroneles del Ejército, el ex
Ministro de Defensa, Carlos Mendoza —que al mediodía había reiterado su
defensa del orden jurídico, pero en la tarde había solicitado la renuncia de
Mahuad—, en la noche anunció que asumía el poder.

En cuestión de pocas horas, la Junta Cívico-Militar conformada fue di-
suelta por el general Carlos Mendoza, acompañada de la renuncia del líder de
la CONAIE, Antonio Vargas. La rápida y consistente presión ejercida eficazmente por la OEA, y por los países de la región, en particular Estados Unidos, hicieron desistir a los rebeldes; quienes, finalmente, entregaron el poder
al Vicepresidente Gustavo Noboa, dándole un cierto matiz de regularidad al
traspaso del mando, aunque no se cumplió nunca con los procedimientos previstos por la Constitución del país. Más aún, el Presidente Mahuad declaró que
había sido derrocado, aunque luego pidió el apoyo de su país al Vicepresidente
Noboa, a cargo de la primera magistratura.

La crisis política ecuatoriana había crecido dramáticamente en los últimos
meses por la grave situación económica y denuncias de corrupción. La popularidad de Mahuad llegaba apenas al 7%, con una inflación anual que supe-
raba el 60%, a lo que se sumaba el anunciado "Plan de Dolarización", con el
que se planeaba reemplazar la moneda local, el sucre, por el dólar, lo que
motivó el rechazo de numerosos sectores del país. El descontento alcanzó su
máxima tensión el viernes 21, cuando grupos de indígenas junto a oficiales de
bajo rango liderados por el coronel Lucio Gutiérrez —quien fuera edecán del
ex Presidente Abdalá Bucaram, destituido en 1997— ocuparon el Congreso y
la Corte Suprema. Los insurrectos proclamaron entonces una Junta de Salvación
Nacional, plegándose horas más tarde militares de rangos más altos, adquiriendo
entonces la rebelión el distintivo de "clásico golpe de Estado".[171]

El mismo día 21 de enero se llevó a cabo una sesión extraordinaria del
Consejo Permanente de la OEA en la que se escuchó primeramente la inter-

---

[171] *Clarín digital*/Internacionales, domingo 23 de enero de 2000.

vención del Representante Permanente del Ecuador, Patricio Vivanco, quien explicó cómo se sucedieron los hechos en su país y cuál era la situación por entonces. "La democracia en el Ecuador está en riesgo", decía, "la democracia está en peligro, por eso venimos a este órgano a informar y denunciar estos atentados".[172] Más adelante, el representante ecuatoriano afirmaba que "la OEA está en la obligación, una vez más, de dar un gran respaldo a la democracia del hemisferio y a la democracia ecuatoriana".[173] Luego de pasar revista a las medidas económicas y políticas adoptadas en su país y de la rebelión suscitada, remarcó la voluntad indeclinable del Presidente Mahuad de no renunciar a su cargo.

En la misma sesión, el representante estadounidense fue muy claro en su mensaje: "Entendemos totalmente las terribles condiciones económicas en Ecuador y sus impactos devastadores sobre los pobres. Sin embargo, la interrupción del gobierno democráticamente constituido en Ecuador provocará consecuencias inmediatas y trágicas para todos los ecuatorianos, particularmente para aquellos que luchan por mejorar su situación económica y social. La asistencia bilateral militar y civil, tanto de los Estados Unidos como de otros donantes, cesará cuando el país opere fuera de su marco constitucional. En consecuencia, los más afectados serán los programas designados especialmente para ayudar a los sectores pobres de la sociedad ecuatoriana".[174] Aquí se comenzaba a delinear la sutil advertencia que Estados Unidos tornara en una constante frente a sucesivas crisis democráticas en el continente.

Para el gobierno argentino, que había llegado al poder menos de un mes antes, ésta era la primera situación hemisférica con la que le tocaba lidiar. Con una actitud conservadora, aunque claramente respetuosa y defensora de la democracia y sus instituciones, expresó su posición con elocuencia, y en estrecha relación con sus colegas del MERCOSUR, inaugurando una nueva era, quizá, de consultas permanentes con la subregión, con miras a adoptar posiciones comunes frente a problemas y cuestiones hemisféricas concretas. Definiendo los alcances de la política exterior del país, el Canciller Adalberto Rodríguez Giavarini afirmaba con relación a este hemisferio: "...nuestros países, el MERCOSUR, Sudamérica, tendrán una participación más relevante tanto en

---

[172] Acta de la Sesión Extraordinaria del Consejo Permanente (OEA/ACTA 1220/00) 21 enero 2000.

[173] Ibid.

[174] Ibid.

el diseño de la arquitectura económica global como en la promoción de nuestros intereses políticos comunes. Entre ellos, la consolidación de la democracia como sistema de vida y de gobierno ocupa el lugar preeminente...".[175]

El gobierno argentino, inmediatamente de producidos los acontecimientos en Ecuador, emitió el siguiente comunicado:

"Ante los lamentables hechos que están teniendo lugar en la República del Ecuador, el gobierno argentino expresa su más decidido apoyo al mantenimiento del orden constitucional en dicho país.

El Presidente de la República, Dr. Fernando De la Rúa, exhorta al pueblo ecuatoriano a resolver la presente situación pacíficamente y en el marco del respeto a la institucionalidad democrática.

La República Argentina ratifica también los términos del comunicado de la fecha del Grupo de Río en el que se manifiesta el más enérgico rechazo a cualquier intento de vulnerar el orden constitucional ecuatoriano.

El gobierno argentino destaca, además, la gravedad que implicaría una alteración de la mencionada institucionalidad democrática, lo que daría lugar a que se propicie el análisis urgente de la situación dentro de las instancias regionales y hemisféricas correspondientes".

En la citada sesión extraordinaria del CP, el Representante Permanente Interino, Juan José Arcuri, expresó "su más decidido apoyo al mantenimiento del orden constitucional en dicho país (Ecuador), al tiempo que exhorta al pueblo ecuatoriano a resolver la presente situación pacíficamente y en el marco del respeto a la institucionalidad democrática".[176] Agregaba que "la República Argentina también ratifica los términos del comunicado emitido por el Grupo de Río, en el que se manifiesta el más enérgico rechazo a cualquier intento de vulnerar el orden constitucional ecuatoriano. La gravedad que, a nuestro juicio, implicaría una alteración de este tipo daría lugar a que se propicien análisis urgentes de la situación dentro de las instancias regionales y hemisféricas correspondientes".[177] En ése sentido, el representante argentino dio lectura al comunicado emitido ese día por el MERCOSUR junto con Bolivia y Chile, promovido por la Argentina en su carácter de Presidente Pro-Témpore, que decía:

---

[175] Discurso pronunciado por el Canciller Adalberto Rodríguez Giavarini, en el Consejo Argentino para las Relaciones Internacionales (CARI) el 30 de mayo de 2000.

[176] Acta de la Sesión Extraordinaria del Consejo Permanente (OEA/ACTA 1220/00) 21 enero 2000.

[177] Ibid.

"Los Estados miembros del MERCOSUR, Bolivia y Chile, consideran necesario señalar su grave preocupación por una eventual alteración del orden constitucional en la República del Ecuador. En concordancia con el espíritu que anima al MERCOSUR y que se encuentra expresado, en particular, en la Declaración Presidencial sobre Compromiso Democrático y en el Protocolo de Ushuaia, estiman oportuno destacar que la plena vigencia de las instituciones democráticas es condición esencial para el desarrollo de los procesos de integración y de cooperación.

En este contexto, los Estados miembros del MERCOSUR, Bolivia y Chile reiteran su apoyo al Estado de Derecho y al respeto pleno de las normas constitucionales en la hermana República del Ecuador y expresan su esperanza de que la crisis encuentre una respuesta dentro de los mecanismos institucionales".[178]

Luego de expresadas las preocupaciones de las diversas delegaciones, se adoptó la resolución CP/RES. 763 (1220/00) "Respaldo al Gobierno Democrático del Presidente Constitucional de la República del Ecuador, Jamil Mahuad Witt y a las Instituciones del Estado de Derecho", la que resuelve: 1) expresar su pleno y decidido respaldo al gobierno constitucional del Presidente del Ecuador, Jamil Mahuad Witt y a las instituciones del Estado de Derecho; 2) condenar firmemente este atentado contra el orden democrático legítimamente constituido; 3) manifestar su preocupación por la grave situación política por la que atraviesa el Ecuador y por las serias consecuencias derivadas de cualquier intento de desestabilización del sistema democrático en ese país; 4) instruir al señor Secretario General de la OEA a que mantenga un contacto permanente con el gobierno constitucional del Ecuador y a que informe, a la brevedad posible, al Consejo Permanente sobre la evolución de la situación en ese país; y 5) continuar examinando la situación en el Ecuador.[179]

Es importante destacar que las presiones significativas ejercidas en todos los frentes por el gobierno de los Estados Unidos, unidas al aislamiento internacional que el golpe provocaba sobre Ecuador, llevaron a los rebeldes a buscar una salida que tuvo poco de negociada y mucho de huida. La respuesta de la OEA no fue minúscula. La inmediata convocatoria del Consejo Permanente y las expresiones que en su seno se produjeron enviaron un claro mensaje: el he-

[178] Ibid.
[179] CP/RES. 763 (1220/00) 21 enero 2000.

misferio no toleraría semejante atropello a la democracia. Pero, claro está, no era en sí la presión de la OEA, como un ente autónomo, lo que preocupaba al Ecuador. Era el componente colectivo que le daba vida y que movilizaría una enérgica acción no sólo hemisférica, sino también internacional, dirigida a restituir al país en la senda de la democracia. La globalización y la interdependencia económica no permiten a ningún país subsistir cuando se lo somete al aislamiento. La ayuda financiera y los programas de cooperación y desarrollo se detendrían de inmediato, y lo mismo ocurriría con los flujos de inversión y los capitales radicados en el país, que lo abandonarían a su suerte. En menos de cinco años los ecuatorianos tuvieron cinco presidentes, lo que refleja, para muchos, la inestabilidad política y social que vivía el país.

La evolución de los acontecimientos requirió la convocatoria a una nueva sesión del Consejo Permanente, la que tuvo lugar el día 26 de enero de 2000. En esa oportunidad, el Representante Permanente del Ecuador, Embajador Patricio Vivanco, presentó un informe sobre los hechos ocurridos en su país y destacó la inmediata reacción de la OEA, que coadyuvó a la pronta solución de la crisis. En esa oportunidad, el CP aprobó una nueva resolución denominada ahora "Respaldo al Gobierno Constitucional de la República del Ecuador".

Pese a los intentos del representante ecuatoriano de ponerle nombre y apellido a la resolución, como se había hecho en la anterior respecto de Mahuad, los restantes delegados presentes se resistían a quedar mal parados o quizás a ser sobrepasados por los acontecimientos, pues la estabilidad no parecía consolidada ni mucho menos. Antes habían respaldado al Presidente Mahuad, ahora la Organización se veía enfrentada a la situación de tener que legitimar un traspaso irregular del Poder, pero qué más podía hacer. La salud democrática de un Estado miembro siempre será mejor que condenarlo al ostracismo. Así, se alcanzó un consenso sobre una nueva resolución, en cuyo texto el CP resolvía: 1) reiterar de manera categórica su rechazo a cualquier acción para quebrantar el orden democrático y constitucional del Ecuador o de cualquier Estado miembro de la Organización; 2) condenar firmemente los hechos que pusieron en peligro el orden democrático legítimamente constituido en el Ecuador y que condujeron al alejamiento del cargo del Presidente constitucionalmente elegido; 3) reiterar, ante los graves hechos ocurridos en la República del Ecuador, que es responsabilidad constitucional de las fuerzas armadas y de seguridad defender y preservar el orden democrático y las autoridades constituidas; 4) respaldar al gobierno del Presidente Noboa y sus esfuerzos por restablecer la estabilidad institucional, recuperar la gobernabilidad de la Nación, y preservar el Estado de Derecho; 5) formular un llamamiento a las instituciones del Estado de Derecho y a todos los sectores políticos, sociales y económicos del Ecuador para que contribuyan, a través del diálogo y la negociación, a fortalecer las instituciones democráticas y a favorecer el desarrollo económico y social del pueblo ecuatoriano; 6) exhortar a las instituciones financieras internacionales a cooperar, con la urgencia que la situación impone, con el Gobierno Constitucional de la República del Ecuador, en la puesta en práctica de un plan económico que contribuya al desarrollo integral y estabilidad del país; 7) reafirmar su compromiso con la promoción y defensa de los valores y las instituciones democráticas, de acuerdo con los propósitos, principios y normas vigentes en el sistema interamericano y encargar al Secretario General que mantenga informado al Consejo Permanente sobre la presente resolución.

Casi dos meses más tarde, el Canciller de Ecuador, Heinz Moeller Freile, al hablar ante el Consejo Permanente de la OEA, resaltó la respuesta de la comunidad internacional, en general, y de la OEA, en particular, pues hicieron entender que "la cláusula democrática existe en América", y que ya no hay espacio para las dictaduras. En ese orden, rindió homenaje, en nombre de su país, a la intervención "eficiente, oportuna y clara" de la OEA, que proveyó el ingrediente que hacía falta para sostener "la debilitada democracia ecuatoriana".

12) Paraguay

En la madrugada del viernes 19 de mayo de 2000, Paraguay se vio sobresaltado por un alzamiento militar en contra del Presidente Luis González Macchi, que fue rápidamente controlado por las fuerzas leales. Los sublevados, sindicados por el gobierno como seguidores del "organizador y responsable" del golpe, el prófugo ex general Lino Oviedo, se rindieron sin ofrecer resistencia.[180] El alzamiento duró apenas seis horas pero alcanzó para sembrar una gran preocupación en toda la región. A poco más de un año del asesinato del Vicepresidente, Paraguay se sacudía nuevamente viendo peligrar sus instituciones democráticas. La figura de Lino Oviedo volvía a ser sindicada como responsable de este nuevo atentado contra la democracia paraguaya. "El triunfo es nuestro. El enemigo está en fuga", fueron las palabras con las que el Presidente González

---

[180] *Clarín* digital/Internacionales: "*Paraguay: Sofocan el golpe pero crecen las dudas*" (sábado 20 de mayo de 2000).

Macchi intentó dar por cerrada "la jornada más violenta y controvertida que haya vivido el Paraguay en muchos meses".[181] Las autoridades paraguayas atribuyeron la frustrada intentona golpista a seguidores civiles y militares, algunos en situación de retiro, del ex general Lino Oviedo, quien fue detenido en el mes de junio, encontrándose pendiente un pedido de extradición del gobierno paraguayo ante su similar del Brasil. Los rebeldes tomaron por algunas horas el cuartel central de la Policía Nacional y el II Regimiento de Caballería, de donde salieron varios tanques que llegaron hasta la sede del Congreso y dispararon contra el Palacio Legislativo.

Como consecuencia de esos acontecimientos, y una vez detenidos todos los responsables, el gobierno paraguayo decretó el "estado de excepción" (estado de sitio), el que se prolongó hasta el 31 de mayo, en que fue levantado por medio de un decreto presidencial, con el argumento de que los objetivos del estado de excepción ya se han cumplido; pues, se ha "restituido el orden y la tranquilidad en todo el territorio nacional". El fallido alzamiento en Paraguay despertó un generalizado repudio internacional, así como un apoyo a las instituciones democráticas del país vecino.

El tema fue objeto de consideración en una sesión extraordinaria del Consejo Permanente de la OEA, convocada a solicitud del Representante Permanente del Paraguay, Embajador Diego Avente, la que se limitó a escuchar el informe presentado por este último, en el que se daba cuenta de los sucesos ocurridos en su país y en el que se expresaba que la situación estaba bajo control, y el país sometido al estado de excepción decretado por el gobierno. Asimismo, expresó el agradecimiento de su gobierno por el apoyo manifestado por los países del MERCOSUR y de la región, así como por el Secretario General de la OEA, César Gaviria. Las diversas intervenciones pronunciadas, en esa sesión, se orientaron a respaldar la democracia y sus instituciones y a condenar la intentona golpista en un país reiteradamente golpeado en los últimos años. Este nuevo ataque a la democracia fue "otro coletazo de los motines frustrados que fueron, hasta no hace tanto, uno de los rasgos centrales de la difícil historia institucional de América Latina. Además, ocurrió en Paraguay, paradigma de lo que hoy se define como la *democracia vacía de contenido de la región*, y no tuvo destino real alguno".[182]

[181] Ibid.

[182] "*Paraguay: una luz de alerta*", Oscar Raúl Cardozo. *Clarín digital*/Opinión/Panorama Internacional, sábado 20 de mayo de 2000.

La OEA salió de inmediato a ocuparse de estos desagradables sucesos, aunque sin que fuera necesario más que un pronunciamiento explícito, dado que la situación aparecía bajo control. En ese sentido, el Consejo Permanente de la Organización aprobó una resolución, cuyo texto fue circulado por el propio Embajador paraguayo. La resolución adoptada por el Consejo Permanente de la OEA, bajo el título "Respaldo al Gobierno Constitucional de la República del Paraguay", considera que la Carta de la Organización establece que "la democracia representativa es condición indispensable para la estabilidad, la paz y el desarrollo de la región". Asimismo, tiene presente los mecanismos consagrados en la Carta de la OEA para preservar, promover y consolidar la democracia, en especial su artículo 9, así como la resolución AG/RES. 1080 "Democracia Representativa", la Declaración de Santiago "Compromiso con la Democracia y la Renovación del Sistema Interamericano", y la Declaración de Managua; así como el compromiso democrático asumido por los países del MERCOSUR, Bolivia y Chile. Finalmente, resuelve: 1) expresar el pleno y decidido respaldo de la OEA al gobierno del Presidente Constitucional del Paraguay, Luis Angel González Macchi (esta referencia fue incluida pese a unas pocas opiniones que, informalmente, no veían apropiado calificar como "constitucional" al Presidente paraguayo, dado que éste se mantenía en el poder asumido luego de la renuncia del Presidente Cubas, no precisamente por seguir los pasos que establece la Constitución para llenar la vacante de Jefe de Estado); 2) condenar enérgicamente este atentado contra el orden democrático y constitucional del Paraguay; y 3) expresar su reconocimiento al Secretario General de la Organización por su rápida respuesta de apoyo al gobierno del Presidente Constitucional del Paraguay y al pueblo paraguayo y su valiosa contribución a la preservación de la democracia en dicho país. Asimismo, solicita al Secretario General que mantenga informado al Consejo Permanente.

El gobierno argentino siguió muy de cerca los acontecimientos, expresando su preocupación por la intentona golpista y formulando un llamado a respaldar y defender la democracia en el país vecino. Días antes de que se produjera el alzamiento, el Presidente argentino, Fernando De la Rúa, de visita en aquel país, proclamaba su "plena solidaridad con la democracia paraguaya".[183] Al mismo tiempo, destacó que la estabilidad institucional es "vital para la región".[184] Luego de ocurridos los acontecimientos de referencia, el propio Pre-

---

[183] *Clarín digital*/Política, lunes 15 de mayo de 2000.
[184] Ibid.

sidente de Argentina ratificó su "pleno respaldo a la democracia y la vigencia de las instituciones" en Paraguay.[185] El mismo día en que se produjeron los acontecimientos en aquel país, el gobierno argentino emitía el siguiente comunicado:

"Ante el intento de ruptura del orden civil interno en la hermana República del Paraguay, el gobierno argentino manifiesta su más enérgico rechazo a esta nueva maniobra destinada a subvertir la institucionalidad democrática paraguaya.

Recuerda en tal sentido los términos del compromiso democrático asumido por Paraguay junto a los países del MERCOSUR, Bolivia y Chile, contenidos en el Protocolo de Ushuaia, y exhorta a la responsabilidad cívica de quienes han asumido esta actitud para que depongan toda acción contraria al orden constitucional del país hermano.

Informa asimismo que, en ejercicio de la presidencia pro-tempore del MERCOSUR, ha iniciado un urgente proceso de consultas con los gobiernos de los países del MERCOSUR, Bolivia y Chile, a efectos de adoptar una posición común frente a la situación planteada, proceso que en estos momentos se instrumenta a través de las representaciones diplomáticas acreditadas en Asunción".

Precisamente, a instancias del Embajador argentino en Paraguay, José María Berro Madero, se emitió en Asunción el siguiente comunicado conjunto: "Los Embajadores de los países del MERCOSUR, Bolivia y Chile, reunidos en emergencia ante los acontecimientos que son del dominio público, expresan en nombre de sus gobiernos el más firme rechazo al uso de la violencia, la fuerza y cualquier otra acción que intente vulnerar las instituciones y el orden constitucional del Paraguay; recordando al respecto los principios rectores establecidos en apoyo de la democracia en el Protocolo de Ushuaia".

También fue altamente significativo el liderazgo de Argentina, que ocupaba la Presidencia Pro-Témpore del MERCOSUR, para emitir el siguiente comunicado de prensa conjunto:

"Los países del MERCOSUR, Bolivia y Chile han seguido con suma atención y particular preocupación los recientes acontecimientos ocurridos en la her-

---

[185] *Clarín digital*/Internacionales, sábado 20 de mayo de 2000.

mana República del Paraguay. En tal sentido, desean ratificar los términos del comunicado emitido en Asunción en la madrugada del día 19 del corriente y que dice: (se repite el comunicado reproducido precedentemente).

Reiteran que la democracia es pilar fundamental de toda sociedad que aspira a un desarrollo económico y social equitativo, estable y duradero y condición esencial en el marco del proceso de integración del MERCOSUR.

Al señalar su satisfacción por la prevalencia del respeto a la Constitución y al Estado de Derecho, los países del MERCOSUR, Bolivia y Chile manifiestan que continuarán respaldando firmemente los esfuerzos que realiza el pueblo paraguayo para afianzar definitivamente el proceso de institucionalización democrática en ese país".

13) Perú

Nuevamente, el hemisferio volvía a oír hablar de Fujimori. Desde el calificado por muchos "autogolpe" de 1992, cuando cerró el Congreso y disolvió la Corte Suprema de Justicia, Fujimori arrastró para sus detractores el mote de "dictador", pese a que revalidó sus títulos en 1995, cuando en las elecciones presidenciales de ese año derrotó al ex Secretario General de las Naciones Unidas, Javier Pérez de Cuellar. El 9 de abril de 2000 se llevaron a cabo nuevas elecciones presidenciales en el Perú, de las que participaron el propio Presidente Alberto Fujimori, y el opositor Alejandro Toledo. Luego de algunos días de escrutinio se confirmó que, como resultado de las elecciones —que habían sido precedidas de numerosas denuncias de fraude—, ninguno de los dos candidatos habían superado el 50% de los votos, con lo que se hacía necesario llamar a una segunda vuelta, la cual —conforme a los términos que exige la Constitución del país— se fijó para el día 28 de mayo de 2000.

Pero esto no quedaba allí. La primera vuelta electoral se vio ensombrecida por las denuncias de fraude e irregularidades por parte de la oposición y diversos sectores nacionales, como por los distintos observadores internacionales que se dieron cita en el país. La OEA había enviado, conforme a la oportuna invitación del gobierno del Perú, una misión de observación electoral (MOE/OEA), la que estuvo presidida por el ex Canciller de Guatemala, Eduardo Stein. La primera elección, según el informe de la MOE/OEA, enfrentó "una severa crisis de credibilidad" generada por la presencia de "inequidades, anomalías, problemas y peculiaridades" durante el proceso. En sus consideraciones finales, el informe de la OEA señalaba que "la salud política de este proceso electoral y la consecuente estabilidad de la convivencia ciudadana demandan que el resultado final de la segunda votación presidencial tenga suficiente validez ante la población y sea plenamente aceptado". "Lo ocurrido en la primera vuelta no brinda esas garantías", agregó.[186]

Los innumerables cuestionamientos de que era objeto el sistema de cómputos por parte de la MOE/OEA y de diversos observadores internacionales, de los que diversos países se hacían eco, desataron intensas presiones que pugnaban por una postergación de la segunda vuelta electoral, por el término de 10 días, para que se superaran los problemas técnicos, de modo de acreditar que el sistema estaba en adecuadas condiciones para el acto comicial. La respuesta oficial del gobierno de Fujimori fue que no podía alterarse el mecanismo dispuesto por la Constitución Nacional, con lo que la segunda ronda se mantendría para el 28 de mayo.

Si bien la MO/OEA había insistido en que se requería un plazo mínimo de diez días para verificar el programa de cómputo para el ballotage, la Oficina Nacional de Procesos Electorales (ONPE) de Perú aseguró en la mañana del 25 de mayo, tres días antes de los comicios, que ha comprobado "fehacientemente" que su sistema informático de cómputo de votos está "completo y expedito" para la segunda vuelta. Todo ello, pese a que en los días previos habían surgido numerosos indicios sobre la postergación del ballotage entre Fujimori y Toledo, existiendo negociaciones en ese sentido encaminadas por el Jefe de la Misión de la OEA con los dos candidatos. Con todo, los comicios no fueron aplazados, sino que se llevaron a cabo el día 28 de mayo, otorgándole a Fujimori una abrumadora victoria frente al candidato Toledo, quien pese a haber anunciado que no participaría en el acto comicial, nunca retiró formalmente su candidatura. El ballotage también se llevó a cabo sin la observación de la MOE/OEA, que había decidido retirarse del país.

El debate del tema llegó al seno del Consejo Permanente en su sesión del día 31 de mayo, convocada para recibir el informe del Jefe de la Misión de Observación Electoral de la OEA en el Perú. Ese informe, que entonces tenía carácter de preliminar, indicaba en su primer párrafo que "la MOE/OEA, desde su observación, no pudo identificar y comprobar cambios sustantivos que

---

[186] Ver Informe MOE/OEA. También: *Clarín digital*/Internacionales, *"Perú: la OEA advierte"*, sábado 13 de mayo de 2000.

permitieran remontar y superar los problemas registrados en la primera vuelta electoral, debidamente consignados en sucesivos boletines de la Misión, arrojando su balance general del proceso la persistencia de un cuadro de insuficiencias, irregularidades, inconsistencias e inequidades que condujo a considerar el proceso electoral en su conjunto como irregular, aplicando una de las categorías que para la calificación de las elecciones contempla el *Manual para la Organización de Misiones de Observación Electo*ral, emitido por la Secretaría General de la Organización de los Estados Americanos".[187]

El intenso debate generado a partir de la presentación del informe, en la reunión del Consejo, dejó en claro que la Organización no estaba en condiciones de adoptar ninguna medida en contra del gobierno del Presidente Fujimori. La mayoría de los países latinoamericanos, encabezados por México y Brasil, insistieron en reafirmar el principio de no-intervención, restando consenso a una iniciativa de Estados Unidos para que se pusiera en marcha el mecanismo de la resolución 1080.

Este último país, entonces, quedó solo en su postura hasta que vio un resquicio para avanzar su iniciativa cuando el Representante Permanente de Guatemala propuso la convocatoria, no ya a una Reunión Ad Hoc como perseguía Estados Unidos conforme al mecanismo de la 1080, sino a una Reunión de Consulta de Ministros de Relaciones Exteriores, en el marco de lo previsto en los artículos 61 y 62 de la Carta de la OEA. Sin embargo, pese a existir pronunciamientos expresos de condena respecto del Perú por algunas delegaciones, entre ellas Costa Rica y Panamá, tampoco se acogió esta propuesta. A lo sumo, y dada la proximidad de la Asamblea General de la Organización, cuyo XXX período se iba a llevar a cabo del 4 al 6 de junio, en Windsor (Canadá), se decidió diferir el tratamiento del proceso electoral peruano a la atención de los Ministros de Relaciones Exteriores, que se reunirían en la mencionada ciudad canadiense.[188]

En la Asamblea General de la OEA en Windsor, el tema Perú fue objeto de consideración en dos oportunidades. Por un lado, estando pendiente el tratamiento de un proyecto de resolución, éste comenzó siendo tratado privadamente entre los Cancilleres el domingo 4 de junio, luego de la inauguración

[187] Misión de Observación Electoral Elecciones Generales República del Perú Año 2000, Informe Preliminar al Secretario General, Washington DC, 31 de mayo de 2000.

[188] Ver Actas sobre los debates y desarrollo de la sesión del Consejo Permanente (CP/ACTA 31 de mayo de 2000).

formal; continuando su tratamiento durante el lunes 5 de junio en una reunión paralela al plenario, que adoptó finalmente en las últimas horas de ese día dicha resolución. La otra ocasión, prevista para tratar el proceso electoral peruano, fue como segundo tema del diálogo de jefes de delegación, el que tuvo lugar efectivamente en las últimas horas del lunes 5, con la aprobación de la resolución. Antes de pasar a considerar la resolución adoptada, es importante destacar que la cuestión de Perú absorbió toda la atención de la Asamblea General, la que se vio "peruanizada" por la mayúscula atención que generó entre todas las delegaciones participantes, así como entre los medios de prensa y organizaciones no gubernamentales que concurrieron a la cita de Windsor, en medio de las protestas y manifestaciones de diversos sectores de la sociedad civil que, siguiendo una práctica instaurada en Seattle —en la reunión de la OMC— y continuando por Washington —en las reuniones del FMI y del Banco Mundial— culpaban ahora a la OEA —por tratarse de un organismo internacional, según los manifestantes, responsable con las otras entidades del hambre, pobreza y desocupación que padece el mundo.

Si bien la respuesta de la OEA no colmó las expectativas iniciales —que esperaban no sólo una condena sino la adopción de sanciones concretas contra el gobierno de Fujimori—, la Organización respondió sobre la base del consenso y de la voluntad política real del hemisferio. Es importante insistir en que la OEA no es una organización supranacional, capaz de desvincular su accionar de la voluntad de sus Estados miembros. Son estos últimos los que, en definitiva, impulsan, negocian y consagran las medidas adoptadas. En ese sentido, cabe preguntarse qué medidas podría haber adoptado la Organización. Desde el punto de vista jurídico, no es posible considerar otras medidas que las que expresamente prevé la Carta, las que deben adoptarse con la mayoría requerida. La resolución adoptada, no obstante, contiene párrafos considerativos muy duros, que recogen las conclusiones de la MOE/OEA en Perú. El envío de una misión de alto nivel conformada por el Presidente de la AGOEA, el Canciller canadiense Lloyd Axworthy, y el Secretario General de la OEA, César Gaviria, resultó la alternativa más viable a la luz de las circunstancias y de las posibilidades reales en juego. La adopción de algún tipo de sanciones sólo quedaba reducida al ámbito bilateral.

En síntesis, la resolución adoptada por la AGOEA bajo el título "Misión del Presidente de la Asamblea General y del Secretario General de la OEA en Perú" hace referencia, en su parte considerativa, a los instrumentos interamericanos relativos a la democracia —Compromiso de Santiago, Declaración de Managua, y Declaraciones y Planes de Acción de las Cumbres Hemisféricas de Miami (1994) y Santiago (1998)—, a la vez que toma nota de las conclusiones presentadas en el informe de la Misión de Observación Electoral, y expresa su preocupación de que "la credibilidad del proceso y el resultado de esas elecciones ha sido menoscabada por persistentes informes de irregularidades que no se han examinado satisfactoriamente, incluidos los problemas del proceso electoral en sí y las deficiencias institucionales existentes"[189]

Asimismo, reconoce que "tanto el Perú como el informe de la Misión de Observación Electoral han llamado la atención sobre la necesidad urgente de seguir fortaleciendo las instituciones democráticas en ese país, en particular el Poder Judicial, el Ministerio Público, el Tribunal Constitucional y el Consejo Nacional de Magistrados, así como de reformar el proceso electoral y fortalecer la libertad de prensa".[190] Sobre la base de las consideraciones precedentes, la Asamblea General de la OEA resolvió: "1) Enviar al Perú de inmediato una Misión integrada por el Presidente de la Asamblea General y el Secretario General de la OEA con el fin de explorar, con el Gobierno del Perú y otros sectores de la comunidad política, opciones y recomendaciones dirigidas a un mayor fortalecimiento de la democracia en ese país, en particular medidas para reformar el proceso electoral, incluidos la reforma de los tribunales judiciales y constitucionales y el fortalecimiento de la libertad de prensa. 2) Acordar que la Misión informe a los Ministros de Relaciones Exteriores de los países miembros de la OEA en la forma que sea determinada por la propia Misión a fin de permitir la plena consideración de sus conclusiones y recomendaciones e iniciar las acciones de seguimiento que se estimen apropiadas".[191]

Cabe agregar que la resolución adoptada no satisfizo por entero a ninguna delegación, pero fue lo que más se acercó al consenso reinante. Después de veinticuatro horas ininterrumpidas de debates, con negociaciones paralelas a puertas cerradas, y con diversos textos alternativos para incorporar en la resolución, la Asamblea terminó aprobando la propuesta canadiense modificada para enviar la Misión "por invitación del propio gobierno del Perú". La Asamblea acordó que la Misión informe a los Cancilleres de los países miembros, "en la forma que sea determinada por la propia misión, a fin de permitir la plena

---

[189] AG/doc.3928/00 rev.3 - 5 junio 2000.
[190] Ibid.
[191] Ibid.

consideración de sus conclusiones y recomendaciones e iniciar las acciones de seguimiento que se estimen apropiadas".

Este acuerdo representó un compromiso para superar una de las mayores objeciones peruanas, ya que la propuesta original contemplaba que la misión presentara su informe a una Reunión Ad Hoc de Cancilleres, convocada tan pronto terminara la Misión. Para muchos de los Cancilleres lo importante fue que la resolución recogió la preocupación por la pérdida de credibilidad de las elecciones peruanas, a la vez que tomó nota de las conclusiones presentadas por la MOE/OEA. Sin embargo, el Canciller de Venezuela se distanció del consenso por considerar excesivo el mandato dado a la Misión, y por temor de que este acuerdo siente un precedente para intervenir en los asuntos internos de los Estados. En la fase inicial de los debates hubo delegaciones que se enrolaron en esa línea y prefirieron hablar "de aquí en adelante", dando por consolidada la situación en Perú —como México y Venezuela, que se estaban alistando para las elecciones en sus países, o como Brasil, que tomaba distancia de sus otros colegas del MERCOSUR— y sugiriendo algunas medidas para mejorar el proceso electoral en aquel país con miras a las elecciones por venir en cinco años.

La Misión Especial de la OEA, compuesta por el Canciller de Canadá y el Secretario General de la Organización, se trasladó a Perú entre los días 27 al 30 de junio de 2000, siendo precedida por una misión de avanzada de la que participaron funcionarios de la Misión Permanente de Canadá ante la OEA así como de la Secretaría General. Durante su estada en Lima, mantuvieron entrevistas con el propio Presidente Fujimori y con la oposición, así como con representantes de diversos sectores del país.

Con posterioridad, se presentó el "Primer Informe Provisional sobre la Misión a Perú", el que fue remitido a los Cancilleres de todo el hemisferio, echando por tierra las expectativas iniciales de que éstos fueran informados en una reunión especial. En dicho Informe, la Misión indicaba que logró la aceptación pública del gobierno, los dirigentes de la oposición y el Defensor del Pueblo del Perú de participar en un proceso de consideración de las propuestas formuladas por la Misión y con un proceso de seguimiento por parte de la OEA.

Las propuestas presentadas abarcaban cinco esferas: 1) reforma de la administración de justicia, fortalecimiento del régimen de derecho y garantía de la separación de poderes; 2) libertad de expresión y de prensa; 3) reforma electoral; 4) supervisión y equilibrio de poderes; y 5) control civil de las actividades de los servicios de inteligencia y las fuerzas armadas. Según el mencionado informe, "queda por formular y acordar un calendario y una estructura del proceso de reforma. En sus diversas consultas, la Misión recalcó que las reformas necesarias para fortalecer las estructuras democráticas debían materializarse, a más tardar, en las próximas elecciones municipales de 2002 para que sean efectivas y creíbles".

Finalmente, la Misión dejó en claro que su papel terminará sólo cuando se implementen las propuestas que se acuerden. A tal fin, la Misión estableció en Lima una Oficina Permanente, para realizar consultas y promover el diálogo entre los dirigentes políticos y cívicos así como controlar los avances e informar periódicamente a la Misión, a cuyo frente fue designado el Canciller de Republica Dominicana, Eduardo Latorre.

El resto de la historia ya se conoce. Luego de haber asumido Fujimori su tercer mandato, a cuyo acto asistió el Presidente del Ecuador como el único Jefe de Estado de la región, y de haberlo ejercido por un escaso tiempo, el Presidente peruano sucumbía a las presiones internas y externas y, desde Japón, donde se había refugiado, presentó su renuncia al cargo de Presidente del Perú. A ello siguió la convocatoria a elecciones presidenciales, en las que resultó electo Alejandro Toledo.

El gobierno argentino, en tanto, siguió con atención el desarrollo del proceso electoral peruano, y su calificación por parte de la Misión de Observación Electoral de la OEA. Sobre la base de la promoción y defensa de la democracia, como pilares de la política exterior argentina, el gobierno nacional no escatimó en seguir una posición de liderazgo —aunque buscando partir de un consenso a nivel del MERCOSUR— para enfrentar la situación generada en el país andino, luego de la denuncia de irregularidades y fraude que tiñeron la primera vuelta electoral el 9 de abril.

Las razones abundan para entender la preocupación argentina respecto de los sucesos en Perú. Nuestro libertador máximo, el Gral. José de San Martín, jugó un papel decisivo en la independencia de aquel país, y a partir de allí, siempre existió una relación muy estrecha que fue palpable en el papel de garante que le cupo a nuestro país en el Acuerdo de paz entre Perú y Ecuador, así como en el apoyo expreso manifestado en favor de Argentina, durante el conflicto de las islas Malvinas. Si bien una cuestión todavía no completamente dilucidada, como fue el envío de armas y municiones argentinas a Ecuador, generó no poca inquietud en las relaciones bilaterales, no fueron suficientes para causar su serio deterioro. Por ello, quizá, resultó un poco inesperada para los peruanos la posición de nuestro país exhibida por el propio Canciller, Adalberto Rodríguez Giavarini, en el sentido de hacer hincapié en las irregularidades y falencias del proceso electoral que eran denunciadas por la MOE/OEA, la Comisión Interamericana de Derechos Humanos (CIDH), así como diversas organizaciones y observadores internacionales.

Previo a la cita de Windsor y en ocasión de presentarse el informe de la MOE/OEA en el Consejo Permanente, el Representante Permanente de Argentina, Juan José Arcuri, decía: "No cabe duda que estamos frente a una cuestión doblemente sensible: por un lado la OEA, a través de una Misión de Observación Electoral, solicitada por el gobierno peruano, es invitada a participar en un proceso de orden interno pero que, por su naturaleza, trasciende el ámbito doméstico para ser objeto del interés de la región en su conjunto".[192] Más adelante, el representante argentino observaba que, "a juzgar por el informe, así como por la serie de boletines de la Misión, los esfuerzos desplegados para asegurar la transparencia y la credibilidad deseadas tropezaron con factores tales como: un cuadro de insuficiencias, irregularidades, inconsistencias e inequidades... En ese contexto, y a la luz de lo que hemos escuchado, no podemos menos que lamentar y tomar nota con preocupación de que tales irregularidades hayan afectado la credibilidad, la transparencia y la legitimidad de estas elecciones".[193]

Luego de hacer hincapié en los mecanismos interamericanos de promoción y fortalecimiento de la democracia, el representante argentino daba cuenta del seguimiento que nuestro país venía haciendo del proceso electoral peruano, "por el especial afecto y respeto que siente por el Perú, sin la intención de intervenir en sus asuntos internos, pero con el convencimiento de la significación que tiene para la región la consolidación de los procesos e instituciones democráticas". Finalmente, destacaba como propósito del gobierno, "seguir considerando alternativas que permitan a la región hacer frente a situaciones o circunstancias que puedan amenazar, desvirtuar o poner en tela de juicio la esencia de la democracia, sus valores, principios e instituciones."[194]

Posteriormente, en declaraciones a la prensa antes de llegar a Canadá, el Ministro de Relaciones Exteriores de nuestro país indicaba que "la posición ar-

---

[192] Acta Consejo Permanente, sesión 31 de mayo de 2000.
[193] Ibid.
[194] Ibid.

gentina va a ser a favor de la calidad institucional democrática, la plena vigencia de los valores que constituyen la democracia y, al mismo tiempo, de una profunda prudencia o gran respeto por la no intervención".[195]

En la Asamblea General de la OEA, en Windsor, y aún antes de su llegada a ese encuentro, el Canciller argentino manifestó el interés de nuestro país en la protección y defensa de la calidad de la democracia en el hemisferio. Durante el tratamiento que mereció la resolución que finalmente fue aprobada por la Asamblea, el Canciller Rodríguez Giavarini apeló al informe de la MOE/OEA y al de la CIDH para interpretar el desarrollo del proceso electoral en el Perú, sosteniendo hasta el último minuto una posición de decidida defensa del sistema democrático y de sus instituciones, y rechazando cualquier iniciativa de la Organización que pueda ser entendida como una legitimación de las elecciones en el Perú.

La posición argentina brilló por su firmeza ante la tibieza exhibida por los restantes países del MERCOSUR, particularmente Brasil, cuyo Canciller entendía que la OEA no debía inmiscuirse en este asunto interno y había que mirar hacia el futuro. Una vez alcanzado un consenso en torno de la resolución, ésta fue aprobada dentro del segundo tema del diálogo de los Jefes de Delegación. En esa oportunidad, el Ministro de Relaciones Exteriores de Argentina señaló: "Hemos estado viviendo hasta estos días situaciones que han llevado desasosiego e inquietud a nuestras sociedades y que por acciones claras, contundentes, de muchos países del Continente y en particular de esta Organización señera, pudieron evitar males mayores a la democracia y consolidaron un sistema de gobierno que es al cual todos estamos profundamente comprometidos, y no sólo en las formas sino en el fondo".[196]

Luego de indicar su satisfacción porque "haya sido el consenso quien está trabajando un texto de estas características", y de haber tenido en cuenta el informe de Eduardo Stein como el de la Comisión Interamericana de Derechos Humanos y lo dicho por todos los Cancilleres del Continente, remarcó como características de nuestro gobierno un "diálogo abierto, franco, veraz, previsible y que en toda esta acción hicimos lo que dijimos que íbamos a hacer, en todo momento". Previo a anticipar que Argentina seguiría muy de cerca y apoyando la gestión de la Misión Especial, establecida por la resolución aprobada, el Ministro expresaba "la alegría de saber que todo el Continente está unido para

---

[195] *Clarín digital*/Internacionales, Miércoles 31 de mayo de 2000.
[196] Actas Segunda Sesión Plenaria XXX AGOE, Windsor (Canadá), 4-6 junio 2000.

preservar la democracia, para mejorar la democracia, para defender los derechos humanos y para hacer de América... una gran familia. Si no, lo único que se puede esperar es la disolución. Estoy seguro que este camino que estamos recorriendo tiene un objetivo y un final que estoy seguro que alcanzaremos, que es la unidad, la calidad institucional de la democracia, la plena vigencia de los derechos humanos, las libertades fundamentales cívicas y políticas".

Horas después, el Canciller Rodríguez Giavarini declaraba a un diario nacional que la resolución aprobada en el seno de la AGOEA sobre la crisis institucional peruana "forma parte de la moderna concepción de intervención" en un país. El Canciller explicó que "cuando no existen garantías de respeto a los derechos humanos, a los principios democráticos y a la libertad de prensa es legítimo inmiscuirse en los asuntos internos de otra nación".

Siempre según un artículo publicado por *La Nación*, agregó que "la Argentina no tuvo una posición neutral" frente a las irregularidades verificadas en el proceso electoral que consagró a Alberto Fujimori para un tercer mandato consecutivo. Por el contrario, el Canciller afirmó que la OEA hizo "un diagnóstico grave" de lo ocurrido en Perú. Explicó, finalmente, que "la postura que se impuso entre los cancilleres que analizaron la delicada situación de Perú en Canadá fue apostar a un compromiso democrático que no salvaguardara a Fujimori ni marginara definitivamente a Toledo... La OEA dio una resolución histórica al asunto que revitalizará el papel del organismo".[197]

Finalmente, el Presidente de la Nación, Fernando De la Rúa, al participar de una sesión protocolar en su honor del Consejo Permanente de la OEA, el 14 de junio de 2000, definió el marco dentro del cual entendía debe desenvolverse la acción colectiva, al hacer un llamado para "fortalecer la calidad de la democracia en el hemisferio, respetando el principio de la no intervención, que 'para nosotros es sagrado'". Este principio, dijo, "debe complementarse con la no indiferencia". También se refirió a la necesidad de examinar las condiciones en que la democracia se desenvuelve, la plenitud de las libertades y la transparencia completa de los procesos electorales, agregando que "la OEA debe contribuir a esa causa como una vigía solidaria de una democracia creciente y afirmada".[198]

¿Qué consecuencias inmediatas provocó la posición argentina? La posición resultó coincidente con las de Estados Unidos y Canadá en defensa de la de-

[197] "*La resolución de la OEA 'una moderna intervención' en Perú*", *La Naciónline*/Exterior (8-6-00)
[198] Comunicado de Prensa OEA, junio 14 de 2000 (C-118/00).

mocracia, sin contar en el grupo a otras delegaciones menores. La delegación peruana decidió expresar su rechazo por la posición argentina, abandonando la sala del plenario en la Asamblea General en el momento en que se presentaba la tradicional "Declaración sobre la Cuestión de las Islas Malvinas", para retornar inmediatamente después de adoptada ésta. Esta y otras actitudes negativas, y a la vez aislacionistas, no favorecieron la posición del Perú en el seno de la OEA y, probablemente, fueron el germen de la resistencia de muchas delegaciones a posteriores iniciativas peruanas, como la candidatura de su país para llenar una vacante producida en la Junta de Auditores Internos de la OEA, que sólo pudo materializarse una vez desaparecido el régimen fujimorista. Otra prueba de ello fue la virtual ausencia de casi todos los mandatarios de la región —incluido el Presidente argentino— en el acto de asunción al tercer mandato del Presidente Fujimori.

Es importante notar que, una recorrida por diversos artículos de prensa aparecidos durante y después de la AGOEA, no fueron muy generosos con la OEA, pues le atribuyeron escasa o nula efectividad frente al caso peruano. En estos tiempos en que los organismos internacionales están siendo cuestionados, se aguardaba un mensaje diferente, una actitud más encomiable, una acción más decidida, una condena más sólida respecto del proceso electoral peruano. Sin apelar a parte de esos artículos y editoriales de prensa, que serán tenidos en cuenta en la conclusión de este trabajo, baste ejemplificar con una cita del escritor Mario Vargas Llosa, quien luego del concluyente y severo informe de la MOE/OEA esperaba que la OEA "procediera a desconocer la burda farsa, a condenarla y a exigir nuevas elecciones bajo estricta vigilancia internacional, como lo pedían el pueblo peruano y numerosos gobiernos democráticos del mundo entero".

Sin embargo, nada de eso ocurrió en la reunión de ministros de Relaciones Exteriores de la OEA... pese al empeño que pusieron en ello los cuatro gobiernos que actuaron con verdadera consecuencia democrática y que es preciso recordar (los de Costa Rica, Canadá, Estados Unidos y Argentina) porque ellos representaron un saludable contraste de decencia y responsabilidad, en el feo espectáculo de cobardía, duplicidad o franca colusión con la dictadura andina que brindaron los demás..."[199] En la misma línea, el ex Secretario General de la ONU, Javier Pérez de Cuellar, criticó el papel jugado por la OEA en la crisis postelectoral

---

[199] "La inutilidad perniciosa", Mario Vargas Llosa. *Diario El País* (11 de junio 2000).

peruana al haber descartado la posibilidad de convocar a nuevas elecciones como una alternativa de solución.[200] Afirmaciones como estas también demuestran que no hay acuerdo sobre qué esperar respecto de un organismo internacional como la OEA. Volvemos al pensamiento que expresé inicialmente: ¿acaso la OEA es un ente supranacional, con voluntad y fuerza propias, absolutamente desligada de los países que la componen? Como corolario, en Windsor, el caso Perú expuso un liderazgo de Argentina que se convirtió en un referente en el hemisferio en materia de promoción y defensa de la democracia.

Fueron necesarias varias visitas de la Misión de Alto Nivel, el establecimiento de una "Mesa de Diálogo", y el monitoreo constante de la evolución de los acontecimientos políticos en el país por parte de los restantes Estados del hemisferio, para que Perú pudiera volver gradualmente a encaminarse por la senda de la democracia. Además de todos esos elementos, resultó decisivo que el entonces Presidente Fujimori abandonara el país en noviembre de 2001, renunciando al cargo desde Japón en donde reside hasta ahora. A partir de allí, se estableció un gobierno de transición, presidido por el Presidente Valentín Paniagua, y que derivó en la convocatoria a elecciones presidenciales, resultando electo, como ya dijimos, Alejandro Toledo.

En su visita a la OEA, para hablar ante el Consejo Permanente, el Canciller del Perú, Diego García-Sayán, tributó el agradecimiento de su pueblo y del gobierno por la acción de la organización al decir: "debo expresar mi público reconocimiento a los gobiernos que prestaron su respaldo a la lucha democrática del pueblo peruano y al papel cumplido por la Organización de los Estados Americanos. Con su desempeño desde la Asamblea General efectuada en Windsor en junio de 2002 frente al caso peruano, la OEA se ha vigorizado en su función de promover el respeto a los principios democráticos contenidos en la Carta."[201]

14) Haití

Luego de numerosas demoras, la República de Haití celebró elecciones legislativas, municipales y locales el 21 de mayo de 2000. Cabe destacar que las elecciones fueron continuamente aplazadas por más de un año, sobre la base

---

[200] Despacho de AFP, Lima, Julio 11, 2000.

[201] Acta de la Sesión Extraordinaria del Consejo Permanente de la OEA (OEA/Ser. G - CP/ACTA 1305/02), 13 febrero 2002.

de diversas argumentaciones. La confirmación de esta fecha fue posible a instancias de la presión ejercida por países como Estados Unidos y de organizaciones internacionales como la OEA. Como ya hemos visto anteriormente, la OEA nunca se desentendió de Haití y siempre trabajó en estrecha relación con las Naciones Unidas. En el seno de ambas organizaciones, siempre fue mayor la preocupación y más activa la participación de los países integrantes del denominado "grupo de amigos" del Secretario General de la OEA, entre los cuales se cuenta Argentina.

En forma acertada se consideró que estas elecciones eran vitales para la consolidación democrática del país, pues Haití no había tenido un parlamento en funcionamiento desde enero de 1999 y, como consecuencia de ello, estaban embargados cientos de millones de dólares de la muy necesaria ayuda para el desarrollo. El interés del electorado por participar también fue significativo, más de 29.000 candidatos se presentaron a unos 7.500 puestos elegidos en todo el país. Como era de esperar, la OEA envió una Misión de Observación Electoral, a cuyo frente el Secretario General de la Organización designó a Orlando Marville (Barbados).

Desde el 8 de marzo y hasta el 7 de julio de 2000, la MOE/OEA emitió 17 comunicados en los que se reflejaron numerosas dificultades en la preparación de las elecciones así como en la inscripción nacional de votantes, sumadas a los distintos hechos de violencia, seguidos de muertes y detenciones, que generaron un panorama sumamente desalentador.

El día de las elecciones se postergó por lo menos en tres ocasiones separadas y estas demoras, argumentó el informe de la Misión, tuvieron un efecto nocivo en el proceso electoral. Sin embargo, pese a las demoras y sus efectos, el Consejo Electoral Provisional (CEP) con el tiempo logró realizar las tareas necesarias para llevar adelante las elecciones del 21 de mayo de 2000, las que se produjeron ordenadamente y con la concurrencia a las urnas de, aproximadamente, un 60% de los votantes inscriptos.

No obstante, poco después del recuento de votos el proceso electoral ingresó en una etapa de franco deterioro, no sólo por la violencia y detenciones, sino también —conforme al testimonio de la MOE/OEA— por "un estado de desorganización y una falta de transparencia en la recopilación de los resultados y demoras en la publicación de estos resultados en muchas de las comunas".[202]

[202] Misión de Observación Electoral de la OEA en Haití: Informe del Jefe de Misión al Consejo Permanente de la OEA (OEA/Ser.G/CP/doc. 3340/00 - 13 julio 2000).

Asimismo, la Misión comparó los resultados de los diferentes niveles electorales y descubrió que había algunas discrepancias que alteraron el resultado en algunas elecciones, tanto en el Senado como en la Cámara de Diputados. Para la MOE/OEA, "la irregularidad más grave observada por la Misión... fue el cálculo del porcentaje de votos obtenidos por los candidatos a senadores", no respetándose las disposiciones de la Constitución y las leyes electorales.[203]

La controversia sobre el cálculo de resultados tuvo ramificaciones en el CEP mismo, cuyo Presidente dejó su puesto y salió del país para no tener que validar los cálculos del senado, según su declaración pública. La insistencia del CEP en la legitimidad de los resultados de primera vuelta, llevó al organismo a mantener la segunda ronda, fijada para el 9 de julio. Para entonces, las críticas y preocupaciones de los diferentes observadores internacionales y países del hemisferio y de la comunidad internacional —incluyendo las del Jefe de la MOE/OEA, del Secretario General de la ONU y del Secretario General de la OEA— se multiplicaban.

El 7 de julio, la Misión de la OEA anunciaba que no observaría la segunda ronda electoral argumentando que, "de acuerdo a las disposiciones de la legislación electoral haitiana, los resultados finales de las elecciones al senado como fueron proclamados por el Consejo Provisional Electoral (CEP) son incorrectos y la Misión no puede considerarlos precisos ni justos".[204] La Misión sostenía que "la metodología usada por el CEP para calcular los porcentajes de las elecciones senatoriales violan tanto la Constitución de Haití como la Ley Electoral, pues ambas señalan claramente que para ser elegido en la primera ronda, un candidato para el senado debe obtener la mayoría absoluta de todos los votos válidos".[205] En el mismo comunicado, la MOE/OEA decía haber sido testigo "de un proceso electoral cada vez más defectuoso debido a las irregularidades que incluyen la transmisión incorrecta de resultados, el tratamiento arbitrario de las quejas de los candidatos y los partidos políticos y la conducta irregular de elecciones parciales en algunas regiones".[206] Sobre la base de lo expresado precedentemente, la Misión deploraba "que la más alta autoridad electoral haya continuado afirmando estos resultados que son distorsionados por una metodología contraria a las propias leyes haitianas y a las normas interna-

---

[203] Ibid.
[204] Comunicado de Prensa MOE/OEA (C-127/00) Julio 7, 2000.
[205] Ibid.
[206] Ibid.

cionales de equidad y transparencia, lo que excluye una parte significativa de la población haitiana y viola el principio de una persona un voto".[207]

El día 13 de julio de 2000 se lleva a cabo una sesión del Consejo Permanente de la OEA, motivada por la solicitud de algunas delegaciones como Argentina, Canadá y Estados Unidos, de conocer el informe de la MOE/OEA. En esa ocasión, de la que también participó el Canciller de Hatí, Fritz Longchamp, el Jefe de la Misión, Orlando Marville, leyó el Informe presentado. El Canciller haitiano, al hablar en nombre de su gobierno, respondió a las críticas al método utilizado por el CEP para calcular los resultados senatoriales y enfatizó que su gobierno ha hecho todos los esfuerzos para mantener la credibilidad de las elecciones.

En la referida sesión, varias delegaciones de los Estados miembros manifestaron su apoyo al trabajo de la MOE/OEA, así como su voluntad de mantenerse comprometidos con Haití en esta difícil situación. Igualmente, destacaron los esfuerzos de la comunidad del Caribe (CARICOM) —que dedicó mayoritariamente su última Cumbre de Jefes de Gobierno a tratar la situación en aquel país— para encontrar una solución al problema planteado. Por su parte, el Secretario General de la OEA, César Gaviria, enfatizó que la Organización continuará apoyando la consolidación de la democracia en Hatí y dijo que la Secretaría General buscará la cooperación de los Estados miembros y de otras organizaciones como CARICOM y Naciones Unidas para encontrar una solución duradera a la crisis electoral.

La OEA hizo y continúa haciendo todo lo que está a su alcance para que se respete la legalidad y la institucionalidad democrática en Haití. CARICOM, por su parte, se atribuyó una responsabilidad primaria en el manejo de esta situación, aclarando que no defendían las decisiones del CEP pero que no eran tampoco partidarios de medidas o iniciativas que puedan desconocer la voluntad popular expresada en la primera vuelta, y que no se genere un desorden que tendría consecuencias caóticas para la estabilidad democrática del país.

Argentina, como se ha dicho en otra ocasión, ha venido siguiendo muy de cerca toda la cuestión vinculada con Haití, adoptando una actitud de permanente actividad como integrante del *grupo de amigos*. Con fecha 8 de abril de 2000, el gobierno argentino emitió la siguiente Declaración de Prensa:

[207] Ibid.

"Con motivo del aplazamiento de las elecciones legislativas, municipales y locales en la República de Haití, originalmente previstas para el pasado 19 de marzo, la incertidumbre consecuentemente creada y el deterioro del clima de convivencia que en los últimos días llegó a significar la valiosa pérdida de vidas, el gobierno argentino formula un llamado a las autoridades haitianas inspirado en el anhelo de una definitiva consolidación institucional en democracia en ese país. Tal es el rumbo inequívocamente elegido para la organización de la vida política en nuestras naciones americanas, así como para el desarrollo integral y armonioso de la región.

Argentina integra el "Grupo de Países Amigos" de Haití, con activa participación de nuestra Embajada en Puerto Príncipe y, junto a otros miembros de la comunidad de naciones, ha cooperado en diversas acciones orientadas a contribuir a la consolidación democrática y al fortalecimiento institucional. En tal sentido, merecen destacarse:

1. La participación en el embargo dispuesto por el Consejo de Seguridad de las Naciones Unidas para obligar a los militares haitianos a entregar el poder al entonces Presidente constitucional Jean Bertrand Aristide, cuyo gobierno fue reinstalado en 1994;

2. La participación —con 104 efectivos que actuaron en el Grupo Internacional de Observadores en la frontera entre la República Dominicana y Haití— en la Fuerza Internacional que aseguró el control del país previo al retorno del Presidente Aristide;

3. Nuestro país copatrocinó la Resolución 940/94 del Consejo de Seguridad de las Naciones Unidas, en virtud de la cual, en 1995, efectivos de la Gendarmería integraron las fuerzas de la Misión de las Naciones Unidas en Haití (UNMIH). Dicha fuerza se desplegó en todo el territorio haitiano como Policía Civil al tiempo que inició la tarea de formación de una Policía Nacional profesionalizada y respetuosa de los derechos humanos. En tal sentido, cabe señalar que posteriormente el Consejo de Seguridad de la ONU prorrogó, a solicitud del actual Presidente de Haití, el mandato de la UNMIH hasta agosto de 1997;

4. A partir del mes de noviembre de 1997, por Resolución del Consejo de Seguridad, se constituyó la Misión de Policía Civil de Naciones Unidas en Haití (MIPONUH). Dicha misión estuvo integrada hasta diciembre de 1999

por 140 miembros de la Gendarmería Argentina y por 110 miembros hasta marzo de 2000 en que culminó;

5. Argentina co-patrocinó la resolución de la Asamblea General de las Naciones Unidas de diciembre de 1999, que crea la Misión Internacional Civil de Apoyo a Haití (MICAH) con misión de consolidación de la paz, de las instituciones gubernamentales y el afianzamiento del sistema democrático. Asimismo, cabe citar:

6. La cooperación técnica en distintas áreas consideradas prioritarias por las autoridades de Haití mediante la asignación de un importante monto de los recursos del Fondo Argentino de Cooperación Horizontal (FO-AR).

7. Ayuda humanitaria a través de los "Cascos Blancos", que participaron en las tareas de distribución de la donación de cereales, efectuada por nuestro país a través del Programa Mundial de Alimentos (13.000 toneladas de maíz) y en proyectos para la provisión de agua en áreas rurales.

8. Condonación del 85% de la deuda que Haití mantenía con nuestro país. Aporte para el actual Mecanismo de Observación Electoral de la OEA.

Nuestro país observa con inquietud que la ayuda internacional pueda ser afectada por las demoras en el cumplimiento del calendario electoral. En ese contexto, recuerda y apoya la Declaración del Presidente del Consejo de Seguridad de las Naciones Unidas. Asimismo, apoya la Declaración del Presidente del Consejo Permanente de la OEA formulada en la sesión extraordinaria de dicho Consejo convocada el día 6 del corriente para tratar la situación de Haití.

El gobierno argentino espera que el esfuerzo en el diálogo permita a las autoridades haitianas una rápida convocatoria para la renovación de autoridades legislativas y locales, en los términos constitucionales previstos, contribuyendo así a fortalecer la estabilidad institucional en Haití."

Asimismo, en el tratamiento que la situación de Haití demandó en el seno del Consejo Permanente, en su sesión del 13 de julio, el Representante Permanente de Argentina, Juan José Arcuri, expresó el permanente interés del gobierno Argentino en la promoción y consolidación de la democracia en el hemisferio y su continuo seguimiento de la situación en ese país, lo que se hizo explícito a través de la participación argentina en el llamado "Grupo de Amigos", así como la participación de gendarmes en aquel país, y la actuación del ex Canciller argentino, Dante Caputo, como enviado especial y representante de los Secretarios Generales de la ONU y de la OEA. Luego de destacar el trabajo y dedicación puestos de manifiesto por los países del CARICOM en esta cuestión, "aunque no se hayan visto aún resultados palmarios", el representante argentino reafirmó el compromiso de nuestro país con todos los países de la región que necesiten ayuda para consolidar la democracia, y la esperanza de encontrar una solución al problema planteado y a "que la voluntad del pueblo haitiano sea expresada plenamente".

Cuando todos esperaban alguna medida o suceso que descomprimiera la situación en Haití, el conflicto no registraba mejora alguna. Por el contrario, el paso del tiempo parecía consolidar los resultados electorales que ponían en jaque la democracia en el país. Recordemos que la cuestión clave continuaba siendo las elecciones del 21 de mayo, luego de las cuales, los partidos de la oposición nucleados en la *Convergence Démocratique* solicitaron su anulación y la celebración de nuevas elecciones con un nuevo Consejo Electoral Provisional. Solicitaron también la renuncia del Presidente Preval y la instalación de un gobierno provisorio. Asimismo, el Presidente del CEP, Léon Manus, abandonó el país tras negarse a validar los resultados finales del acto electoral y, al parecer, temiendo seriamente por su vida.

Mediante la resolución CP/RES. 772 (1247/00), del 4 de agosto de 2000, se encomendó al Secretario General el mandato de "identificar, conjuntamente con el gobierno de Haití y otros sectores de la comunidad política y la sociedad civil, opciones y recomendaciones destinadas a resolver, a la mayor brevedad posible, dificultades como las que habían surgido de las diferentes interpretaciones de la Ley Electoral y para continuar fortaleciendo la democracia en ese país". Como resultado de ello, el Secretario General y al Secretario General Adjunto visitaron Haití, acompañados por los Representantes Permanentes de Argentina, de Chile y de Venezuela.

Posteriormente, el Secretario General Adjunto realizó tres viajes a ese país, entre septiembre y octubre de 2000, perfilándose ya en el principal negociador en la cuestión, con un involucramiento que excedió el del Secretario General.[208] ¿El resultado de todas estas visitas? Negativo. Pese a haberse reunido por primera vez, en el mes de octubre, representantes de *Fanni Lavalas* y la *Convergence Démocratique*, no fue posible alcanzar un acuerdo para resolver la crisis política.

---

[208] Los informes de estas visitas obran en los documentos CP/doc. 3349/00 y 3371/00.

Los vanos intentos de acercar a las partes y sin que se efectuara corrección alguna a las deficiencias identificadas el 21 de mayo, no obstaculizaron que se diera cumplimiento al calendario establecido por la Constitución de Haití y que se celebraran elecciones para Presidente y nueve Senadores, el 26 de noviembre de 2000. El candidato a Presidente era Jean-Bertrand Aristide, quien, como era previsible, fue consagrado ganador de la contienda electoral. La información oficial del CEP, que daba cuenta de un 60% de concurrencia de votantes, fue discutida por la oposición y por algunos observadores extranjeros. La OEA, sobre la base de lo ocurrido en mayo, no observó las elecciones. La opinión oficial de la Organización se daba a conocer en un comunicado de prensa emitido el 27 de noviembre, en el que se indicó que la decisión de las autoridades haitianas de proseguir con las elecciones del 26 de noviembre, a pesar de que no se había llegado al acuerdo nacional que había propugnado la Organización, evitaba una interrupción en el calendario de sucesión presidencial establecido por la Constitución de Haití, "pero no cumplía con la necesidad de garantizar una representación política y una participación ciudadana amplias que son esenciales para el desarrollo de la democracia haitiana".

El escaso optimismo que despertaba la situación había determinado, junto a otros motivos, que el Secretario General de las Naciones Unidas recomendara a la Asamblea General de la Organización que, a la luz de la agitación e inestabilidad políticas del país, no era aconsejable una renovación del mandato de la Misión Civil Internacional de Apoyo en Haití (MICAH), y recomendó que la Misión terminara cuando su mandato llegara a su fin el 6 de febrero de 2001, lo que finalmente ocurrió como se verá más adelante. Por entonces, aumentaba la presión internacional pugnando por una solución a la crisis política institucional del país. Luego de una de tantas visitas de funcionarios de Estados Unidos, el Presidente electo Aristide envió una carta al Presidente Bill Clinton, fechada el 27 de diciembre de 2000, la que contenía una lista de ocho puntos que Aristide se comprometía a cumplir como base para una salida a la crisis.

Sin entrar en el detalle, entre esos ocho puntos estaban: la rápida rectificación de los problemas relacionados con las elecciones del 21 de mayo mediante una segunda vuelta para elegir las bancas del Senado impugnadas (7); creación de un nuevo CEP, en consulta con figuras de la oposición; incrementar sustancialmente la cooperación bilateral para combatir el tráfico de drogas; designar a funcionarios competentes para puestos superiores de seguridad, incluida la Policía Nacional; procurar que se instale un gobierno de base amplia que incluya "tecnócratas" y miembros de la oposición; iniciar un diálogo con instituciones financieras internacionales para fortalecer el libre mercado y promover la inversión privada; negociar un acuerdo para la repatriación de inmigrantes ilegales. Quizás, el compromiso más importante del listado y que involucraba a la OEA, pese a que sus representantes no habían sido consultados al respecto, se refería al " fortalecimiento de las instituciones democráticas y la protección de los derechos humanos mediante el establecimiento de una comisión semi-permanente de la OEA para facilitar el diálogo entre líderes políticos, cívicos y empresariales de Haití y mediante la vigilancia internacional de la protección de los derechos humanos".

Pese al carácter bilateral de esos compromisos, éstos fueron la base de esfuerzos posteriores, tanto de la OEA como de CARICOM, para resolver la crisis. El traspaso del poder a una nueva administración en los Estados Unidos, en enero de 2001, aunque no fue indicado expresamente, le hizo perder un peso específico considerable a los "ocho puntos" ofrecidos por Aristide.

A esto siguieron comunicaciones y visitas a la OEA por el saliente Presidente Preval y por el Primer Ministro Alexis en las que se reafirmaron los compromisos citados. El oficialismo y la oposición, para esta última las elecciones de noviembre eran inconstitucionales, seguían tan distanciados como en el primer momento. A mediados de enero de 2001, representantes salientes del sector privado y de la sociedad civil presentaron una singular iniciativa que marcaba su disposición de participar en la solución de la crisis política del país, y pretendía un acercamiento entre los ochos puntos y la propuesta que acababa de presentar la *Convergence Démocratique* para la creación de un Gobierno Provisional como base para las negociaciones. Pese a la validez y conveniencia de las iniciativas planteadas, ellas no alcanzaban a torcer la voluntad del oficialismo, que ahora se concentraba en consagrar, el 7 de febrero de 2001, a Jean-Bertrand Aristide como el nuevo Presidente de Haití.

Los actos inaugurales convocaron a escasos dignatarios extranjeros, particularmente de los Estados miembros de la OEA sin contar al CARICOM, entre los cuales se contaban representantes especiales de Brasil, República Dominicana, Guatemala, México y Panamá, y con el ex Presidente de Venezuela, Carlos Andrés Pérez. En representación de la OEA y a nombre del Secretario General, participó el Secretario General Adjunto, Luigi Einaudi. Durante los dos días que permaneció este último en Port au Prince, mantuvo contactos con representantes de todos los sectores interesados, y con los del Grupo de Amigos del Secretario General de las Naciones Unidas para la cuestión de Haití. La última de esas reuniones con representantes del Grupo de Amigos se llevó a cabo en la residencia del Embajador de Argentina, en la que —entre otras cosas— se puso de manifiesto la preocupación generada a raíz de que la MICAH había concluido oficialmente.

Precisamente, el 12 de febrero de 2001, el Consejo de Seguridad de las Naciones Unidas emitió un informe en que tomó nota de la terminación del mandato de la MICAH y solicitó a los organismos, fondos y programas de las Naciones Unidas, particularmente al PNUD, que continuaran trabajando en estrecha colaboración con las autoridades haitianas con el fin de reestructurar la policía y el sistema de justicia y fortalecer los derechos humanos. De igual manera, el Consejo de Seguridad "alentó a la OEA, y particularmente a su Secretario General, a continuar identificando opciones y recomendaciones destinadas a resolver la actual situación política". Esto fue entendido como el traspaso formal, de la ONU a la OEA, de la cuestión de Haití. Vanos intentos, particularmente de Francia, para que la cuestión volviera al seno del supremo organismo internacional, fueron seguidos de diversos intentos, en el ámbito de la OEA, con miras a proporcionar una salida a la crisis haitiana. En ese sentido, diversas consultas informales se llevaron a cabo entre Einaudi y representantes del Grupo de Amigos en la OEA, así como con otros representantes con intenciones de incorporarse al grupo, tales como Brasil, El Salvador y, por supuesto, CARICOM.

El propio Einaudi recibió la noticia del Presidente Aristide, de que su Ministro de Relaciones Exteriores participaría en la sesión ordinaria del Consejo Permanente de la OEA, la que se llevó a cabo el 14 de marzo de 2001. En esa oportunidad, el señor Joseph Phillippe Antonio solicitó el apoyo del Consejo Permanente para establecer una comisión especial de la OEA sobre Haití. El Ministro haitiano se refería a una misión permanente o semi-permanente que siguiera el modelo de la mesa de diálogo establecida para el caso peruano, la que se creó sobre la base de lo decidido en la Asamblea General de la OEA en Windsor (Junio de 2000). Sin embargo, el contexto y las circunstancias eran totalmente distintos, y no podía establecerse un claro paralelismo, Sin embargo, no era la primera vez que el gobierno haitiano apelaba a este paralelismo, pues, después de las discutidas elecciones del 21 de mayo de 2000, representantes del gobierno del entonces Presidente Preval sugerían una salida similar a la adoptada por la OEA en Windsor para el caso peruano; es decir, los resultados electorales eran un *fait accompli* pero se prometía iniciar reformas a futuro.

La solicitud del Canciller haitiano al Consejo Permanente no tuvo éxito, no sólo por la falta de consenso en establecer tal misión sino también en razón de no haberse discutido siquiera el tiempo de su vigencia, su naturaleza, facultades, composición y financiamiento. Sin embargo, no podía dejarse que el representante haitiano regresara a su país con las manos vacías y sin respuesta alguna, por lo que el Consejo Permanente aprobó la resolución CP/RES. 786 (1267/01) corr.1, que resolvió, entre otras cosas:

1. "Expresar la convicción de que la solución de la crisis surgida a raíz de las elecciones del 21 de mayo de 2000 es fundamental para la democracia y el respeto de los derechos humanos en Haití.

2. Solicitar al Secretario General que realice las consultas necesarias con el gobierno de Haití y otros sectores de la comunidad política y la sociedad civil, teniendo en cuenta la exposición del Ministro de Relaciones Exteriores y Culto, sobre la posibilidad de un diálogo para resolver la crisis surgida a raíz de las elecciones del 21 de mayo de 2000 y el fortalecimiento de la democracia y el respeto de los derechos humanos en Haití.

3. Encomendar al Secretario General que presente al Consejo Permanente, a más tardar el 2 de mayo de 2001, un informe sobre sus consultas y, si procede, proponer otras medidas que pudieran contribuir al fortalecimiento del proceso democrático en Haití."[209]

Del 20 al 22 de abril de 2001 se llevó a cabo en Québec (Canadá) la III Cumbre de las Américas, de la que participaron los Jefes de Estado y de Gobierno de todos los Estados miembros de la OEA, entre ellos el Presidente de Haití. En los momentos previos a su realización, trascendieron comentarios informales que veían con preocupación la presencia de Aristide en la Cumbre, teniendo en cuenta la crisis todavía no resuelta en su país unida al hecho de que se estaba por aprobar en la máxima reunión hemisférica la denominada "clásula democrática". Algunas delegaciones —Argentina, Canadá, Chile, Estados Unidos y Perú, entre otras— llegaron a considerar, días antes, que la Cumbre de Jefes de Estado y de Gobierno pudiera aprobar una declaración

---

[209] CP/RES. 786 (1267/01) corr.1, "Apoyo a la Democracia en Haití", aprobada el 14 de marzo de 2001.

específica sobre Haití, en la que se expresara preocupación por la situación y los hechos de violencia surgidos en el país, y en la que se exhortara al gobierno haitiano a encontrar una solución de común acuerdo con los diversos sectores involucrados.

Esa iniciativa no prosperó, y la única referencia explícita que se hizo al caso haitiano fue expresada por el Primer Ministro de Canadá, Jean Chrétien, en su discurso de clausura:

"...Notamos además que en algunos países la democracia continúa siendo frágil. El caso de Haití atrajo particularmente nuestra atención. Reconocemos los problemas que continúan limitando el desarrollo democrático, político, económico y social de este país... Hacemos un llamado a todas las partes para que redoblen sus esfuerzos, en un espíritu de apertura y de conciliación, para superar las dificultades causadas por las elecciones del 21 de mayo de 2000. Solicitamos al Presidente Aristide que tome una acción rápida sobre todos los compromisos hechos en diciembre... Para facilitar el cumplimiento de estos objetivos, le hemos solicitado al Secretario General de la OEA, César Gaviria, que trabaje con CARICOM, para mantener consultas, para visitar Port au Prince en el futuro cercano, para informar sobre sus resultados a la OEA antes de la próxima Asamblea General, y para asegurar un adecuado seguimiento...".[210]

Como resultado de ese requerimiento, el Secretario General de la OEA visitó Port au Prince, junto con la ex Primera Ministra de Dominica, Dame Eugenia Charles, del 10 al 13 de mayo de 2001, como parte de una misión conjunta OEA-CARICOM. Los resultados de esa visita pueden resumirse en el discurso pronunciado por el Secretario General en el XXXI período ordinario de sesiones de la Asamblea General de la OEA, celebrado en San José de Costa Rica, del 3 al 5 de junio del mismo año: "...viajamos a Puerto Príncipe en un nuevo intento por desbloquear el proceso. Lamentablemente confirmamos la inexistencia de un clima propicio para iniciar la negociación entre las partes...".[211]

[210] Discurso del Primer Ministro de Canadá Jean Chrétien, en la ceremonia de clausura de la Cumbre de las Américas, 22 de abril de 2001, Québec, Canadá.
[211] Discurso del Secretario General de la OEA durante la instalación del trigésimo primer período ordinario de sesiones de la Asamblea General de la OEA, San José de Costa Rica, Junio 3 de 2001.

Luego de arduas negociaciones informales, que demandaron casi dos jornadas de la Asamblea General, ésta aprobó la resolución "Apoyo a la Democracia en Haití", en la que se recoge el compromiso del Presidente Aristide, fijando un plazo límite para la renovación del CEP (25 de junio de 2001) y requiriendo el apoyo de la OEA para tal fin. Asimismo, la citada resolución solicita al Consejo Permanente que "examine, con carácter de urgencia, el mandato, las modalidades, el presupuesto, el financiamiento y otras disposiciones relacionadas con el establecimiento de una posible Misión a Haití". Por último, encomienda al Secretario General que "redoble sus esfuerzos, en consulta con la CARICOM y con otros países interesados, para contribuir a la solución de la actual crisis política en Haití, a su desarrollo social y económico, al fortalecimiento de la democracia y el respeto a los derechos humanos en ese país"; y a que trabaje conjuntamente con los Estados Miembros en pos de la normalización de las relaciones entre Haití y la comunidad internacional, incluidas las instituciones financieras internacionales, a medida que se avanza hacia la consecución de una solución sostenible a la crisis surgida a raíz de las elecciones del 21 de mayo de 2000."[212]

Como consecuencia de aquella resolución, se intensificaron las gestiones en procura de alcanzar, con la mediación de la OEA, "un acuerdo consensual, sostenible y lo suficientemente amplio como para resolver la crisis política. Tratando de fomentar la confianza en un proceso paso a paso, la OEA adoptó un criterio que procuraba la firma de un acuerdo inicial en torno a una serie de elementos clave, a lo que seguiría más tarde la negociación de un acuerdo global en torno a una gama más amplia de elementos".[213]

Los elementos esenciales de ese acuerdo inicial eran la constitución de un consejo electoral creíble y un acuerdo sobre una serie de medidas que crearían un ambiente propicio para unas elecciones aceptables. Sin embargo, todos los esfuerzos resultaron en vano y no se pudo alcanzar un consenso suficientemente amplio para concluir las conversaciones, debido —según indica el V informe de la Misión de la OEA— a las profundas diferencias en cuanto a la fecha de las elecciones y la situación de los funcionarios locales elegidos el 21 de mayo de 2000 durante el período comprendido entre la firma de un acuerdo y la fecha de la celebración de nuevas elecciones. Una propuesta concreta de acuerdo presentada por la OEA en diciembre de 2001 tampoco produjo los resultados esperados.

[212] AG/RES. 1831 (XXXI-0/01) "Apoyo a la Democracia en Haití", 5 de junio de 2001.
[213] V Informe de la Misión de la OEA a Hatií, CP/doc. 3541/02, 8 de enero 2002, 1.

Los meses siguientes demostraron que los presuntos avances que puedan exhibir las negociaciones y las acciones multilaterales nunca parecen ser suficientes para encontrar una salida a la crisis política en Haití, que para entonces ya presentaba serias ramificaciones en el campo económico y social. La suspensión de la ayuda externa y el congelamiento de préstamos aprobados por instituciones financieras internacionales llevaron a un agotamiento de los recursos del país y a un agravamiento de la miseria y el sufrimiento de un pueblo que se debate a diario por la supervivencia. Ello sin mencionar que la violencia y el desencuentro entre los actores políticos en pugna se expandían sin solución de continuidad.

El 16 de enero de 2002, el Consejo Permanente de la OEA celebró una sesión extraordinaria a fin de analizar el deterioro de la situación de la seguridad y la intensificación de la violencia en el país caribeño, tras un ataque armado al palacio presidencial de Port-au-Prince en las primeras horas del 17 de diciembre de 2001, que fue calificado por las autoridades locales como un intento de golpe de Estado y descalificado por otros sectores, entre ellos la oposición, que veían cómo los locales de cuatro agrupaciones políticas que forman parte de la Convergencia —OPL, KONAKOM, MOCHRENA, ALAH, KID— así como las residencias de dirigentes y miembros de la CD fueron, en la mañana del mismo día, objeto de saqueos y presa de las llamas.

La preocupación existente entre los Estados miembros de la OEA e integrantes del Grupo de Amigos, así como de algunos países observadores ante la organización, se había hecho presente de inmediato en algunas reuniones informales para analizar la situación. Esto impuso que el Consejo Permanente tomara una decisión, la que quedó plasmada, el 16 de enero, en la resolución CP/RES. 806 (1303/02), titulada "La situación en Haití", la cual estableció un nuevo mandato para el Secretario General de la OEA. Las partes sustantivas de dicha resolución son:

• La realización de una investigación rigurosa e independiente de los incidentes relacionados con el 17 de diciembre de 2001;
• La indemnización de organizaciones y personas que sufrieron daños y perjuicios como resultado directo de los actos de violencia de esa fecha;
• El establecimiento de una misión de la OEA para fortalecer la democracia en Haití.

Con el objeto de encontrar "una solución a la actual crisis política", la resolución CP/RES. 806 describe el mandato de la nueva misión de la OEA de la siguiente manera:

• Investigar y evaluar la situación
• Apoyar al gobierno de Haití, a la sociedad civil haitiana y a los partidos políticos democráticos... para fortalecer las instituciones democráticas de Haití
• Seguir la marcha de los acontecimientos en Haití, como por ejemplo: a) respeto de la democracia representativa y; b) cumplimiento de cualquier acuerdo que derive de las negociaciones auspiciadas por la OEA.[214]

Sobre esta base la Secretaría General de la OEA suscribió un acuerdo con el gobierno para el establecimiento de la "Misión Especial de la OEA para el Fortalecimiento de la Democracia en Haití", integrada por 15 profesionales designados por los Estados miembros de la Organización, y que se concentrará en cuatro áreas programáticas:

1. Seguridad.
2. Justicia.
3. Derechos humanos.
4. Desarrollo democrático, gobernabilidad y fortalecimiento institucional.

Paralelo a ello, se estableció una "comisión de investigación", integrada por tres juristas del hemisferio (uno propuesto por la CARICOM y dos por la OEA), con funciones de cooperar en la investigación de los hechos del 17 de diciembre y formular recomendaciones al gobierno haitiano.

Entre los últimos desarrollos de la cuestión, al tiempo de concluir la presente obra, cabe mencionar que el 4 de abril de 2002 el Secretario General de la OEA nombró a David Lee, ex coordinador especial para Haití del Ministerio de Relaciones Exteriores de Canadá, como Jefe de la Misión Especial para el Fortalecimiento de la Democracia, y de Denneth Modeste, Asesor del Secretario General Adjunto, como Subjefe de la Misión. La Misión Especial comenzó a funcionar con la llegada a Haití del Subjefe de la Misión, el 10 de abril, y del Jefe de la Misión, el 20 de abril.

---

[214] Ver Primer Informe Provisional sobre el cumplimiento de la Resolucón CP/RES. 806 del Consejo Permanente sobre la Situación en Haití (CP/doc. 3567/02, 3 abril 2002).

El 4 de junio de 2002, en su XXXII período ordinario de sesiones, la Asamblea General de la OEA aprobó la resolución AG/RES. 1841 (XXXII-0/ 02), "La situación en Haití". Entre otras cosas, en la resolución se exhortó al gobierno, a todos los partidos políticos y a la sociedad civil a que ofrezcan su total apoyo al proceso de diálogo y a las actividades y recomendaciones de la Misión Especial de la OEA, la Comisión Investigadora y el Consejo Consultivo de Indemnizaciones. También se instó al gobierno de Haití y a todos los partidos políticos a que reanuden, con espíritu de compromiso, negociaciones con miras a lograr una solución a la crisis y, teniendo en cuenta las prerrogativas constitucionales electorales del Gobierno de aquel país, establecer un calendario para la celebración de elecciones legislativas y locales técnicamente viables, supervisadas por un consejo electoral independiente, confiable y neutral.

Una nueva ronda de consultas y negociaciones se abrió a partir de dicha resolución, que derivó en la presentación por parte del Secretario General Adjunto de la OEA, Embajador Luigi Einaudi, y el Canciller de Santa Lucía y Presidente del Consejo de Relaciones Exteriores de la CARICOM, Senador Julian Hunte, a los partidos *Fanni Lavalás* y *Convergence Democratique*, la revisión 9 del proyecto de acuerdo inicial, el que fue aceptado por la primera agrupación política como base de negociación. La *Convergence*, en tanto, sometió su respuesta el 11 de julio. El 1 de julio se circuló entre todos los Estados miembros el informe de la Comisión Investigadora de los hechos del 17 de diciembre de 2001, y terminó su labor en esa semana el Consejo Consultivo de Indemnizaciones que presentó su informe final.[215]

Al tiempo de concluir la presente obra, el Consejo Permanente de la OEA aprobó la resolución CP/RES. 822 (1331/02), "Apoyo al fortalecimiento de la democracia en Haití", en la que resuelve, entre otras cosas:

• Acoger con beneplácito el compromiso del gobierno de Haití de adoptar medidas adicionales de fomento de la confianza, entre las que se incluyen:

• Publicar, dentro de los 60 días a la recepción del informe de la Comisión Investigadora, un informe del Ministerio de Justicia sobre las medidas tomadas respecto de las personas que se haya comprobado que estuvieron involucradas en los hechos del 17 de diciembre de 2001 y días siguientes;

[215] Ver VI Informe de la Misión de la OEA a Haití (OEA/Ser.G - CP/doc.3625/02 corr.1), 7 agosto 2002.

• Reforzar sus políticas y programas de desarme e invitar a una cooperación activa de la comunidad internacional, por intermedio de la Misión Especial de la OEA, en la elaboración y puesta en práctica de un programa exhaustivo de desarme;

• Implementar, en toda la extensión de su autoridad legal, todas las recomendaciones sobre derechos humanos y sobre la prensa consignadas en el informe de la Comisión Investigadora.

• Reconocer las medidas positivas que ha tomado el gobierno de Haití hasta la fecha para implementar la resolución CP/RES. 806, respaldarlo e instarlo a que aplique plenamente todos los elementos pendientes de dicha resolución lo antes posible. En particular, esto comprende:

• El restablecimiento de un clima de seguridad;

• El enjuiciamiento efectivo y, cuando proceda, la destitución de las personas cuya participación en la violencia del 17 de diciembre de 2001 y días siguientes se haya comprobado;

• La conclusión de una investigación rigurosa de todos los crímenes políticamente motivados;

• La pronta indemnización a las organizaciones y personas que hayan sufrido daños, como resultado directo de la violencia del 17 de diciembre.

• Instar al gobierno de Haití a que, con el objeto de establecer las condiciones para las que han de llevarse a cabo en 2003, renueve sus esfuerzos para asegurar un clima de seguridad y confianza, dentro de los parámetros trazados en el resolutivo 5 de la resolución AG/RES.1841, teniendo en cuenta la necesidad de fortalecer la policía y las instituciones judiciales independientes como parte del esfuerzo renovado para combatir la impunidad.

• Reafirmar la importancia de la celebración de elecciones legislativas y locales libres, justas y técnicamente viables —en la fecha de 2003 que establecerá el CEP— en las cuales puedan participar todos los partidos políticos con libertad y seguridad. La realización de estas elecciones tendrá en cuenta las prerrogativas electorales constitucionales del gobierno de Haití y se hará de acuerdo con el proceso propuesto por la OEA en el Proyecto de Acuerdo Inicial (rev. 9) del 12 de junio de 2002, que incluye:

• La formación de un CEP autónomo, independiente, creíble y neutral, dentro de los dos meses siguientes a la adopción de esta resolución (antes del 4 noviembre 2002);

• El establecimiento por el CEP, conforme a los parámetros de la legislación haitiana y dentro de los 30 días siguientes a la formación del CEP, de una Comisión de Garantías Electorales;

• El seguimiento por parte del CEP de las actividades de la policía relacionadas con el proceso electoral.

• Ofrecer al gobierno de Haití, a los partidos políticos y a la sociedad civil el respaldo y la asistencia técnica de la OEA para facilitar la formación del CEP y la preparación y celebración de las elecciones.

• Respaldar la normalización de la cooperación económica entre el gobierno de Haití y las instituciones financieras internacionales e instarlos a que superen los obstáculos técnicos y financieros que impiden dicha normalización.

• Reafirmar los mandatos del Secretario General y de la Misión Especial de la OEA y encomendar al Secretario General que refuerce aún más la Misión Especial de la OEA en Haití a fin de que respalde, controle e informe acerca de la implementación de las resoluciones respectivas de la OEA y los compromisos del gobierno.

• Instar al Secretario General a que continúe participando en los esfuerzos para resolver la crisis política.

• Instar a la comunidad internacional a que suministre fondos adicionales a la Misión Especial de la OEA y a prestar apoyo técnico y financiero para las elecciones de 2003.

Al tiempo de concluir el presente trabajo, se abren una serie de interrogantes sobre el futuro de la cuestión de Haití, entre los cuales se destaca el logro de un acuerdo formal entre los distintos actores de la crisis haitiana —que no son sólo el gobierno, *Fanni Lavalás* y *Convergence Democratique*—, que ponga fin a las disputas que crean un clima permanente de discordia y violencia; la realización efectiva de las elecciones correspondientes; el cumplimiento exitoso de los propósitos de la Misión Especial de la OEA; y la liberación de fondos y asistencia financiera por parte de la comunidad internacional. El responder a estas cuestiones de manera positiva y con hechos concretos nos ubicarán, quizás, en la senda definitiva de una solución a la crisis de Haití.

CONCLUSIÓN

Este extenso repaso a la historia de la Organización de los Estados Americanos y su papel en la defensa y fortalecimiento de la democracia, nos ha permitido conocer de dónde venimos, cómo nos encontramos y hacia dónde vamos con esta Organización. El Sistema Interamericano ha probado ser vulnerable a las circunstancias vigentes en cada momento histórico en el continente. Sin repetir expresiones que ya han sido manifestadas y ejemplificadas a lo largo del presente trabajo, nos corresponde hacer un diagnóstico de la situación en la que se encuentra la OEA en relación con la democracia en el hemisferio.

Hoy más que nunca la OEA aparece cuestionada y observada. Hoy más que nunca los gobiernos democráticos están siendo discutidos y descalificados en muchos países del continente. Basta con recorrer la extensa cobertura periodística que merecieron las elecciones y el desarrollo democrático en algunos países y la participación o relación eventual de la OEA con ellos, para darnos cuenta del seguimiento que efectúan los medios de prensa, la sociedad civil y los gobiernos no sólo del hemisferio sino del mundo entero, respecto de la evolución de la democracia en la región y del papel de la Organización en relación con su promoción y asistencia.

La Organización de los Estados Americanos, hasta no hace mucho completamente desconocida para el hombre común, ha adquirido últimamente una creciente relevançia por su papel en la promoción y defensa de la democracia y los derechos humanos en el continente. Pero, ¿es la OEA efectivamente garante del respeto a la democracia y los derechos humanos en el hemisferio? Muchos opinan que no. No nos corresponde ocuparnos aquí de la labor de defensa de los derechos humanos —que es sumamente importante y ha jugado un papel decisivo para muchos de nuestros países—, pero su relación con el fortalecimiento y protección de la democracia es clara y permanente. Un nuevo componente también aparece hoy en el firmamento: la corrupción y, con ella, cada vez son más los atributos que definen a un régimen autocrático y dictatorial.

La no-intervención ha dejado de ser una valla insalvable cuando están en juego los derechos y libertades fundamentales de los individuos o cuando ha sido completamente avasallado el ejercicio legítimo de la democracia y del poder por un gobierno legalmente elegido e instalado. En 1991, escribí que la figura básica que aparecía en la agenda internacional era el "agrupamiento colectivo"; esa expresión hoy adquiere significativa vigencia: "En efecto, el proceso en marcha procura transformar la política internacional en un proceso global más orgánico. Este proceso tiende a tornar difusa la barrera que separa los asuntos domésticos de los eminentemente globales, realzando la preocupación internacional por aspectos hasta no hace mucho estimados como relegados exclusivamente a la órbita interna de los Estados".[216] La vigencia efectiva de la democracia, sin adjetivos, ya no es un asunto exclusivamente de la jurisdicción interna de los Estados, y su violación no puede ampararse en el ampuloso respeto a la soberanía absoluta.

Como lo escribió el Secretario General de las Naciones Unidas, Kofi Annan, "la soberanía estatal, en su sentido más básico, está siendo redefinida, al menos por las fuerzas de la globalización y de la cooperación internacional. Los Estados son ahora ampliamente considerados como instrumentos al servicio de sus pueblos, y no viceversa. Al mismo tiempo, la soberanía individual —entendida como las libertades fundamentales de cada individuo, consagradas en la Carta de la ONU y en siguientes tratados internacionales— ha sido resaltada por una renovada y extendida conciencia de los derechos individuales."[217] En ese sentido, la OEA se ha acercado mucho más a los individuos en los últimos años de lo que los propios individuos se han acercado a la OEA.

---

[216] Mauricio Alice, "Interdependencia y Seguridad Colectiva", en *América Latina/Internacional.* Vol 9, n. 32 (Buenos Aires: FLACSO, Abril-Junio 1992).
[217] Kofi Annan, "Two-Concepts of Sovereignty", en *"The Economist"* (18 September 1999), p. 49.

Hoy, las organizaciones no gubernamentales y los representantes de la sociedad civil participan cada vez más activamente en los diferentes ámbitos de la Organización. Ya no hay lugar para la exclusión, sí para una política de puertas abiertas y de cara al hemisferio.

¿Cumple la OEA con su papel de promover y fortalecer la democracia en el continente? Una respuesta positiva es indiscutible. La democracia se ha convertido en una de las prioridades de la agenda hemisférica y en uno de los principios fundamentales contenidos en su Carta constitutiva. Ello no es de extrañar, toda vez que la democracia sigue jugando un papel de primer orden en la política exterior de cada uno de los países que integran el Sistema Interamericano. Sólo permanece afuera un miembro de la Organización, que no resulta ajeno a los pronunciamientos y a los sueños de algunos de sus vecinos. La labor que desempeña la OEA en el campo de la democracia es sostenida por los diversos órganos, organismos y entidades que conforman el Sistema Interamericano, y su garantía reposa en la acción colectiva y la decisión y compromiso unilateral de cada uno de sus Estados miembros.

Es en este último aspecto donde reside el éxito o el fracaso de toda iniciativa hemisférica, promovida en el seno de la Organización. Permítaseme insistir una vez más en que difícilmente podamos separar a la OEA de sus partes componentes, los Estados. El ex Canciller de Costa Rica, Bernd Niehaus sentenció una vez, cuando se debatía la crisis de Perú: "déjémonos de espejismos, la OEA por sí sola no fracasa ni triunfa".[218] O bien, como lo dijera el ex Secretario General de la OEA, Alberto Lleras Camargo, "la OEA, como todos los organismos internacionales, es lo que sus Estados Miembros quieren que sea". Son estos últimos los que determinan la ejecutividad y la pasividad, la atención o la omisión; y, en última instancia, su eficacia. A lo largo del presente trabajo consideramos en cada caso particular la reacción de la OEA frente a crisis y a instancias o situaciones que plantearon una amenaza concreta a la democracia en la región. En cada caso, vimos el grado de participación que tuvo la Organización y la respuesta concreta brindada en el contexto de las circunstancias y condicionamientos imperantes. De esas situaciones no es posible extraer un principio de aplicación universal ni una conclusión idéntica. La diversidad y la asimetría resultan componentes esenciales al evaluar el comportamiento de la OEA en el fortalecimiento y defensa de la democracia. La

---

[218] Reunión Ad Hoc de MRE, OEA/Ser. F/V.2/MRE/ACTA 1/92-Doc.22, 13 abril 1992.

incidencia de intereses nacionales y estratégicos de determinados actores aparecen claramente marcados en los casos sometidos a consideración.

Es claro que las consecuencias derivadas de los fenómenos o acontecimientos internacionales dependen del modo en que éstos son usados por los actores del sistema. Desde el advenimiento de lo que en inglés se denomina *behaviorism*, los estudios internacionales y las ciencias sociales le han prestado creciente atención a dichos actores. Existe, hoy en día, una importante variedad de actores en la arena internacional. En este trabajo nos hemos ocupado mayormente de los Estados, como actores individuales a través de sus comportamientos y acciones en el contexto interamericano, y de ellos colectivamente integrados en un organismo hemisférico: la Organización de los Estados Americanos. Observamos que, dependiendo de su tamaño, peso específico, poder y capacidad, los Estados se comportan de un modo diferente y ejercen una influencia asimétrica en las relaciones interestatales y en todo proceso asociativo o de integración.

Paralelamente a dichos Estados, se evidencia en las diversas regiones del planeta la existencia de organizaciones, esquemas de integración o instituciones regionales y subregionales. Sus estructuras y regulaciones internas no son homogéneas y muestran las particularidades propias de cada región. Gordon Mace y Louis Bélanger han procurado sintetizar los elementos básicos que están presentes en la mayoría de las instituciones regionales, las cuales —dicen— juegan esencialmente dos papeles: "1) Sirven como un foro en el cual los Estados plantean y discuten determinados asuntos con miras a arribar a un consenso con base al cual se pueda desarrollar una acción colectiva; y 2) las instituciones regionales pueden también intervenir como participantes activos en derecho propio cuando proponen cursos de acción, definen normas o implementan decisiones colectivas".[219]

Nuestro análisis se ha concentrado en revisar el comportamiento de ambos actores, pero hemos dejado en claro que no es posible separar o dividirlos como entes o partes absolutamente desvinculadas, pues la una responde a los intereses y condicionamientos de la otra. Ello impone, en el caso que nos ocupa, una consideración específica respecto del papel que juegan los Estados en la estructura, desarrollo, comportamiento y proyección de la OEA, y sobre esa base se condujo el presente trabajo. Al considerar a los Estados como los res-

---

[219] Louis Bélanger y Gordon Mace, *The Americas in Transition* (Boulder-London: Lynne-Rienner, 1999), p. 14.

ponsables últimos del proceso de toma de decisiones y de ejecución de políticas a nivel hemisférico, es posible para algunos realizar una distribución de los mismos en categorías o grupos conforme a diversos elementos. Así, los autores citados precedentemente reconocen la existencia de "middle states", a los que Robert Cox (1989) ha caracterizado como aquellos cuyo "rol está inextricablemente ligado a la configuración del sistema internacional durante un período dado y a la concepción del orden internacional que domina en ese momento".[220]

Esos autores definen a los denominados "middle states" como aquellos que demuestran no sólo la capacidad sino también la voluntad de conformarse al modelo de comportamiento asociado con esta categoría, esto es: "good international citizenship, multilateral activism, peacekeeping and peacemaking, institution building, and mediation". En realidad, agregan, la habilidad específica de los "middle states" de hacer más que acomodarse ellos mismos a su posición estructural en el sistema, aparece como la característica de un "middle statehood".[221] A partir de esta base, los autores desarrollan una caracterización de los "middle states" fundándose en tres criterios:

1. "El "middle state" ocupa una posición en la jerarquía de poder justo al lado de las que ocupan las superpotencias. Si bien reconocen la subjetividad aplicable al significado de "poder", adoptan la medida esbozada por Cooper, Higgott y Nossal (1993): "aquel Estado que no es una gran potencia pero que tampoco es una potencia menor".

2. El "middle state" se relaciona con otros Estados en el sistema internacional en razón de sus capacidades asociativas y técnicas más que por sus puros atributos estructurales.

3. El "middle state" modela su comportamiento de acuerdo con una concepción que incluye los elementos citados previamente (good international citizenship, multilateral activism, coalition and institution building, and mediation)."[222]

Resulta interesante destacar que los mencionados autores ubican en la primera categoría de "middle states" a Argentina, Canadá y México. Estos

[220] Ibid, p. 153.
[221] Ibid, p. 154.
[222] Ibid, p. 158.

Estados también entran en la calificación de "middle powers" elaborada por Carsten Hollbraad, también explicada por los autores. En tanto, Brasil —según los mismos autores— "se relaciona con los otros Estados más por sus cualidades de liderazgo estructural (o contraestructural) que por sus capacidades asociativas o técnicas"[223]. En consecuencia, reconocen, Brasil ocupa una posición muy poderosa en comparación con los otros Estados de América Latina como para ser incluido en esta categoría. Si bien puede coincidirse *a priori* con tal distinción y criterios, es importante tener en cuenta que la posición relativa de los Estados, en este caso, en el contexto hemisférico, puede alterarse en función de múltiples variables. En ese sentido, los países de América Latina se han caracterizado en las últimas décadas por probar que no existe una norma permanente y que, a veces, ciertas excepciones pueden llegar a convertirse en reglas.

Es interesante traer a colación una caracterización que, desde el punto de vista de determinadas características sugeridas para la política exterior de los Estados Unidos, fue estructurada por Paul Kennedy y otros bajo el nombre de "Pivotal States".[224] Allí destacan que "los intereses nacionales de Estados Unidos requieren además estabilidad en partes importantes del mundo en desarrollo... Es vital que los Estados Unidos concentren sus esfuerzos en un pequeño número de Estados cuyo destino es incierto y cuyo futuro afectará profundamente las regiones que los rodean". Un "pivotal state", afirman, es un punto caliente (hot spot) "que puede no sólo determinar el destino de su región sino además afectar la estabilidad internacional".[225]

Luego de citar como un ejemplo tradicional de "pivotal state" a Turquía, los autores intentan aclarar la definición a través de algunos de sus componentes: una población numerosa y una importante localización geográfica, unidos al potencial económico, que resulta un elemento crítico. Además, añaden, un "pivotal state" es "tan importante regionalmente que su colapso puede generar un caos transnacional: migraciones, violencia, contaminación y enfermedades, entre otras cosas. En tanto, un progreso económico y una estabilidad sostenida del «pivotal state» impulsaría la vitalidad económica y las cualidades políticas de la región".[226] Al tiempo de escribir ese artículo (1996), los autores señalaban que por el momento debían considerarse "pivotal states": México

[223] Ibid, p. 159.
[224] Robert Chase, Emily Hill y Paul Kennedy, "Pivotal States and US Strategy", en *Foreign Affairs* (January/February 1996).
[225] Ibid, p. 33.
[226] Ibid, p. 37.

y Brasil; Argelia, Egipto y Sudáfrica; Turquía; India y Paquistán; y, finalmente, Indonesia. No puede menos que reconocerse la validez de tal clasificación, aunque hay que tener en claro su estructuración, en función de los intereses nacionales de un único Estado. Por otra parte, en el sistema de la globalización, sucesos o crisis económicas como las ocurridas en algunos países no incluidos en esta categoría han afectado a su región y se han propagado considerablemente más allá de ese límite.

Estas categorizaciones resultan útiles, sin embargo, para ensayar una aproximación al papel que les cabe a algunos Estados en el sistema interamericano en el presente. Luego de la recorrida efectuada en relación con las diversas crisis o sucesos que alteraron la normalidad de las instituciones democráticas en los países considerados, puede verse que Estados Unidos mantuvo siempre su papel de hermano mayor y ocupó un lugar destacado en el escenario hemisférico, orientando posiciones y resoluciones de los Estados medianos y pequeños de la región. Esto fue claro en casos como el de Cuba, Haití, Guatemala y Perú, para citar algunos. Otro Estado que jugó un papel importante en la promoción y defensa de la democracia ha sido Canadá, que se cuenta entre los grandes contribuyentes financieros de la OEA y que ha impulsado diversas medidas a favor de la democracia en la región, como la creación de la Unidad para la Promoción de la Democracia y su constante participación en el financiamiento de Misiones de Observación Electoral. Asimismo, tuvo una importante participación en crisis como las de Perú, Guatemala y Haití. Difícilmente se pueda hablar de Canadá como de un Estado mediano, por lo menos dentro de la OEA.

Los países del Caribe inglés identificados dentro de la OEA como pertenecientes al bloque de la CARICOM, tuvieron una participación destacada en la búsqueda de soluciones ante la crisis en Haití, particularmente desde el 2000 hasta nuestros días, dado el carácter de "miembro provisional" de aquel esquema de integración que este último país ostentó durante ese período, alcanzando su membresía plena recién en 2002. Ha sido en esta crisis donde más activamente se ha manifestado la CARICOM, aunque siguieron muy de cerca situaciones como las de Perú a fines de la década del 90, o de Venezuela, en abril de 2002, expresando serias preocupaciones sobre la medida y el modo de reacción que debía adoptar la OEA en esos casos.

Hasta los setenta, Venezuela fue siempre considerado importante —de entre los Estados medianos o "middle states"— en la región, pasando luego de la crisis de la deuda a adoptar un bajo perfil en su política exterior, aunque recuperando su brío en situaciones tales como la invasión a Panamá, o en crisis como la de Guatemala, o como bajo la administración del Presidente Chávez, aunque en este último caso no tanto dentro de la OEA como en el marco de la Comunidad Andina o en su acercamiento a Cuba. Colombia también mantuvo una activa participación en defensa de la democracia, particularmente en los sesenta y setenta, en casos como los de Cuba, o República Dominicana, aunque decreció en posteriores crisis como las de Haití —nunca integró el grupo de amigos del Secretario General— o Perú, o más recientemente Venezuela.

Brasil tuvo un elevado protagonismo en las relaciones interamericanas, especialmente en la década de los sesenta y setenta, en que confluyó con su activo desenvolvimiento a un claro alineamiento estratégico con los Estados Unidos; baste recordar, por ejemplo, la invasión a República Dominicana y la integración de la denominada Fuerza Interamericana. En las décadas siguientes, pese a seguir siendo considerado el coloso de Sudamérica, Brasil comienza a proyectar un alto nivel de participación en otros mecanismos o esquemas de integración y concertación, tales como el Grupo de Río, el MERCOSUR o el proceso de las Cumbres de las Américas, a *contrario sensu* de lo que ocurre en el seno de la OEA, cuyo protagonismo comienza a declinar gradualmente.

En el caso de Argentina, en general, puede decirse que si bien los grandes rasgos de la política exterior respondían tradicionalmente a criterios principistas, su ejecución no estaba ordenada coherentemente por la diversidad de gobiernos que se sucedieron en nuestro país. Así, Juan Carlos Puig sostiene —al referirse al período que va desde 1955 hasta 1973: que "Desde el punto de vista externo, el autonomismo había dejado profundas huellas y mostraba su persistencia a pesar de la inserción privilegiada en el mundo 'occidental y cristiano'... La consecuencia fue que durante casi veinte años el país marchó a los tumbos desde el punto de vista estratégico. Carente de una orientación política definida, nunca pudo resolver en forma coherente sus conexiones externas, ora por la vacilación estructural, ora por los sucesivos planteos militares o los derrocamientos de los gobiernos civiles".[227]

Cuando se afirma que durante el gobierno del Presidente Carlos Menem, las relaciones argentino-estadounidenses pasaron por un momento único y de

---

[227] Juan Carlos Puig, op. cit., p. 33.

completo alineamiento en la historia de las relaciones entre ambos países, no se exagera. En efecto, ya desde la Primera Conferencia Internacional Americana (1899-90) hasta 1989, las relaciones Argentina-Estados Unidos fueron en su mayor parte antagónicas, aunque gozaron de esporádicos períodos donde los intereses de ambos países coincidían. Dado el liderazgo de Estados Unidos en el continente, durante la guerra fría Argentina se limitaba a acompañar las iniciativas que —a instancias de aquél— adoptaba la OEA.

El primer Canciller de la gestión de Carlos Menem, Domingo Cavallo, afirmó al respecto: "Hemos vivido largas etapas de desconfianza. Lo cierto es que ese distanciamiento fue de resultado negativo. Hoy, ante un mundo donde la integración y la cooperación son los valores motores de la conducta internacional, tenemos la sensación de que los resquemores entre los Estados Unidos y nuestro país, y América Latina en general, fue un episodio que debe ser superado. Sentimos que en todos los órdenes internacionales hoy se impone acortar distancias y dejar atrás aquello que no contribuya a superarlo... El actual momento del panorama internacional nos exige no reiterar conductas perimidas. Hay que intentar caminos nuevos por los que podamos transitar sin repetir los errores del pasado. Argentina necesita tener excelentes relaciones con Estados Unidos y creemos que Estados Unidos, dadas las aludidas circunstancias de la política internacional reciente, necesita a su vez tener relaciones constructivas y equitativas con Argentina y con toda América Latina... Me atrevería a decir sin circunloquios que las relaciones bilaterales han mejorado sustancialmente y que se está definiendo un nuevo estilo, un diálogo fluido, que favorece el progreso mutuo."[228]

Por su parte, su sucesor en el cargo de Canciller, Guido Di Tella, definió con tres palabras su política exterior: "pragmatismo, integración y apertura". Y agregaba, "el orden internacional que nos afecta tan sustancialmente, no puede ser moldeado según nuestras preferencias y necesidades. El voluntarismo anquilosa. Pero con ese trípode enunciado, podemos avanzar en relaciones más maduras con los países centrales y sostenerlas, en el nivel de mayor eficacia, con todos los países de la tierra, directamente y a través de los organismos que representan a la comunidad internacional".[229] Más adelante, el Canciller argen-

---

[228] Domingo Cavallo, Seminario *"Argentina hacia el año 2000"*, Disertación en el CARI, 21 de junio de 1990.

[229] Guido Di Tella, *La Política Exterior Argentina en los Umbrales del Siglo XXI*. Disertación en el CARI, 18 de abril de 1991.

tino explicaba: "Esta política no-voluntarista, adversa a la confrontación partidaria de acordar sobre asuntos diversos de la política internacional, con las grandes potencias cuya amistad nos resultaría provechosa, puede no brindar beneficios súbitos, puede no resolver controversias económicas, pero no causa perjuicio, evita riesgos y costos eventuales, y es la condición necesaria para que aquellos beneficios puedan concretarse". Ello suponía un alineamiento automático con la política exterior de Estados Unidos y una convergencia de valores y principios para alcanzar metas en las cuales la Argentina se identificaba con el país del norte.

Esa convergencia de políticas también se proyectó en el seno de la OEA a través de numerosas iniciativas que mostraban un cierto paralelismo en sus políticas exteriores. Ello también se hacía manifiesto en otros ámbitos por los que circulaban las relaciones interamericanas, tales como las reuniones de Ministros de Defensa para abordar temas tales como la seguridad hemisférica, o el proceso de Cumbres de las Américas. Simultáneamente, Argentina había adquirido un alto nivel de participación en la OEA, que se hizo evidente en las crisis de Haití y Guatemala o en situaciones como las que asolaron al Paraguay, en las que mostró un papel activo y coordinado con sus socios dentro del MERCOSUR. En los últimos tiempos, como se ha visto, Argentina mantuvo un alto perfil dentro del organismo hemisférico, que se hizo visible en el tratamiento del caso peruano durante la XXX Asamblea General de la OEA, en Windsor. Otro caso que revela una activa participación de la Argentina en materia de democracia, dentro y fuera de la OEA, es el caso de Haití. La defensa y promoción de la calidad de la democracia en el hemisferio fue uno de los pilares de la política exterior del Presidente Fernando de la Rúa, y ejecutada por su Canciller, Adalberto Rodríguez Giavarini. El testimonio más importante, en ese sentido, resultó de la propuesta de una "cláusula democrática" en la reunión preparatoria del GRIC en Barbados, la que finalmente fue incluida en el texto final de la Declaración firmada por los Jefes de Estado y de Gobierno de las Américas reunidos en Québec, en abril de 2001. Este fue un logro altamente significativo que le valió no poco reconocimiento al gobierno argentino. En un escalón más bajo, en comparación con la iniciativa anterior, se ubica la participación de Argentina en la negociación y adopción de la denominada "Carta Democrática Interamericana", cuyo valor, proyección y trascendencia fueron exaltados por el Canciller Rodríguez Giavarini en el ámbito de la OEA.

Al tiempo de terminar la presente obra, el Canciller Carlos Ruckauf es el ejecutor de la política exterior del Presidente Eduardo Duhalde. Si bien es aún prematuro efectuar un análisis puede resultar útil la expresión del propio Ministro de Relaciones Exteriores, quien, al caracterizar la línea central de la política exterior, afirmó: "vamos a ser polígamos", diferenciándose quizás de una gestión anterior que estuvo regida por el alineamiento automático con los Estados Unidos, vale decir, unido a un único cónyuge. El bautismo de fuego en el ámbito interamericano estuvo dado por la crisis en Venezuela, donde la reacción del Presidente Duhalde y de la Cancillería Argentina resultó oportuna, adecuada, y coherente con uno de los principios rectores de nuestra política exterior: la defensa y mantenimiento de las instituciones democráticas y del Estado de Derecho en la comunidad de naciones dentro y fuera de este hemisferio.

La proyección de la política exterior argentina en la OEA ha generado respeto y en ocasiones le ha reconocido, en determinadas cuestiones, un claro liderazgo. Nuestro país debe saber atesorar semejante conquista, debe profundizar su participación en aquellos emprendimientos hemisféricos que resulten no sólo coherentes con sus intereses nacionales, sino también congruentes con los intereses del conjunto. De ahí la importancia de reforzar sus alianzas en un espacio que le es natural, por historia, cultura y geografía. Como ya se ha afirmado en el presente trabajo, el todo es la sumatoria de sus partes. Como en todo agrupamiento colectivo organizado, es la decisión del conjunto la que determina el curso de acción a seguir, aunque a veces el resultado final pueda no ser el más feliz. Un ejemplo de ello lo constituyó la marcha del proceso para adoptar una Carta Democrática Interamericana en la XXXI AGOEA, celebrada en junio de 2001, y según fue instruida por los propios Jefes de Estado y de Gobierno del hemisferio a sus Cancilleres. Ese desacuerdo terminó postergando su adopción a la espera de un consenso general, que finalmente se alcanzó en septiembre de ese año. Este tipo de "expectativas frustradas" son las que generan desconfianza o cuestionamientos sobre la eficacia de la Organización regional. Otro ejemplo, donde el cuestionamiento estuvo determinado por la falta de una acción pronta y decisiva, fue la crisis de Venezuela, en abril de 2002. La negociación y aprobación de una Resolución del Consejo Permanente sobre la crisis demoró más tiempo que la propia resolución de la situación que la había motivado.

Hay que reconocer que, hoy día, la OEA corre con una pesada carga y con severos calificativos que arrastra desde la guerra fría. Su acción posterior no ha superado las expectativas de muchos, porque —se dice— sigue siendo el instrumento de pocos. Sin embargo, afirmar que la OEA es un total fracaso en materia de promoción y defensa de la democracia no podría estar más alejado de la realidad. Tanto las crisis democráticas que pusieron en marcha el mecanismo de la 1080, o de la Carta Democrática Interamericana o la suspensión de un país miembro, cuanto las virtuales amenazas a la democracia que vivió la región encontraron una respuesta inmediata de la Organización. En unos casos, ella fue protagonista principal de su resolución, en otros equilibró su acción con el principio de no-injerencia en los asuntos internos del o de los Estados miembros involucrados. Solo en escasas y contadas ocasiones podría afirmarse que la OEA fue mera espectadora.

A veces se comete el error de juzgar la fortaleza del Organismo cuando en realidad debería considerarse la oposición que aquél debe enfrentar en cada caso concreto, no ya del país involucrado sino de parte de otros Estados que se sienten virtual o potencialmente amenazados con la injerencia de la Organización. Para citar ejemplos, en el caso del Perú —cuando fue considerado en la XXX AGOEA— ¿falló la acción de la OEA o triunfó la oposición de países como Venezuela, México o Brasil? En el caso de Haití, ¿la irresolución debe atribuirse exclusivamente a la OEA o a la responsabilidad que se atribuye al CARICOM o a los Estados involucrados en procurar una salida a la crisis? En Windsor, el Canciller Argentino declaraba a un periodista del diario *Clarín:* "tiene que quedar en claro que la OEA es un instrumento democrático también para Latinoamérica y que debe dar frutos concretos".[230]

Un diagnóstico de la democracia en el hemisferio evidencia que la inestabilidad y la autocracia pueden convertirse en deudas a cobrar a corto plazo. En algunos países, las formas tradicionales de democracia han ido mutando para adquirir un nuevo andamiaje, y la situación en nuestro hemisferio dista de presentar un panorama de absoluta tranquilidad y de definida seguridad en relación con el futuro. Las asimetrías que presenta el desarrollo en los países que integran la región, junto con el desafío que plantean los embates de la globalización y el advenimiento de la "nueva economía", asentada en la "democratización de la tecnología, de las finanzas y de la información", presentan un esquema de preocupante evolución para aquellos países que no consiguen ajustar su "golden straitjacket".

---

[230] *Clarín digital*/Internacionales, Martes 6 de junio de 2000.

La desaparición de los gobiernos autoritarios o dictatoriales en América Latina no necesariamente condujo al establecimiento de democracias plenas, como parecía auspiciar el optimismo que generó la denominada *tercera ola*, al decir de Huntington. Thomas Carothers, en su artículo "El fin del paradigma de transición" *(The end of the transition paradigm)*, afirma que más bien la tendencia ha conducido a lo que llama la "zona gris", dentro de la cual reposan dos síndromes políticos: *feckless pluralism (pluralismo ineficiente o democraduras)* y *dominant-power politics (políticas poder-dominante o dictablandas)*, ninguno de los cuales es completamente democrático ni enteramente autoritario, y ninguno conduce a ninguna parte. Así, sostiene Carothers, el primero es una democracia incompleta en la que elecciones relativamente libres y transparentes resultan sólo en la alternancia del poder entre elites político-partidistas corruptas, egoístas e ineficientes, las que mantienen al país en marcha hacia delante y hacia atrás de manera continua y sin que los problemas nacionales se solucionen. Pero, advierte el citado autor, el peligro más serio en el primer tipo es que un electorado exasperado deje de optar por otros partidos democráticos, y más bien busque una alternativa sistémica, más cerca del polo dictatorial; o sea, el segundo tipo: *dominant-power politics*, con un espacio político limitado y en el que un solo agrupamiento político domina la escena, con pocas perspectivas de alternancia de poder en un futuro cercano. [231]

Sin perjuicio de los cuestionamientos que recibió esa teoría,[232] quizás la respuesta a las cuestiones planteadas resida en la falta de acuerdo absoluto acerca del significado y alcances de lo que debe entenderse por *democracia*. Si el sentido y alcance del término varían o se adaptan según el gusto del consumidor, entonces parecieran cobrar valor las palabras de Fareed Zakaria, quien afirmó que la democracia puede no ser una gran idea para algunos países, y recomendó en su lugar esfuerzos para promover una opción supuestamente más factible, que llama "constitucionalismo liberal".[233]

Lo cierto es que el retorno a la democracia en América Latina pareciera no haber producido los efectos esperados por todos, y por ende, en algunos lugares se perciben rasgos de decepción o, peor aún, de reacción. Dice Peter

---

[231] Ver Thomas Carothers, "The End of the Transition Paradigm", en *Journal of Democracy*, vol. 7, enero 2002.

[232] Ver "Debating the Transition Paradigm", en *Journal of Democracy*, vol. 13, julio 2002, pp. 5-38.

[233] Fareed Zakaria, "The Rise of Illiberal Democracy", en *Foreign Affairs*, vol. 76 (November-December 1997), pp.22-43.

Hakim: "Contrariamente a las expectativas, la caída de los gobernantes militares de América Latina no llevó a una firme consolidación de la democracia y el estado de derecho, los que continúan siendo débiles y vulnerables en muchos países".[234] La caída del gobierno del Presidente De la Rúa, en Argentina, y la crisis institucional producida por el derrocamiento de Hugo Chávez en Venezuela, más la grave situación que enfrenta Colombia con la guerrilla, en un conflicto que ya lleva casi cuatro décadas, encendieron luces de alerta para algunos sectores sobre posibles intervenciones militares en el continente. Más no de la mano de golpes militares tradicionales, sino por medio de acciones que comenzaron a denominarse "intervenciones humanitarias", y que se caracterizan por la participación de fuerzas militares para poner fin a crisis institucionales y agitaciones sociales.

Frente a aquellas situaciones en las que un gobierno democráticamente elegido sufrió una mutación que degeneró en un mecanismo de avasallamiento de los principios y valores esenciales de la democracia representativa, diversas voces se alzaron para actualizar el sentido y el alcance de un instrumento esencial para la defensa de la democracia representativa, como fue la Resolución 1080. El resultado estuvo dado por la adopción de la Carta Democrática Interamericana, que superó a aquel instrumento y está destinada a proteger la democracia y asegurar su mantenimiento frente a las situaciones descriptas en los párrafos precedentes.

Al respecto, cabe hacer dos enfoques. El primero es que hoy aprendimos que la aplicación de estos instrumentos *ex-post*, —vale decir, una vez que se ha producido "una interrupción abrupta o irregular del proceso político institucional democrático o del legítimo ejercicio del poder por parte de un gobierno democráticamente electo en cualquiera de los Estados", o "una alteración del orden constitucional que afecte gravemente su orden democrático"—, no resulta ser el mejor remedio para la enfermedad.

Frente a los peligros que acechan a la democracia y ante el convencimiento de que sus enemigos no han desaparecido, sino más bien adquirido nuevas indumentarias, una acción preventiva parece ser la mejor solución. Ya la "Declaración de Managua" afirmaba que "la misión de la Organización no se agota en la defensa de la democracia en los casos de quebrantamiento de sus valores y principios fundamentales sino que requiere, además, una labor permanente y creativa dirigida a consolidarla, así como de un esfuerzo permanente para

[234] Peter Hakim, "The Uneasy Americas", *Foreign Affairs* (March/April 2001) p. 50.

prevenir y **anticipar** las causas mismas de los problemas que afectan el sistema democrático de gobierno".[235]

El otro enfoque tiene que ver con avanzar en la consideración de una serie de medidas que, sin entrar en lo que prevé el "Protocolo de Washington" —cuya invocación es dificultosa pues no ha sido ratificado por todos los Estados miembros de la OEA— o la propia Carta Democrática Interamericana —que no es un instrumento jurídicamente vinculante, aunque sí lo es políticamente—, provean una herramienta de suficiente entidad como para desalentar toda eventual "alteración inconstitucional" en un Estado miembro. Diversos sectores han sugerido el análisis de medidas de este tipo, que podrían abarcar una diversidad de situaciones, que sea procedente adoptar en el ámbito regional y siempre que resulten compatibles con las disposiciones de la Carta de la ONU, particularmente sus artículos 41 y 42.

Es innegable que la aprobación de la "Carta Democrática Interamericana" vino a llenar un vacío en relación con las nuevas dimensiones que pueden adquirir las amenazas a la democracia. En ese sentido, ella resulta superadora de las disposiciones contempladas en la Carta y en la resolución 1080 en relación con situaciones que amenacen o quebranten la vigencia de la democracia en un Estado Miembro. Una vez más es oportuno decirlo: pesa en los propios Estados Miembros de la Organización asegurar su eficacia y garantizar la vigencia de la democracia en el hemisferio.

La traumática y sangrienta experiencia de las dictaduras latinoamericanas ha convertido a la democracia en la más preciada joya del Sistema Interamericano. Es por ello que no debe de extrañar que la OEA se embarque en un proceso de actualización de las normas encargadas de su defensa, asegurando remedios eficaces —quizás bajo la forma de sanciones— que desalienten todo intento de derrocar las instituciones de la democracia representativa o de desestabilizar de cualquier manera el régimen político institucional democrático en uno de sus Estados Miembros. Es importante destacar que la democracia se erige sobre la base de una variada gama de pilares, entre los que sobresalen: la lucha contra la pobreza y la marginación, la lucha contra la corrupción, contra el lavado de dinero, contra el narcotráfico y el consumo de drogas ilícitas; a los que se suman, la promoción del desarrollo sostenible —en su tríada: protección del medio ambiente, desarrollo social y crecimiento económico—, la protección de la salud, la educación y la seguridad, para mencionar los más importantes.

[235] Resolutivo 3.

Abordar la democracia como un tema absolutamente desvinculado de los anteriores aspectos entraña una falacia y, como tal, puede exponerla a vaivenes considerables. América Latina vive condicionamientos que siempre tornaron particular su historia, 'desarrollo y crecimiento, con respecto a los países de América del Norte como Estados Unidos y Canadá. Los particularismos que exhiben las culturas y valores en un caso y en otro explican el porqué del éxito o del fracaso.[236] Sucesivos altibajos han caracterizado el desarrollo político, económico y social en las últimas décadas en la región. Al estigma de las "variadas formas" que asumen las amenazas a la democracia —como lo refiere la Declaración de la III Cumbre de las Américas—, América Latina se debate aún entre los problemas sociales, la carga de la deuda externa y el fantasma de la recesión, a los que se suman hoy el duro cuestionamiento al "consenso de Washington" y las políticas y medidas que fueron su consecuencia. Jorge Domínguez afirma que "un temor persistente asola a la región: una *fracasomanía*, o una obsesión con el fracaso".[237]

Hoy la OEA ha desarrollado mecanismos de seguimiento en relación con la implementación de normas y convenciones o acuerdos específicos en la legislación interna de sus Estados Miembros. Ente ellos, sobresalen el Mecanismo de Evaluación Multilateral (MEM), que funciona en el ámbito de la CICAD, y el Mecanismo de Seguimiento de la Implementación de la Convención Interamericana contra la Corrupción, que fue adoptado mediante una Declaración suscripta en la XXXI AGOEA, en Costa Rica, en junio de 2001. Similares instrumentos se han adoptado en materia de seguridad, tales como las Declaraciones de Santiago (1995) y de San Salvador (1998) sobre Medidas de Fomento de la Confianza y la Seguridad, o la Convención sobre Transparencia en la Adquisición de Armas Convencionales (1999).

La actualización a la que hicimos referencia más arriba en materia de democracia puede ser un trampolín para que en el futuro, una vez que las democracias del hemisferio alcancen la madurez y solidez necesarias, se considere la posibilidad de arribar a una convención interamericana —como ya lo ha sugerido el Comité Jurídico Interamericano, que tiene elaborado un proyec-

---

[236] Ver Samuel P. Huntington y Lawrence E. Harrison, *Culture Matters* (New York: Basic Books, 2000); Lawrence E. Harrison, *The Pan-American Dream* (New York: Basic Books, 1997); Lawrence E. Harrison, *Underdevelopment is a State of Mind* (Cambridge: Harvard University, 1985).

[237] Jorge Dominguez, "Latin America's Crisis of Representation", en "*Foreign Affairs*" (January/February 1997).

to— o incluso, avanzando un poco más, adoptar un "mecanismo de seguimiento" que, respetando el principio de no-intervención en los asuntos internos de un Estado, verifique la existencia de parámetros mínimos para que se dé la Democracia Representativa. Para ello, debe afianzarse de manera consistente un espíritu de identidad americana y de afirmación de principios, valores y objetivos comunes que determinen el camino a seguir. La vía para alcanzar esos propósitos requerirán una opción: la OEA, como el principal foro hemisférico con una responsabilidad primaria en materia de defensa de la democracia; el proceso de Cumbres de las Américas, cuya nota relevante está dada por la participación directa de los Jefes de Estado y de Gobierno del hemiferio; o bien, como lo propuso el Presidente de la Comisión de Relaciones Internacionales de la Cámara de Representantes de los Estados Unidos, bajo la forma de una Federación o Commonwealth de las Américas, con bases políticas, de seguridad y económicas comunes.[238]

A medida que se afirma la vigencia de la democracia en el mundo, vemos afirmarse una noción de responsabilidad y de necesidad de respuesta de los gobernantes frente a sus gobernados. La expresión que, en inglés, abarca con mayor propiedad la idea a la que nos referimos es *accountability*. Lamentablemente, esta palabra no tiene una traducción exacta al español, pues responsabilidad es insuficiente para definir exactamente el término, aunque *rendición de cuentas* parece acercarse más a su sentido específico.

Ciertamente que esta noción de *accountability* abarca, normalmente, el cumplimiento u observancia por parte del funcionario o del gobernante de las normas o legislación interna del Estado de que se trate, pero ¿qué pasa cuando no se respetan determinados derechos o libertades fundamentales de los ciudadanos? La respuesta debe elaborarse de acuerdo a cada caso en particular, especialmente cuando ello pone al gobierno de un Estado determinado en una situación violatoria de un tratado o de una norma del derecho internacional, como podría ocurrir en materia de derechos humanos.

Anteriormente señalamos la existencia de una moderna corriente de pensamiento para la cual la democracia constituye un derecho humano, aunque esa posición es bastante resistida y no ha generado aún consenso, aunque se lo catalogue como un "principio emergente del derecho internacional". Dadas las dificultades evidentes que importaría asegurar la observancia o cumplimiento de tal derecho y de los procedimientos necesarios para obtener una satisfacción

---

[238] Ver *The Washington Post*, 13 July 2001, A15.

a cualquier reclamo en ese sentido, preferimos inclinarnos, por ahora, por la tesis esbozada por el Comité Jurídico Interamericano en el sentido expresado en su ya citada resolución CJI/RES.I-3/95, en la que constató que: "Todo Estado del Sistema Interamericano tiene la obligación de ejercer efectivamente la Democracia Representativa en su sistema y organización política".

La pregunta es, entonces, ¿cómo asegurar un cumplimiento efectivo de tal obligación? ¿Es posible hacerlo individual o colectivamente? ¿Qué resultan más útiles, las sanciones o los incentivos, el garrote o la zanahoria? Las respuestas a esos interrogantes son, sin duda, complicadas y susceptibles de ser evaluadas caso por caso. Sin embargo, otra pregunta podría proporcionarnos una salida: ¿podría ser efectivo un acuerdo o compromiso de responsabilidad entre las diversas partes? El desafío de mantener intacto tal acuerdo o compromiso de responsabilidad es algo similar a lo que en Teoría de los Juegos se conoce como "la tragedia de los comunes" o "the tragedy of the commons", como se la conoce originalmente. Esta teoría fue elaborada por el biólogo Garrett Hardin de la Universidad de California para describir la clase de problemas creados cuando demasiada gente se aprovecha de un recurso disponible pero agotable. Esta teoría es explicada por Robert Behn en su libro *Rethinking Democratic Accountability*, en los siguientes términos:

"En la Nueva Inglaterra de la colonia, el pueblo "común" (commons) era poseído en común como propiedad de todos. Así, cada ciudadano poseía una parte igual del común (commons) con un igual derecho de usar esa propiedad común. Cada ciudadano tenía el derecho de apacentar una vaca en la propiedad común (commons). En realidad, cada ciudadano tenía ese derecho con relación a varias vacas, y muchos ciudadanos así lo hacían. De ese modo, la propiedad común (commons) terminaría siendo usada en exceso, se agotaría y ya no serviría para pasturas". La "tragedia del común" (the tragedy of the commons), explica Behn, "es un juego de suma cero; vale decir que no es sólo un juego de competición sino de ambos, competición y cooperación. Todos los ciudadanos del pueblo estarían mejor —u obtendrían mayores beneficios— si simplemente se pusieran de acuerdo en cooperar y cada uno sólo hiciera pastar una vaca a la vez. Es difícil, sin embargo, lograr que cada ciudadano se comprometa a tal arreglo. A ese desafío se agrega el de asegurar la observancia del acuerdo. Después de todo, cada uno tiene un obvio incentivo para desistir de él: meter un vaca extra en el común (commons)". Según sostiene Behn, cada uno tiene un incentivo de convertirse en un "free-rider", esto es, utilizar el "común" aportando la parte que le corresponde a través de impuestos justos (fair-share), pero obteniendo o sacando mayores beneficios (por un pastoreo excesivo).[239] En otras palabras, el estado ideal es aquel en el que los beneficios que se derivan del actuar en conjunto y para el bien de todos superan a los que se extraen del obrar individual y egoísta.

Este juego se vincula estrechamente con otro, llamado "dilema de los prisioneros" (Prisoner's Dilema), aunque en éste varía el número de los participantes. En el "dilema de los prisioneros" dos individuos —que habían participado como cómplices en un robo y que ahora estaban encerrados en celdas separadas pero en la misma prisión— dejan de cooperar entre sí porque los cálculos individuales y egoístas de cada parte revelan que él o ella se beneficiarán no de cooperar entre sí sino de hacer todo lo contrario. Sin embargo, si de algún modo ambas partes mantuvieran el compromiso originario de cooperar entre sí, cada individuo obtendría un beneficio mayor. Traducido en términos de naciones, "grupos de éstas que cooperaran entre sí podrían obtener mayores beneficios e incrementar sus posibilidades de supervivencia a largo plazo".[240] Ambos juegos en el fondo atienden a lo mismo: el accionar colectivo frente al egoísmo individual de cada parte. La cuestión reside en lograr que gente o pueblos interesados en sí mismos actúen colectivamente para beneficio de todos. Ello es posible cuando, como dice Mancur Olson de la Universidad de Maryland: (1) los beneficios derivados de las acciones de cada individuo abarcan a los otros miembros del grupo, y (2) los beneficios para cada individuo que derivan de su cooperación con el resto son menores que el costo de tal cooperación".[241]

La pregunta es, ¿cómo lograr que los ciudadanos del pueblo de Nueva Inglaterra se abstengan de usar la propiedad común en su propio beneficio? Para Olson esto no es posible, a menos que, dice, se den tres condiciones: primero, que el número de individuos en el grupo sea bastante pequeño y que cooperen voluntariamente para beneficio de todos; segundo, que haya alguna forma de coerción; y, tercero, que se establezca algún procedimiento o mecanismo que haga que los individuos actúen en interés del conjunto.[242] En el fondo, como vemos, la esencia del problema se sintetiza en establecer un

[239] Robert D. Behn, *Rethinking Democratic Accountability* (Washington, DC: The Brookings Institution, 2001), p.150.

[240] Todd Sandler, *Global Challenges* (Cambridge: Cambridge University Press, 1997) pp. 165-167.

[241] Robert D. Behn, op. cit., p. 151.

[242] Ibid, p. 153.

mecanismo que haga posible que cada parte del agrupamiento colectivo, sea voluntariamente o mediante alguna forma de coerción o de incentivo, actúe de modo tal de generar beneficios para el conjunto. El punto de partida es la confluencia de voluntades para beneficio del conjunto, por lo que la adopción de un contrato, o de una convención puede resultar la vía más idónea.

A partir de ella, y sólo una vez acordados los términos de tal contrato, se puede ingresar en la etapa siguiente: observar que las partes involucradas cumplan cabalmente con las obligaciones acordadas; o sea, que cumplan con el contrato, y para ello desarrollar algún tipo de mecanismo o práctica en ese sentido. Para traducir lo precedente al lenguaje de los Estados, una vez desarrollada y acordada una convención sobre democracia, sería posible echar las bases de un eventual mecanismo de seguimiento en esa materia. Para ello, debe existir *a priori* un acuerdo sobre parámetros mínimos en materia de respeto y cumplimiento de los principios y normas fundamentales para la vida en democracia y en el marco del Estado de Derecho. Ello es absolutamente esencial para poner en marcha cualquier esfuerzo colectivo que tienda a observar y asegurar la vigencia de la democracia en los países de la región. Otro elemento fundamental para hacer posible tal iniciativa es que su implementación evidencie un beneficio incontrastable para los Estados participantes, que resulte superior al de mantenerse al margen o al de buscar satisfacer su propio interés individual. Ello supone establecer un mecanismo o acuerdo, negociado en conjunto y estructurado sobre una base de legitimidad y legalidad, con beneficios evidentes para el conjunto aunque satisfaciendo al mismo tiempo el interés nacional de cada Estado participante.

Dicho mecanismo, a su vez, debe resultar de un acuerdo de voluntades explícito bajo la forma de un tratado o una convención. Semejante mecanismo vinculado con la democracia requeriría, como ya dijimos, de la elaboración o negociación de ciertos parámetros o estándares mínimos, cuya observancia o cumplimiento resulte obligatorio y que prevea determinadas medidas en caso de violación. Para ello, un punto de partida podría ser la "Declaración de Santiago" (1959), en la cual —como ya vimos anteriormente— se enuncian "algunos principios y atributos del sistema democrático":

"1. El principio del imperio de la ley debe ser asegurado mediante la independencia de los poderes y la fiscalización de la legalidad de los actos del gobierno por órganos jurisdiccionales del Estado.

2. Los gobiernos de las repúblicas americanas deben surgir de elecciones libres.

3. La perpetuación en el poder, o el ejercicio de éste sin plazo determinado y con manifiesto propósito de perpetuación, es incompatible con el ejercicio efectivo de la democracia.

4. Los gobiernos de los Estados americanos deben mantener un régimen de libertad individual y de justicia social fundado en el respeto de los derechos fundamentales de la persona humana.

5. Los derechos humanos incorporados en la legislación de los Estados americanos deben ser protegidos por medios judiciales eficaces.

6. El uso sistemático de la proscripción política es contrario al orden democrático americano.

7. La libertad de prensa, de la radio y la televisión, y en general la libertad de información y expresión, son condiciones esenciales para la existencia de un régimen democrático.

8. Los Estados americanos, con el fin de fortalecer las instituciones democráticas, deben cooperar entre sí en la medida de sus recursos y dentro de los términos de sus leyes para consolidar y desarrollar su estructura económica, y con el fin de conseguir justas y humanas condiciones de vida para sus pueblos".

Recordemos que, conforme a esta Declaración, el no-ejercicio efectivo de la democracia puede entenderse como una amenaza a la paz y la seguridad de la región, antecedente esencial para poner en marcha cualquier acción colectiva. En el mismo sentido, Robert Dahl enumera lo que él llama "condiciones esenciales para la democracia"[243], a saber:

1. Control de los militares y la policía por funcionarios elegidos;

2. Creencias democráticas y cultura política;

3. Inexistencia de un control extranjero hostil a la democracia, condiciones favorables para la democracia;

4. Una sociedad y una economía de mercado modernas; y

5. Un débil pluralismo subcultural.

Un mecanismo de tal naturaleza serviría como herramienta preventiva para anticipar sobresaltos o amenazas a la estabilidad democrática en un país del

---

[243] Robert A. Dahl, *On Democracy* (New Haven: Yale University Press, 1998), p. 147.

hemisferio. En segundo lugar, con un equipo técnico especializado, podría proporcionar asistencia para el fortalecimiento de la democracia, a nivel del gobierno nacional o del Congreso. Por último, a su fuerza disuasiva —montada sobre mecanismos y remedios efectivos previstos en la Carta de la OEA, para la defensa de la democracia— podría sumar un atractivo certificado de garantía, incluso para asegurar los intereses de los inversores externos. No nos olvidemos que la credibilidad de la economía depende de la credibilidad del régimen político. La vigencia del sistema democrático, entonces, reflejando un análisis positivo, podría ser exhibido como una carta de presentación para el gobierno del Estado de que se trate, con evidentes consecuencias para su régimen político y crecimiento económico en un sistema globalizado; es decir, su síntesis oscilaría entre el garrote y la zanahoria, o entre las sanciones y los incentivos. Como se escribió una vez, los sueños de ayer son las realidades de hoy.

Volviendo al presente, es indudable que la prevención y la expansión de medidas de defensa de la democracia pueden presentar desafíos y generar un significativo intercambio de opiniones y puntos de vista, altamente relevantes en el momento de redefinir y consolidar el papel de la OEA en el contexto hemisférico como el foro político por excelencia para la defensa y la promoción de la democracia representativa.

Es importante destacar, sin embargo, que la pérdida de confianza en las instituciones políticas no se ha visto acompañada por una pérdida de confianza en la democracia. Un estudio publicado en la revista *Journal of Democracy*, afirma que:

"We find no evidence of declining commitment to the principles of democratic government or to the democratic regimes in our countries. On the contrary, if anything, public commitment to democracy per se has risen in the last half century. At the other extreme, we are not concerned with day-to-day evaluations of specific leaders, policies, and governments; we assume that evaluations of this kind of governmental performance will rise and fall in any well-functioning democracy. Rather, our concern is with popular confidence in the performance of representative institutions. Among the specific indicators we focus on the trends in: 1) attachment to, and judgments of, political parties; 2) approval of parliaments and other political institutions; and 3) assessment of the 'political class' (politicians and political leaders) and evaluation of political trust".[244]

Robert Dahl, por su parte, sostiene que la falta de satisfacción con la forma en que se desempeñan los gobiernos, podría en el largo plazo debilitar la confianza de muchos de sus ciudadanos en el valor de la democracia y, de ese modo, debilitar su apoyo a sus enunciados.[245]

Una encuesta elaborada por la organización chilena *Latinobarómetro* y publicada por *The Economist*, en el año 2001, muestra que ha caído de manera considerable el apoyo a la democracia en la región, debido al descontento que genera el modo en que aquélla está siendo puesta en práctica.[246] Esos resultados se confirmaron en la misma encuesta publicada un año después, aunque mostrando cambios importantes en algunos casos, una leve mejoría en otros, y una declinación preocupante en los demás. Los problemas que inciden en esta crisis de confianza en la democracia son, mayoritariamente, de naturaleza socio-política y económica, con una acentuada expansión de la corrupción.[247]

La crisis de representatividad que se atribuye a los partidos políticos y la falta de respuestas de los gobiernos a las demandas sociales, económicas y políticas de sus ciudadanos requieren de un fortalecimiento inmediato del sistema que ha probado ser el más justo y eficaz para la vida de los pueblos: la democracia. Como lo escribió Arthur Schlesinger, "la democracia en el siglo XXI debe administrar las presiones provenientes de razas, de la tecnología y del capitalismo, y debe arreglárselas con las frustraciones espirituales y las quejas generadas en la vasta mayoría de la sociedad global".[248] En suma, hoy más que nunca en América Latina la democracia está siendo puesta a prueba, y debe demostrar que es la única alternativa viable para satisfacer las necesidades, angustias y requerimientos de los pueblos de la región.

Esta claro que las amenazas a la democracia no provienen de los mismos sectores que asolaron América Latina en décadas pasadas. Los golpes militares

---

[244] Pharr, Susan et all, "A Quarter-Century of Declining Confidence", en *Journal of Democracy* (Vol. 11, n.2, April 2000).

[245] Ver Robert A. Dahl, "A Democratic Paradox?", en *Political Science Quarterly* (Vol.115, n. 1, Washington DC, Spring 2000).

[246] Ver "An alarm call for Latin America's democrats", en "*The Economist*", 28 July 2001, pp. 37-38.

[247] Ver "Democracy clings on in a cold economic climate", en *The Economist*, 17 August 2002, pp. 29-30.

[248] Arthur Schlesinger Jr., "Has Democracy a Future?" en "*Foreign Affairs*" (September/October 1997), p. 12.

de ayer dieron lugar a los golpes civiles de hoy. Oscar Cardozo escribió: "Para las democracias latinoamericanas de hoy —todas ellas padecen algún grado de cuestionamiento a su legitimidad—' es sencillo actuar políticamente para detener el golpismo clásico como sucedió en Paraguay. Pero cuando las libertades son conculcadas detrás del escudo que aporta un proceso legal, como fue el caso peruano, lo que reina es la **confusión política**. Es este un punto donde se desnudan las preguntas sobre la salud del sistema político mayoritario hoy en América Latina".[249]

Quizá la OEA debería reconsiderar cuáles son las fuentes de amenazas reales para la democracia en la región, aunque para llevar adelante ese ejercicio necesitará de la voluntad de los Estados miembros y de su compromiso en alcanzar definiciones consistentes con la realidad. ¿Cuáles son las alternativas? Buscar un mecanismo nuevo que contemple esas amenazas o extender el alcance de la resolución 1080 y del artículo 9 de la Carta de la OEA. Dice Andrés Oppenheimer: "Lo que hace falta urgentemente ahora es enmendar esa cláusula democrática de la OEA para incluir los *golpes civiles*", en alusión al que había tenido lugar en Perú.[250] Argentina, a través del Representante Permanente ante la OEA, —en la sesión del Consejo Permanente que consideró el informe de la MOE/OEA— hizo una referencia tangencial a la necesidad de enmendar la cláusula democrática de la Organización, cuando dijo que la OEA debería buscar "alternativas que pudieran permitir a la región enfrentar situaciones que amenacen o pongan en duda la esencia de la democracia".

La respuesta no sólo debe ser coherente con la amenaza a enfrentar, también debe contener un compromiso serio que reprima o desarme cualquier atentado o desestabilización del sistema democrático. Frente a quienes, como Rubén Perina, ven el surgimiento de un *régimen democrático interamericano* (REDI), que resulta como expresión concreta de un nuevo paradigma democrático que guía y condiciona el comportamiento de sus miembros en defensa y promoción de la democracia[251]; otros, como Robert Kagan, afirman que "el mundo se ha vuelto un poco más flácido y de un humor más permisivo de lo que era hace una década atrás. La comunidad de dictadores trabaja en conjunto

---

[249] Oscar Raúl Cardozo, "Perú: la ilegitimidad es una hipoteca para el futuro", *Clarín* digital/ Panorama Internacional, sábado 27 de mayo de 2000.

[250] Andres Oppenheimer, "Qué hacer ante los golpes civiles", *La Naciónline*/Exterior, 6 junio 2000.

[251] Rubén M. Perina, "*El Régimen Democrático Interamericano: El Papel de la OEA*", en Sistema Interamericano y Democracia (Colombia: CEI-Ed. Uniandes-OEA, 2000).

al menos tan efectivamente como la comunidad de democracias".[252] Su conclusión es que no hay castigo sino permisividad. "Algún día", dice Kagan, "pagaremos un precio por nuestra laxitud". Se le atribuyó a la OEA el haberse enrolado en esa línea en situaciones como las de Fujimori en 'el 2000 en Perú y las elecciones en el 2001 en Haití.

Sin embargo, hablar de la OEA como de un pasivo espectador ante los hechos sería un poco injusto. Pese a las dificultades que genera alcanzar en el seno del organismo el consenso necesario para la adopción de iniciativas relativas a democracia, los trabajos continúan y la puerta sigue abierta para actualizar los debates y las normas. La resolución AG/RES. 1753 (XXX-0/00), aprobada en la AGOEA de Windsor, estableció un fondo específico permanente que se llama "Fondo Especial para el Fortalecimiento de la Democracia", financiado con contribuciones voluntarias con el fin de apoyar actividades para preservar, fortalecer y consolidar la democracia representativa en el hemisferio (resolutivo 1) La disposición más importante está contenida en el resolutivo 2, en donde se resuelve: "Encomendar al Secretario General a que, previa consideración del Consejo Permanente, disponga de los recursos del Fondo Especial con el fin de responder oportunamente, y en el marco del estricto respeto al principio de no intervención consagrado en la Carta de la Organización, a la solicitud de asistencia del Estado miembro afectado por situaciones que, a juicio del Estado involucrado, afecten el desarrollo del proceso democrático o el ejercicio del poder por parte de su gobierno elegido democráticamente". Este es un significativo paso adelante, al que se arribó tras superar no pocos obstáculos.

Una redefinición de la naturaleza de la amenaza debería incluir, asimismo, el desarrollo de la prevención o del establecimiento de medidas preventivas, y no circunscribir toda acción o respuesta a un hecho consumado, pues se corre el riesgo de responder tardíamente y con escaso éxito. Los textos jurídicos aprobados en el seno de la Organización no contienen referencia alguna a la actuación preventiva, salvo uno. La Declaración de Managua dice que "la misión de la Organización no se agota en la defensa de la democracia en los casos de quebrantamiento de sus valores y principios fundamentales sino que requiere, además, una labor permanente y creativa dirigida a consolidarla, así como de un esfuerzo permanente para **prevenir** y **anticipar** las causas mismas de los problemas que afectan al sistema democrático de gobierno" (resolutivo 3).

[252] Robert Kagan, "Springtime for Dictators", *The Washington Post* (25 June 2000).

Es importante tener en cuenta que cualquier análisis relativo a democracia, como un componente de la agenda internacional, no debe soslayar la existencia de otras variables o componentes que pueden tener una incidencia de grado considerable en la primera. Las características salientes de la globalización son la interdependencia y la interconexión. Entender esto cabalmente es esencial para comprender la nueva realidad que presentan las relaciones internacionales, a las cuales el sistema interamericano no es ajeno. Thomas Friedman nos explica el sentido: "Con un sistema complejo no-lineal hay que descomponerlo en partes, estudiar cada aspecto y luego estudiar la muy fuerte interacción entre todas ellas. Sólo de este modo es posible describir el sistema en su totalidad".[253] Entender el sistema nos llevará a entender los diversos aspectos que lo integran y su esquema de interacción recíproca. Ello es entender que la democracia, por sí misma y como un sólo elemento, no alcanza para garantizar su mantenimiento ni para alejar para siempre toda amenaza a su vigencia. Como lo señala Joseph Nye: "Las complejidades de la globalización han generado llamados para una respuesta institucional global. A pesar de que un gobierno mundial jerárquico no es ni posible ni deseable, ya existen y pueden expandirse muchas formas de gobierno de carácter global y métodos de manejo de los asuntos comunes."[254]

En síntesis, análisis de la democracia en el sistema, redefinición de la naturaleza de la amenaza y acción preventiva fundada en un eje colectivo de alcance regional, deben guiar el accionar positivo de la OEA en materia de democracia. La OEA y los países que la componen deben saber sacar provecho del aura de respeto que parece rodear a la Organización. Hoy, quizás más que nunca, la OEA está en los diarios y en las noticias que se refieren a la preservación de la democracia en el continente. La OEA está llegando al conocimiento del hombre común, del ciudadano, que mira al foro hemisférico como un ámbito al que es posible acudir para defender y fortalecer la democracia.

De ahí que sea preciso mantener y profundizar esta conquista. De otro modo, la Organización corre el riesgo de caer en el abismo del olvido por su inacción e ineficacia y por la condena aniquilante de las generaciones por venir. Por otra parte, la historia nos debe servir como el eje central para cualquier tipo

---

[253] Thomas L. Friedman, *The Lexus and the Olive Tree* (New York: Farrar, Straus and Giroux Ed., 1999), p. 24.

de análisis relativo a la proyección y futuro de la OEA. Como lo escribió Shakespeare, "el pasado es prólogo".

Esta revisión histórica no debe limitarse a la Organización sino que debe abarcar, en todo momento, los diversos actores y las distintas coyunturas históricas que marcaron su evolución. Las palabras de Claude Lévi-Strauss en su libro *Anthropologie Structurale* (1949), sobre todo la introducción "Historia y etnología", tienen un valor de manifiesto para cualquier historiador de América Latina. Para él, "sólo el desarrollo histórico permite sopesar y evaluar en sus relaciones respectivas los elementos del presente", distinguir en la medida de lo posible lo residual de lo propiamente funcional. La historia de América está unida indisolublemente con la historia de la lucha por la libertad humana. Libertad que no debe entenderse como el corolario de un penoso proceso sino, por el contrario, como la idea motriz de una actividad cotidiana y permanente.

El diagnóstico de la situación hoy en América Latina evidencia que la democracia continuará puesta a prueba en el futuro inmediato. En los países americanos pesa, pues, la responsabilidad de protegerla y estimular su práctica y respeto, de modo de asegurar el presente para garantizar el futuro de nuestros pueblos. Para concluir, retomo las palabras del Secretario General de la OEA, César Gaviria, cuando definía el pasado, presente y futuro de esta Organización: "Nuestros países tiene pues, ahora, no sólo lo que podríamos llamar una ética común. La región ha dejado atrás la época del autoritarismo y el pasado cruel de la dictadura y de las conflagraciones internas, y se ha abocado a la construcción y consolidación de las instituciones democráticas. Es necesario insistir en que la democracia es la columna vertebral de la renovación estructural del continente y que es fundamental mirar a través de ese prisma para poder comprender la magnitud de las transformaciones pasadas y los desafíos del porvenir...".[255]

---

[254] Joseph S. Nye, Jr., "Globalization´s Democratic Deficit", en *"Foreign Affairs"* (July/August 2001), p. 3.

[255] Discurso del Secretario General César Gaviria en el Foro sobre "Gobernabilidad Democrática y Derechos Humanos" (Caracas, Venezuela, 17 de julio de 1997), en *Las Américas: Una Nueva Era*, T. III.

BIBLIOGRAFÍA

Arend, Anthony Clark, *Legal Rules and International Society*. New York: Oxford University Press, 1999.

Baena Soares, Joao Clemente, *Profile of a Mandate*. Washington DC: OAS/OEA, 1994.

Behn, Robert D., *Rethinking Democratic Accountability*. Washington, DC: The Brookings Institution, 2001.

Bowett, D.W., *The Law of International Institutions*. London: Stevens & Sons, 1982.

Brownlie, Ian, *Principles of Public International Law*. Oxford: Oxford University Press, 1990.

Caminos Hugo, "*The Role of the Organization of American States in the Promotion and Protection of Democratic Governance*". The Hague: *Academy of International Law*, Martinus-Nijhoff Publishers, 1999.

Carothers, Thomas, *Aiding Democracy Abroad: The Learning Curve*. Washington DC: Carnegie Endowment for International Peace, 1999.

Chevalier, Francois, *América latina: de la Independencia a Nuestros Días*. Barcelona: Editorial Labor, 1983.

Dahl, Robert A., *On Democracy*. New Haven: Yale University Press, 1998.

Drago, Tito, *Centroamérica: Una Paz Posible*. Madrid: El País/Aguilar, 1988.

Escudé, Carlos, *La Declinación Argentina*. Buenos Aires: Editorial de Belgrano, 1988.

Feinberg, Richard, *Summitry in the Americas*. Washington, DC: Institute for International Economics, 1997.

Figueroa Plá, Uldaricio, *Organismos Internacionales.* Santiago, Chile: Editorial Jurídica de Chile, 1991.

Fox, Gregory H. y Brad R. Roth, *Democratic Governance and International Law.* New York: Cambridge University Press, 2000.

Friedman, Thomas L., *The Lexus and the Olive Tree.* New York: Farrar, Straus and Giroux Ed., 1999.

Halperin, Morton H., David J. Scheffer y Patricia L. Small, *Self-Determination in the New World Order.* Washington, DC: Carnegie Endowment for International Peace, 1992.

Huntington, Samuel P., *The Third Wave: Democratizaton in the late Twentieth Century.* University of Oklahoma Press-Norman and London, 1993.

Huntington Samuel P., y Lawrence E. Harrison, *Culture Matters.* New York: Basic Books, 2000.

Keohane, Robert, *Instituciones Internacionales y Poder Estatal.* GEL: Buenos Aires, 1993.

Keohane, Robert y Joseph Nye Jr., *Poder e Interdependencia.* GEL: Buenos Aires, 1988.

Kissinger, Henry, *Diplomacy.* New York: Simon & Schuster, 1994.

Kissinger, Henry, *Years of Renewal.* New York: Simon & Schuster, 1999.

"La Democracia en el Sistema Interamericano", Comité Jurídico Interamericano, OEA: Washington DC, 1998.

"Las Américas: Una Nueva Era", Selección de Discursos Secretario General de la OEA, César Gaviria, T. I-III (1994-1998), Washington DC: OEA, 1998.

Laïdi, Zaki, *L'Ordre Mondial Relaché: Sens et puissance après la guerre froide.* Paris: Presses de la Fondation Nationale des Sciences Politiques, 1993.

Mace, Gordon y Louis Bélanger, *The Americas in Transition.* Boulder y London: Lynne-Rienner Publishers, 1999.

Maresca, Adolfo. *Teoria e Técnica del Diritto Diplomático.* (Milano: Dott. A. Giuffre Ed., 1986.

Nye, Jr., Joseph S. y John D. Donahue, *Governance in a Globalizing World.* Washington,DC: Brookings Institution, 2000.

Pellicer, Olga, *Regional Mechanisms and International Security in Latin America.* New York: United Nations University Press, 1998.

Ruda, José María y L. A. Podestá Costa, *Derecho Internacional Público.* Buenos Aires; Tipográfica Editora Argentina, 1988.

Russell, Roberto, *La Política Exterior Argentina en el Nuevo Orden Mundial.* Buenos Aires: FLACSO/GEL, 1992.

Russell, Roberto y Rubén Perina, *Argentina en el Mundo.* Buenos Aires: GEL, 1988.

Sandler, Todd, *Global Challenges.* Cambridge: Cambridge University Press, 1997.

Scheman, Ronald L., *The Inter-American Dilemma.* Baker & Taylor, 1988.

Tickner, Arlene B., *Sistema Interamericano y Democracia.* Colombia: CEI-Ediciones Uniandes-OEA:, 2000.

ARTICULOS EN REVISTAS Y PERIODICOS

Alice, Mauricio, *"Interdependencia y Seguridad Colectiva"*, *América Latina/Internacional,* Vol. 9, n. 32, Buenos Aires, 1992.

Annan, Kofi, "Two Concepts of Sovereignty", The Economist, 18 September 1999. *"An alarm call for Latin America's democrats"*, *The Economist,* 28 July 2001.

Botana, Natalio, *"Entre el Fraude y la Incompetencia"*, *La Naciónline/*Opinión, 28 mayo 2000.

Cardozo, Oscar Raúl, *"Paraguay: una luz de alerta"*, *Clarín digital/*Opinión/ Panorama Internacional, sábado 20 de mayo de 2000.

Cardozo, Oscar Raúl, *"Perú: la ilegitimidad es una hipoteca para el futuro"*, *Clarín* digital/Panorama Internacional, sábado 27 de mayo de 2000.

Carothers, Thomas, *"The End of the Transition Paradigm"*, *Journal of Democracy,* vol 7, julio 2002.

Conil Paz, Alberto y Gustavo Ferrari, *"Política Exterior Argentina, 1930-1962"*, *Revista del Circulo Militar.* Buenos Aires, 1971.

Chase, Robert, Emily Hill y Paul Kennedy, *"Pivotal States and US Strategy"*, *Foreign Affairs,* January/February 1996.

Dahl, Robert A, *"A Democratic Paradox?"*, *Political Science Quarterly,* Vol.115, n. 1, Washington DC, Spring 2000.

Dominguez, Jorge, *"Latin America's Crisis of Representation"*, *Foreign Affairs,* January/February 1997.

Franck, Thomas M., *"The Emerging Right to Democratic Governance"*, *American Journal of International Law,* vol. 86, 1992.

Kagan, Robert, "*Springtime for Dictators*", *The Washington Post,* 25 June 2000.

Mathews, Jessica T., "*Power Shift*", en *Foreign Affairs,* January/February 1997.

Nye, Jr., Joseph S., "*Globalization's Democratic Deficit*", *Foreign Affairs,* July/August 2001.

Oppenheimer, Andres, "*Qué hacer ante los golpes civiles*", *La Naciónline*/Exterior, 6 junio 2000.

Pharr, Susan et all, "*A Quarter-Century of Declining Confidence*", *Journal of Democracy,* Vol. 11, n.2, April 2000.

Russell, Roberto, "*Los Ejes Estructurantes de la Política Exterior Argentina*", *América Latina Internacional,* vol. 1 nro. 2, Otoño-Invierno 1994.

Slaughter, Anne-Marie, "*The Real New World Order*", *Foreign Affairs,* September/October 1997.

Schlesinger Jr., Arthur, "*Has Democracy a Future?*", *Foreign Affairs,* September/October 1997.

Talbott, Strobe, "*Democracy and the National Interest*", en *Foreign Affairs,* November/December 1996.

Vargas Llosa, Mario, "*La Inutilidad Perniciosa*", *Diario El País,* 11 de junio 2000.

Zakaria, Fareed, "*The Rise of Illiberal Democracy*", *Foreign Affairs,* November/December 1997.

OTRAS FUENTES CONSULTADAS

Actas y Documentos OEA/OAS.
Clarín
La Nación
The Economist
The New York Times
The Washington Post
The Washington Times

INDICE

Se terminó de imprimir
en noviembre de 2002
en los talleres **EDIGRAF SRL**,
Delgado 834, Buenos Aires, Argentina.